De vertrouweling

Van dezelfde auteur

Het testament
De voorganger

Bezoek onze internetsite www.awbruna.nl
voor informatie over al onze boeken en dvd's.

Eric Van Lustbader

De vertrouweling

A.W. Bruna Uitgevers B.V., Utrecht

Oorspronkelijke titel
Last Snow
© 2010 by Eric Van Lustbader
Vertaling
Ed van Eeden
Omslagbeeld
© Yolande de Kort/Arcangel Images/Imagestore (rennende man);
© Andy & Michelle Kerry/Trevillion Images (omgeving)
Omslagontwerp
Wil Immink Design
© 2010 A.W. Bruna Uitgevers B.V., Utrecht

ISBN 978 90 229 9729 1
NUR 332

Mixed Sources
Productgroep uit goed beheerde
bossen, gecontroleerde bronnen
en gerecycled materiaal.
www.fsc.org Cert no. CU-COC-B02528
© 1996 Forest Stewardship Council
FSC

Dit boek is gedrukt op papier dat het keurmerk van de Forest Stewardship Council (FSC) mag dragen. Bij dit papier is het zeker dat de productie niet tot bosvernietiging heeft geleid. Een flink deel van de grondstof is afkomstig uit bossen en plantages die worden beheerd volgens de regels van fsc. Van het andere deel van de grondstof is vastgesteld dat hiervoor geen houtkap in de laatste resten waardevol bos heeft plaatsgevonden. Daarom mag dit papier het fsc Mixed Sources label dragen. Voor dit boek is het fsc-gecertificeerde Munkenprint gebruikt. Dit papier is 100% chloor- en zwavelvrij gebleekt en wordt geleverd door Arctic Paper Munkedals AB, Zweden.

Proloog

Capri – 1 april

Aan alles komt een eind. Liefde, haat, verraad. De hebzucht van rijkdom, de machtswellust, de troost van religie. Uiteindelijk valt iedereen, ook koningen van imperia en prinsen van de duisternis. In de stilte van het graf krijgt iedereen wat hem of haar toekomt.

In de volle overtuiging dat dit moment voor hem nog heel ver weg is, stapt hij op de Piazza Vittoria in de benauwde en overvolle bus voor de duizelingwekkende afdaling vanuit de bergen naar Capri-dorp. De vierkante, metalen gelddoos van de chauffeur is dicht en op slot en de man weigert geld aan te nemen voor de rit: de Capri-versie van een staking tegen het management en voor hogere lonen. Geen betogingen, geen gebalde vuisten, geen brede retoriek. Kalm en weloverwogen, langzaam als het ritme van het eiland zelf, duurt dit protest nu al drie jaar.

De tweebaansweg naar beneden, die de bus schuin hangend en met ronkende motor neemt, is behoorlijk steil, met scherpe haarspeldbochten. Het tegemoetkomende verkeer suist zo rakelings voorbij dat de vrachtauto's de bus lijken te willen gaan zoenen. Aan één kant is de weg versierd met bosjes kleurrijke bougainville, aan de andere kant is er het uitzicht op de Golf van Napels, die glinstert in de zon. Van tijd tot tijd zijn in de mysterieuze nissen van de voorkant van de berg de beschilderde kalkstenen miniatuurbeeldjes van de Maagd Maria zichtbaar, versierd met verwelkte bloemen. Hij is in de openluchtwerkplaats naast het prachtige kerkhof in Anacapri geweest, waar die beeldjes worden gemaakt, witgelig met blanke ogen die uit rubberen mallen rollen met ruwe randen die met een mes verwijderd moeten worden. Veel passagiers, vooral de oudere vrouwen, maken een kruisteken door hun voorhoofd, borst en schouders aan te raken als ze langs deze gewijde plaatsen rijden waar voetgangers werden aangereden.

Alle oranje zitplaatsen zijn bezet. Tassen verschuiven tussen blote knieen. Lange haren wapperen in een warm briesje. Korte aria's van Italiaanse gesprekken; hard en ruw gebits in het Duits. Handafdrukken op het glas, vettige verchroomde palen en verstijfde, zwijgende lichamen

7

die vechten met de zwaartekracht. Hij staat en kijkt door het raam naar de wolkeloze lucht, het kobaltblauwe water, de jachten en plezierboten. Hij ziet een overvolle vleugelboot die als een kromzwaard door de Golf van Napels snijdt en vraagt zich af of deze het is.

Terwijl hij naar de vleugelboot kijkt, valt het hem in dat de haven van Mergellina het laatste was wat hij zich werkelijk kan herinneren. Toen hijzelf op de vleugelboot van elf uur stond terwijl die door de Golf sneed, terwijl het waanzinnige Napels in de warme waternevel verdween en de steile berghellingen op Capri oprezen alsof ze uit zijn diepste geheugen kwamen, was hij een land van verloren tijd binnengegaan. Hij voelde zich zoals Caesar Augustus zich meer dan tweeduizend jaar geleden gevoeld moet hebben toen diezelfde rotskust dichterbij kwam. Precies op dat moment ving hij een glimp op van de overblijfselen van Villa Jovis, hoog boven in de bergen, en onbewust lanceerde hij zichzelf door de tijd, voor- of achteruit, naar dat paleis van steen, gras en prachtige verwoeste baden.

Een jongeman in een rood-blauwgeruite zwembroek, die het onnatuurlijk warme voorjaar volledig uitbuit, duikt vanaf de boeg van een glanzende zeilboot van teakhout en fiberglas in het donkere water. Een korte plons en even later verschijnt zijn blonde hoofd weer, terwijl hij het water van zijn lange Romeinse neus veegt. Hij zwaait enthousiast naar een vrouw met een grote zonnebril en een brede strohoed die op het dek is gekomen. Haar voeten staan ver uit elkaar en met één hand houdt ze de hoed vast om te voorkomen dat die afwaait. Haar badkleding bestaat uit drie minieme gele driehoekjes.

Tien over halfelf 's ochtends en nu al plakt zijn nek. Zweet glijdt langs zijn ruggengraat naar beneden. Zijn gezicht jeukt. De bus maakt een haarspeldbocht en er valt een lichaam tegen hem aan. Hij ruikt een lichte citroengeur en draait zich om, zich bewust van de warmte die dat andere lichaam uitstraalt. Een Caprees meisje van achttien, negentien jaar in een kort, verlammend nauwsluitend turkooizen rokje en een limoenkleurig mouwloos lycra topje dat hij verdacht veel op ondergoed vindt lijken. De perfecte kromming van een gebruinde arm en daaronder de zachte holte die onverbiddelijk overgaat in de aanzet van de jonge borsten. Zo kwetsbaar en tegelijkertijd zo ver weg, alsof ze deel uitmaakt van een andere levensvorm, een ander universum.

Wat ze natuurlijk ook doet. Maar wat hem er niet van weerhoudt om te staren naar de intieme, transpirerende pracht waartussen het dal ligt van

waaruit de onmiskenbare geur van versgeschilde citroenen zich ver-
spreidt. Haar gezicht is gedeeltelijk verborgen achter het dikke gordijn
van haar lange, donkere haar, maar hij vangt een glimp op van koffie-
bruine ogen en een brede Sophia Loren-mond. En haar kont. Mijn god,
alle vrouwelijke Caprezen hebben geweldige konten! Zelfs de moeders.
Al dat op en neer lopen van de trappen heeft een geweldig resultaat. De
hele dag, de hele nacht. Veel beter dan een StairMaster. De moderne
Romeinen slaan de plank volledig mis door de Napolitanen als boeren
te bestempelen. Maar als je met je neus in de lucht loopt, is het moeilijk
om de schatten te waarderen die dicht bij de grond liggen.

Er vaart een onverwacht verlangen door hem heen, het trekt hem naar
haar toe alsof ze een magneet is, het epicentrum van de echte Noord-
pool, waar hij al lang geleden op is afgestemd. Met de opwinding van
een bioloog die een mogelijk nieuwe soort tegenkomt, bestudeert hij de
dunne, zijdeachtige haartjes op haar gebruinde onderarm, en die in haar
nek als ze een slanke hand opheft om de waterval van haren naar achteren te strijken: lange, bleke trilharen als van een schepsel uit de zee.

Dit Caprese meisje, vers als een *spremuta*. Hij wenst dat hij haar hand
vasthad, tegen haar ronde heupen schurkte, luisterde naar de muziek
van haar soepele benen terwijl ze over de vredige zandpaden liepen op
het kerkhof boven op de berg. Dat ze zouden stilstaan en zwijgend zouden kijken naar de vrouwen die geknield hun handen in emmers zeep-
sop stopten en de marmeren hoofdstenen met inscripties van hun fami-
liegraven schoonpoetsten en verse snijbloemen in de groene glazen
vazen zetten die met zwarte, ijzeren ringen aan het koude oppervlak van
de grafstenen geklonken waren. Hoe prettig hij dat zou vinden en hoe
onuitsprekelijk verveeld zij zou zijn. Gezien de blanco uitdrukking op
haar gezicht zijn een versterkende *macchiato* en even shoppen in Tod's
meer haar soort vermaak.

Hij staat pal naast haar. Zijn gedachten liefkozen haar net zo intiem als
een hand van een geliefde zou doen. Toch is ze zich nergens van bewust.
Met vochtige, halfopen lippen kauwt ze kauwgom. In stilte lacht hij om
haar en om zichzelf. Om hoe idioot fantasieën kunnen zijn en tegelijkertijd zo verleidelijk. Hij kan zich niets meeslependers voorstellen.

Hij ademt haar geur diep in en ontdekt een alchemistische verandering:
zijn eigen reactie op haar heeft een diep gevoel in zichzelf opgeroepen.
Zowel een vrolijk als een beangstigend gevoel, een glibberig ding dat uit
de diepte van zijn jeugd is opgestegen, toen hij om drie uur in de ochtend

door de met puin bezaaide straten van Manhattan zwierf met het buiten-staandersgevoel voor de saaie wereld. Hoe geweldig hij het vond dat hij anders was – een eenzame wolf die de schapen allemaal dezelfde kant op zag lopen. En hoe bang hij was voor de eenzaamheid die dat met zich meebracht. Misschien, zegt hij tegen zichzelf, was hij toen al op zoek naar haar, naar deze ene, naar dit perfecte wezen, maar hij weet meteen dat het zelfbedrog is. Dat er niemand is die alles voor je doet en dat je daarom verder dan de liefde blijft zoeken, verder dan gezelschap, omdat je nog niet geheel bevredigd bent, want als je dat wel was, blijft alleen de dood over. Het zoeken naar bevrediging, zegt hij tegen zichzelf, is de motor van het leven.

Dit meisje, deze fantasie, moet in toom worden gehouden, net als een driedubbele whisky. Ze is er om hem te laten vergeten, om de pijn bin-nen in hem te verzachten, de pijn die een ziekte is geworden. Dit tijds-moment, dit heden, is voor hem een droom. Hij woont in het moment dat hem drie uur geleden heeft overvallen en als een geselende, scha-vende verwoesting blijft hangen.

De benauwde bus neemt een bocht en even kan hij een stuk van de weg achter hen zien, die over de steile, groene berghelling naar hotel Caesar Augustus leidt. Als een vallende steen zakt zijn hart naar zijn maag. Mia's laatste, wrede, verschrikkelijke zin vatte alles samen, verpakte de afgelo-pen twee weken in het dichtgeplakte bruine papier dat het verdiende.

De bus zigzagt met ratelende versnellingsbak de laatste halve kilometer naar het openluchtstation in Capri-dorp, waar hij overstapt op de bus naar Marina Grande. Vijftien minuten later is hij daar. De bus braakt zijn lading uit op een straat die al vol mensen en voertuigen is. Alles en iedereen lijkt tegelijkertijd op dezelfde plaats te moeten zijn. Door die tien verschrikkelijke woorden, door dat poeslieve gezicht waarop geen enkel spoor van bitterheid of verdriet te vinden was, wilde hij met zijn gebalde vuist in haar gezicht slaan. Hij is vervuld van razernij, een moe-ras waar hij zich uit wil worstelen als hij de bus uit springt. Hij kijkt de stoep langs, met bonkend hart en opgefokte zenuwen.

Hij verdraait bijna zijn nek als hij naar haar zoekt. Net als een honge-rige hond hard en bang grauwt, heeft hij de aandrang kwaad te zijn. Hij hoort Mia's laatste zin in zijn hoofd. Perfect en verwoestend getimed.

Maak je om mij geen zorgen, ik word goed genaaid.

Deze vrouw, die zich als een sirene voortbeweegt, hangt om hem heen als een hongerige maan.

Hij wenst dat Cloe was gekomen, want dat zou betekenen dat ze hem had vergeven, dat ze hem terug zou nemen. Hij stelt zich voor hoe het zou zijn als hij een glimp van haar zou opvangen in de mensenmassa, om haar naar hem toe te zien lopen. Het zou een schok zijn haar hier te zien, de open armen die de echte wereld vergevingsgezind naar hem uit zou steken. Ja, vergeving.

Hij bedenkt wat hij tegen Cloe zal zeggen als hij haar vanavond belt, het nieuwe begin dat misschien het zijne kan zijn; het verraad dat vergeten zal worden, omdat hij vrij zeker weet dat Cloe hem nooit zo wreed pijn zou doen als Mia heeft gedaan. Hij stelt het zich voor alsof het een film is die hij kundig aan elkaar last, de mise-en-scène van verraad, en vraagt zich af (omdat alle goede films gemanipuleerde scènes zijn van elkaar compenserende krachten) wat eigenlijk het tegenovergestelde is van verraad. Hij mengt zich nu in de mensenmassa. Hij gaat sneller lopen, zijn hart bonkt als hij zijn mobiel pakt. Hij zal Cloe nu bellen, alles opbiechten, haar vertellen dat het helemaal over en uit is, een nare droom die tot het verleden behoort. Ze zal het begrijpen. Natuurlijk zal ze het begrijpen.

Wat er staat te gebeuren, ziet hij gereflecteerd in de ogen van een tenger meisje dat naar hem toe loopt, alleen net te laat. De betekenis van haar geschokte blik is nog tot hem aan het doordringen als het kleine Caprese busje recht op hem in rijdt en hem ter plekke vermoordt.

Deel 1

Lady Macbeth:
*'De slapenden en de doden
zijn slechts beelden.'*

– William Shakespeare, *Macbeth*

1

Moskou – 5 april

Jack McClure keek met zijn mobiel tegen zijn oor vanuit zijn hotelsuite naar de boog- en uivormige koepels van het Rode Plein. Het sneeuwde. De laatste sneeuw, zo was de voorspelling, van een lange en, zelfs voor Rusland, koude winter. Het Rode Plein was bijna leeg. De warrelende, donkere wind joeg de laatste toeristen, met hun schouders gebogen en hun digitale camera's onder hun lange jassen om ze te beschermen, terug naar hun hotels, waar dampende koffie met wodka of *slivovitsj* op hen stond te wachten.

Jack was een week eerder aangekomen met het presidentiële gevolg voor een rondreis die zowel politiek noodzakelijk als cultureel belangrijk was, wat de reden was dat de First Lady en de First Daughter meereisden. De reis was geregeld – opgesteld was misschien een beter woord – door generaal Atcheson Brandt, die in de Golfoorlog commandant van een luchteskader was geweest. Hij was een gedecoreerde veteraan en nu, na zijn pensioen, een gerespecteerde militair analist voor CNN en ABC. Alle belangrijke mensen in Washington kende hij. Als hij iets zei, luisterden de oudere politici van beide partijen. Hoewel de vroegere mini-Koude Oorlog met Rusland, vooral met president Joekin, acht jaar had geduurd, had generaal Brandt ervoor gezorgd dat zijn privécommunicatielijnen met Joekin altijd open waren gebleven. Zijn openlijke kritiek op de harde opstelling tegen Rusland van de vorige regering had geleid tot kort overleg tussen Joekin en de vorige president. Hoewel daar niets tastbaars uit was voortgekomen, was generaal Brandt door beide partijen in de Senaat geprezen voor zijn inzet.

Maar op dit moment dacht Jack niet aan de generaal. Jack had de afgelopen drie minuten geen woord gezegd en Sharon ook niet. Ze luisterden naar elkaars ademhaling, zoals ze zo vaak deden als ze samen in bed lagen in Jacks huis in Washington DC. Terwijl Jack via de telefoon luisterde, dacht hij aan haar. Hoe ze thuiskwam na haar werk en haar kleren stuk voor stuk uittrok tot ze in haar bh stond en de bikinislip die ze altijd aanhad. Hij dacht aan hoe ze in bed zou stappen en naar achteren zou schuiven, met haar billen op zoek naar die vage afdruk die zijn afwezige lichaam als een souvenir had achtergelaten. Hoe haar ogen zouden dicht- vallen als ze in slaap viel. Hoe diep ze zou slapen. Wat zou ze dromen als alle aangeleerde lagen van de beschaving wegvielen, als ze weer het kind werd dat ze was geweest, als ze zeker wist dat er niemand keek of haar droomsluier kon scheuren? Hij dacht graag dat ze over hem droomde, maar had er totaal geen idee van, net zoals hij er totaal geen idee van had wie ze echt was, hoewel hij haar lichaam bijna even goed kende als het zijne en hoewel hij elke kleine beweging kende die ze maakte, overdag en 's nachts.

Hij wist dat deze vragen in hem opkwamen omdat hij zo ver van huis was. Hij was op reis met de net gekozen nieuwe president van de Ver- enigde Staten, zijn oude vriend Edward Harrison Carson, als strategisch adviseur van Carson.

'Wat houdt die functie eigenlijk precies in?' had hij aan Carson ge- vraagd in de week na de inhuldiging.

De president had gelachen. 'Echt iets voor jou, Jack, om meteen ter zake te komen. Ik heb je uit de ATF gehaald om mijn dochter te zoeken. Je bracht Alli terug, wat niemand anders zou hebben gekund. Mijn ge- zin en ik voelen ons veilig als jij in de buurt bent.'

'Met alle respect, Edward, maar je hebt een peloton supercompetente Geheime Dienstmedewerkers tot je beschikking, die stuk voor stuk be- ter opgeleid zijn om jou en je gezin te bewaken.'

'Je snapt het niet, Jack. Ik heb veel te veel respect voor je om je als ba- bysit te willen gebruiken, hoewel Alli het niet erg zou vinden. En trou- wens, praktisch gezien zou er dan veel te weinig gebruik worden ge- maakt van je speciale talenten. Ik maak me geen enkele illusie over hoe moeilijk en gevaarlijk de komende vier jaar zullen worden. Zoals je je kunt voorstellen, zijn er legio mensen die luidruchtig allerlei adviezen in mijn oor willen fluisteren. Een deel van mijn werk is om hen dat te laten doen. Maar jij bent de enige naar wie ik zal luisteren, omdat jij de enige bent die ik absoluut vertrouw.'

'Dus dat doet een "strategisch adviseur"?'

Sharon was gaan fluisteren, wat betekende, volgens de routine van hun telefoontjes in de afgelopen week dat Jack in Moskou zat, dat het moment was aangebroken dat ze gingen praten. Jack draaide zich om en liep op zijn blote voeten langs de tafel waar foto's van haar en Emma op stonden, die hij overal mee naartoe sleepte als hij wegging, over het tapijt naar de badkamer. Daar wilde hij de kraan opendraaien, zodat de afluisterapparatuur die in elke kamer zat hem niet kon horen. Niet minder dan vier Russische regeringsvertegenwoordigers hadden bezworen dat er geen afluisterapparatuur was. Maar aangezien de Geheime Dienst er in hun eerste nacht al eentje had ontdekt, hadden hij en de gehele presidentiële staf de waarschuwing gekregen om voorzorgsmaatregelen te nemen als ze in hun kamers met iemand praatten, ook al was het gesprek nog zo onschuldig.

Via de verwarmingsbuizen bij de wc hoorde hij stemmen. In de loop van de week had hij al eerder af en toe stemmen gehoord vanaf de verdieping onder hem, maar tot nu toe had hij er nooit iets van kunnen verstaan. Deze keer hoorde hij duidelijk een mannen- en een vrouwenstem die ruzie hadden.

'Ik haat je,' zei de vrouw. Haar onverbloemde emotie vibreerde door de buis. 'Ik heb je altijd gehaat.'

'Je zei dat je van me hield,' zei de man. Niet klagend, zoals verwacht mocht worden, maar snauwerig, als van een man die aanvalt.

'Toen haatte ik je ook. Ik heb je altijd gehaat.'

'Ook toen ik je op het bed nam?'

'Toen helemaal.'

'Toen ik je liet klaarkomen?'

'En wat denk je dat ik toen in mijn eigen taal gilde? "Ik haat je, ik zie je in de hel, ik vermoord je!"'

'Jack?'

Door Sharons stem in zijn oor draaide hij de kraan helemaal open. Hij was geen luistervink, maar het waren twee wraakzuchtige en vlijmscherpe stemmen, waardoor hij wel moest luisteren, en er ook niet mee op kon houden.

'Jack, ben je op een feest?'

'Op mijn kamer. Maar de mensen onder me halen elkaar het bloed onder de nagels vandaan. Hoe is het met je?' Een onschuldige vraag, maar niet als je vijfenvijftighonderd kilometer van elkaar vandaan bent. Als je zo ver uit elkaar bent, heb je altijd een vraag in je hoofd: wat doet ze nu? Of de bredere variant: wat hééft ze gedaan? Eigenlijk wist hij wel dat haar dag precies hetzelfde verliep als wanneer hij thuis was: ze stond 's ochtends op, douchte, at staande een snel ontbijt aan de keukenbar, zette de borden in de gootsteen omdat ze alleen nog maar tijd had om óf af te wassen óf haar make-up te doen, niet allebei, ze ging naar haar werk, deed boodschappen, kwam thuis, zette Muddy Waters of Steve Earle op terwijl ze kookte, las een boek van Anne Tyler of Richard Price, keek naar *30 Rock,* als dat er was, en ging naar bed.

Toch kon hij er niets aan doen dat hij zich afvroeg of haar dag significant anders was verlopen dan normaal, dat er iets bij was gekomen, dat iemand anders zich in haar dag had gewrongen, of – veel erger – in haar nacht. Een knap iemand, een begrijpend en beschikbaar iemand. Ook kon hij er niets aan doen dat hij zich nu afvroeg of die fantasie uit jaloezie voortkwam of uit hoop. Toen Sharon drie maanden geleden weer bij hem terug was gekomen, was hij er zeker van dat ze de ruzies die hen uit elkaar hadden gedreven, hadden bijgelegd. Het intense fysieke verlangen naar haar waardoor hij zich in eerste instantie tot haar aangetrokken voelde, was nooit echt verdwenen. Maar ze waren nog steeds dezelfde mensen. Jack was zeer toegewijd aan zijn werk, wat Sharon niet begreep, omdat ze die toewijding zelf niet kende. Ze had verschillende carrières voor ogen gehad, maar allemaal zonder zich ertoe aangetrokken te voelen. Eerst had ze schilderes willen worden, maar hoewel ze technisch zeer goed was, miste ze de passie, en dan komt er niets goeds, of waardevols, tot stand. Typerend voor haar was dat ze zich vervolgens wierp op de kunsthandel en dacht snel veel geld te verdienen. Maar weer mislukte het door een gebrek aan zelfvertrouwen en zelfs interesse. Uiteindelijk werd ze in dienst genomen door een vriend die bij het Corcoran werkte, maar ze werd binnen een jaar ontslagen. Dus werkte ze nu keihard, maar zonder plezier, in de makelaardij. Werk dat nauw verbonden was met de grillen van de economie, wat volgens hem alleen maar de pot met haar pruttelende woede liet overkoken: woede op hem, op de wereld en op haar leven zonder haar dochter. Hij kon er niets aan doen, maar dacht vaak dat ze uit wraak eiste dat hij elke avond thuis kwam eten, omdat hij wel van zijn werk hield en zij niet. Dat was een wurgend idee. Hij was altijd een buitenstaander geweest; door zijn dyslexie en zijn onorthodoxe opvoeding had hij nooit ergens bij gehoord en, zoals hij pas onlangs aan zichzelf had durven toegeven en verder alleen nog aan Alli Carson, dat wilde hij ook niet. Een van de dingen die hem met Alli verbond was dat ze allebei buitenstaanders waren. Sharon was in de meeste dingen conventioneel, in de andere was ze conservatief. In het begin had hij van haar gehouden, ondanks hun verschillen. Hij hield van haar geur, hield van haar, zowel naakt als gekleed, hield van hun intense liefdesspel. Nu stond Emma, of beter de herinnering aan Emma, tussen hen in als een gigantische, niet te verplaatsen schaduw die hun verschillen zo scherp benadrukte dat het pijn deed.

'Wie hoor ik daar fluisteren?' vroeg hij.

'Mijn moeder. Die is gisteren gekomen.'

Sharons moeder mocht hem niet. Ze was tegen hun huwelijk geweest en had tegen haar dochter gezegd dat het in tranen zou eindigen, wat natuurlijk was gebeurd. Die triomf was niet verbleekt nadat Sharon weer bij hem terug was gekomen. Hun dochter – haar kleindochter – Emma was dood, bij een auto-ongeluk gestorven toen ze twintig was. Voor Sharons moeder was alles in tranen geëindigd, ongeacht wat er nog allemaal stond te gebeuren.

'Jack, wanneer kom je thuis?'

'Dat heb je me gisteren en eergisteren ook al gevraagd.'

'En gisteren en eergisteren zei je dat je dat zou navragen.' Ze klakte met haar tong. 'Jack, wat heb je? Wil je niet naar huis komen?'

Hij vermoedde dat dit onderwerp niet ter sprake zou zijn gekomen als haar moeder met haar schadelijke invloed niet was gekomen. 'Ik heb je verteld dat toen ik akkoord ging met Edwards…'

'Mijn moeder zegt dat je die baan nooit had moeten nemen en ik moet zeggen dat ik dat met haar eens ben.'

'Wat bedoel je?'

'Als je echt van me hield, als je echt ons huwelijk een tweede kans zou willen geven, dan had je een baan dichter bij huis gezocht.'

'Sharon, dit lijkt wel een déjà vu. Ik kan niet…'

'Dat is jouw antwoord op elke serieuze vraag, hè? Grapjes maken. Nou, ik kan er niet meer tegen, Jack.'

Stilte op de lijn. Hij wist niet wat hij moest zeggen en wilde in geen geval iets zeggen waar hij later spijt van kreeg. Het was gek hoe intieme gesprekken konden veranderen, hoe emoties leken af te stompen of zelfs somber werden als ze over lange afstanden werden gevoerd. Alsof de telefoons zelf de gesprekken overnamen. Misschien kwam het door zijn vijandige omgeving – waar hij nu was en doordat zijn prioriteiten zo anders waren dan de hare.

'Je hebt me geen antwoord gegeven.' Haar stem klonk dik, alsof ze net had gehuild.

'Ik weet het niet. Er is iets tussen gekomen.'

'Er komt altijd iets tussen.' Ze klonk scherper, als een mes op zijn keel. 'Maar dat is precies wat je wilt, hè? Jij...'

De rest van haar scherpe antwoord werd overstemd door een hard geklop op de deur, dat hij had leren associëren met medewerkers van de Geheime Dienst.

Hij haalde de mobiel bij zijn oor weg en liep snel door de grootste kamer, die anoniem en deprimerend overkwam, het handelsmerk van wat doorging voor moderne Russische binnenhuisarchitectuur. Zijn suite lag op de bovenste verdieping van een groot hotel in een H-vorm, waarvan de slecht onderhouden gangen Jack aan *The Shining* deden denken. De gehele verdieping was aan president Carson, zijn gezin en zijn gevolg toegewezen.

Dick Bridges, het hoofd van Carsons Geheime Dienst, vulde de deuropening. Hij deed geen poging om binnen te komen, maar mimede POTUS, het acroniem van de Geheime Dienst voor de president van de Verenigde Staten. Jack knikte en stak een wijsvinger in de lucht: momentje. *Nu*, mimede Bridges. Jack liep weer terug naar de badkamer, waar de kraan nog steeds openstond.

'Sharon, Edward heeft me nodig.'

'Heb je iets gehoord van wat ik heb gezegd?'

Hij had geen zin meer in die onzin die haar door haar moeder was ingegeven. 'Ik moet nu ophangen.'

'Jack...'

Hij verbrak de verbinding. In de kamer stapte hij in zijn schoenen en zonder zijn veters te strikken liep hij de gang in.

President Carson, geflankeerd door twee agenten, stond voor de metalen branddeur naar het trappenhuis, die was afgesloten voor de verdieping daaronder. Zo te zien hadden ze al een tijdje overlegd; hun hoofden waren naar elkaar toe gedraaid, hun monden stonden half open en er werden betekenisvolle blikken uitgewisseld. Door dat alles bij elkaar wist Jack dat er iets belangrijks was gebeurd op dit late uur.

Daarom was hij zeer alert toen Bridges de metalen deur opendeed en ze allemaal op een kluitje in het ongeverfde, betonnen trapportaal gingen staan. Er hing een onbekende, olieachtige geur, zo scherp dat het stonk, maar er waren tenminste geen elektronische luistervinken.

'Jack, Lloyd Berns is vier dagen geleden op Capri gestorven,' stak de president meteen van wal. Lloyd Berns was Carsons minderheidsleider in de Senaat en zijn dood was dus een ernstige beperking van de mogelijkheden van de president om wetten door de Senaat te krijgen die cruciaal waren voor de nieuwe regering.

Jack begreep nu waarover de president en zijn bodyguards hadden overlegd. 'Wat is er gebeurd?'

'Een ongeluk. En de dader is doorgereden.'

'Wat deed Berns op Capri en waarom heeft het vier dagen geduurd voor we te horen krijgen dat hij dood is?'

Carson zuchtte. 'We weten het niet zeker, dat is het probleem. Hij hoort op een informatiereis in Oekraïne te zijn en tot tien dagen geleden was hij dat. Toen verdween hij. De beste hypothese van onze inlichtingenmensen: hij nam een time-out voor een mislukt huwelijk of – en dat is niet ondenkbaar – had op Capri met iemand anders afgesproken. Hij had geen ID bij zich en alles gaat heel langzaam op Capri. Er waren al drie dagen voorbij voordat iemand bedacht dat hij misschien weleens een Amerikaan kon zijn; toen pas werd eindelijk contact opgenomen met iemand van het consulaat en begon het balletje te rollen.' Hij wreef in zijn handen. 'Maar hoe dan ook, ik moet terug naar Washington om de politieke troep te regelen.'

Jack knikte. 'Ik ga meteen pakken.'

De president schudde zijn hoofd. 'Ik hoopte dat jij bij mijn vrouw en Alli zou kunnen blijven. Je weet hoe belangrijk dat akkoord met Joekin is. Als het eenmaal is getekend, zal Rusland niet langer Irans nucleaire programma steunen, en dat zal de Amerikaanse veiligheid op een hoger niveau brengen. Dat is momenteel zeer noodzakelijk, omdat onze gewapende macht gevaarlijk overbelast raakt en bijna totaal uitgeput is door de oorlogen in Afghanistan, Irak en Somalië. Komt er nog een front bij, dan kan dat desastreus zijn. Als mijn gezin met mij vertrekt, kan dat de breekbare detente die ik net met president Joekin heb opgebouwd, ernstige schade berokkenen. Dat mag niet gebeuren; hij en ik zijn nog maar een paar dagen verwijderd van het ondertekenen van het akkoord en mijn hele eerste jaar als president wordt opgehangen aan die ondertekening.' De president zag er ineens ouder uit, alsof hij vijf jaar ouder was geworden sinds Jack hem voor het laatst had gezien, vijftig minuten daarvoor. 'En Jack, onder ons gezegd en gezwegen, het is heel vervelend, maar Alli is weer doorgeslagen; ze is onnatuurlijk halsstarrig en tegendraads, soms zelfs irrationeel, vind ik.' Zijn ogen spraken een heel andere taal. 'Jij bent de enige die haar een beetje redelijk kan krijgen.'

Alli was psychologisch getraumatiseerd. Haar ontvoering was al erg, maar de man die haar had ontvoerd, had haar ook gehersenspoeld. Vanaf het moment dat Jack haar thuis had gebracht, was een team psychologen met haar aan het werk. Maar veel liever had ze Jack zo dicht mogelijk bij zich in de buurt gehad. Ze hadden samen een hechte band opgebouwd en net als haar vader vertrouwde Alli Jack nu meer dan wie ook op de wereld, inclusief haar ouders, met wie ze altijd al een moeizame en lang niet altijd leuke relatie had.

Jack begreep het natuurlijk. Dus al wilde hij liever naar Washington om zijn oude vriend bij te staan of, als dat niet kon, naar Capri gaan om Lloyd Berns' dood te onderzoeken, hij sprak Carson niet tegen. 'Oké.'

De president knikte en het bataljon Geheime Dienst liet hen alleen in het stinkende portaal. Pas op dat moment realiseerde Jack zich dat dit geheime gesprek minutieus was voorbereid.

Toen de twee mannen alleen waren, liep Carson dichter naar Jack toe en gaf hem een paar vellen papier. 'Dit is een kopie van Berns' rondreis door Oekraïne. De steden die ik heb gemarkeerd zijn officiële bestemmingen, maar hij was het laatst in Kiev. En onthou deze naam: K. Rotsjev. Rotsjev is de laatste die hij heeft gesproken of had zullen spreken voordat hij ineens naar Capri ging.'

Jack keek hem aan. 'Met andere woorden: je hebt geen flauw idee wat hij in Kiev te zoeken had.'

Carson knikte. Hij keek ontzettend bezorgd, maar zei niets meer.

Meteen begreep Jack dat de babysitafspraak alleen gemaakt was voor de medewerkers van de Geheime Dienst. Dit werd de echte afspraak. Hij moest glimlachen. Het was een van Carsons talenten om te krijgen wat hij wilde door hetzij iets voor te stellen, hetzij de ander naar zijn gewenste conclusie te leiden.

Jack keek niet naar het geschrevene, waarop hij zich vanwege zijn dyslexie volledig moest concentreren om het te kunnen lezen. 'Ik neem aan dat ik naar Oekraïne ga om erachter te komen waar Berns mee bezig was en waarom hij is vertrokken.'

'Dat lijkt me het beste. Er wacht een privévliegtuig onder diplomatieke vlag op je op Sjeremetjevo, maar als je het wilt, kun je tot morgenochtend wachten.' Carson wreef over Jacks schouder. 'Ik waardeer dit enorm.'

'Valt onder mijn taakomschrijving.' Jack fronste zijn wenkbrauwen. 'Edward, vermoed je iets?'

Carson schudde zijn hoofd. 'Noem het maar voorzichtigheid of paranoia, die keuze laat ik aan jou. In elk geval zijn mijn vijanden uit de vorige regering nog steeds machtig, zoals Dennis Paull zeer gedetailleerd heeft beschreven in zijn laatste veiligheidsbriefing, en die hebben allemaal olifantengeheugens, zeker als het om wraak gaat. Ze hebben als leeuwen tegen mijn nominatie gevochten en toen ik het toch werd, hebben ze er alles aan gedaan om mijn kandidatuur te ondermijnen. Dat ze verzoenende verklaringen aan de pers hebben afgelegd, zegt me niets. Ze zijn op mijn bloed uit en het komt hun verrekte goed uit dat Berns dood is, want zij weten beter dan wie dan ook dat ik het zonder hem allemachtig moeilijk ga krijgen in het door de democraten geleide Congres.'

Jack zei niet dat het vermoorden van Carsons rechterhand een zeer extreme actie was om hem te treffen, omdat hij persoonlijk ervaring had met mensen uit de vorige regering. Hij wist waar ze toe in staat waren en dat ze voor moord niet terugschrokken. Zij hadden Alli's ontvoering beraamd en hadden een bijna geslaagde aanslag op Carson gepleegd tijdens diens inauguratie. En terwijl de uitvoerders óf dood waren óf achter de tralies zaten, waren de mensen die opdracht hadden gegeven voor de aanslag en die hadden voorbereid tot op de dag van vandaag veilig door plausibele ontkenningen, die zelfs Carson met al zijn macht niet kon ontkrachten.

De president kneep Jack in zijn schouder. 'Jack, ik ga het niet mooier maken dan het is. Dit kan een vruchteloze onderneming worden, maar als dat niet zo is, dan is Berns vermoord of was hij betrokken bij iets wat een schandaal had kunnen worden. En jij bent de enige die ik kan vertrouwen. Jij bent mijn vriend en apolitiek. Ik wil dat je hiermee aan de slag gaat tot je me kunt vertellen of ik gelijk heb of niet.' Hij keek somber, wat erop duidde dat hij het zeer moeilijk had. 'En nog iets. Niemand mag weten waar je mee bezig bent. Zelfs Dick niet.'

'Vertrouw je Bridges niet?'

'Ik vertrouw jou, Jack. Dat is het begin en het eind.'

2

Na dit gesprek kon hij helemaal niet meer slapen. Jack deed zijn oortjes in en zette Emma's iPod aan, die hij overal mee naartoe nam. Hij liet die willekeurig afspelen en luisterde naar *I Call My Baby Pussycat* van Funkadelic en *Like Eating Glass* van Bloc Party. Ineens voelde hij zich claustrofobisch alleen in zijn suite met de muziek van zijn dochter en een stuk of zes elektronische afluisterapparaatjes. Daarom zette hij de iPod uit en ging met de lift naar de enorme lobby van marmer en verguldsel, die overvol was met fluwelen meubels, doffe samowaars en doordringend kijkende bediening. Hij huiverde even, terwijl zijn voetstappen hol door de ruimte echoden.

De bar was rechtsaf en was bijna net zo imposant als de lobby. Wel was die ruimte minder hel verlicht, wat de halvemaanvormige muurbank de illusie van intimiteit gaf. Aan zijn linkerkant stond een gebogen bar van glimmend metaal, die macaber van onderaf werd verlicht. Ervoor stonden twaalf moderne krukken. Tot voor kort waren in deze bar, en in andere door heel Moskou, de met geld smijtende oligarchen te vinden, zakenmannen die honderden miljoenen dollars hadden verdiend met het opkopen van de grote bedrijven die tijdens de glasnost werden geprivatiseerd. Ze hadden de bedrijven voor een appel en een ei gekocht en werden rijker dan ze zich in hun wildste dromen hadden durven voorstellen. Joekin had daar een einde aan gemaakt met het besluit die bedrijven weer terug te nemen. Nu waren de oligarchen in paniek en moesten zich in allerlei bochten wringen om de schulden af te betalen die ze hadden gemaakt terwijl ze speculeerden met hun niet-bestaande bedrijven toen hun kortstondige macht op zijn hoogtepunt was. Nu waren deze en andere bars net zo leeg als een metro om drie uur 's nachts.

Jack liep langs de bar en zag een Geheime Dienstagent een sodawater drinken. Hij keek van de muurbank achterin waar hij had willen gaan zitten naar de muurbank die de agent in de gaten hield en zag Alli Carson zitten. Ze zat helemaal alleen naast een raam dat uitkeek over een vierkant plein waaromheen architectonisch prachtige gebouwen stonden, allemaal met een geschiedenis van bloed en macht. Ze zag er zo klein uit, bijna verloren. Kwetsbaar tegen de achtergrond van die gebouwen. Maar hij wist beter. Haar fysieke voorkomen werd veroorzaakt door de ziekte van Graves, een vorm van hyperthyroïdie, waardoor ze er eerder als zestien dan als tweeëntwintig uitzag. Achter dit bedrieglijke voorkomen was ze zo hard als gewapend beton en slimmer dan mensen die twee keer zo oud waren. Haar huid stak bleek af tegen de bloedrode stof. Groene ogen onder een dikke bos kastanjebruin haar in een ovaal gezicht. Op haar neusbrug zaten sproeten. Ze had een spijkerbroek aan en een T-shirt met SEX op de voorkant en DEAD op de achterkant. Ze kon niet erger uit de toon vallen dan zo.

'Hetzelfde als zij graag,' zei hij tegen de slaperige ober terwijl hij naast haar ging zitten.

Alli's slanke vingers pakten het glas vast. 'Het is geen shirley temple,' meldde ze.

Hij grinnikte. 'Mijn god, ik hoop van niet.'

Ze lachte, wat zijn bedoeling was.

'Waar is je moeder?'

'In bed. Misschien slaapt ze, misschien niet. Ze heeft tien minuten geleden Xanax ingenomen.'

'Heeft ze nog altijd slaapproblemen?'

'Ze vindt het hier verschrikkelijk. Zegt dat Russische vrouwen te dik zijn om van haar onder de indruk te zijn.'

De ober bracht Jacks drankje. Een white russian. Eigenlijk een beetje te zoet naar zijn smaak, maar wat gaf dat, dacht hij.

Toen hij zijn glas pakte, vroeg ze: 'Jij gaat toch niet ook weg, hè?'

Hij had al heel snel geleerd om niet tegen haar te liegen; hij had haar vertrouwen moeten verdienen. Trouwens, ze was veel te snel om te bedotten. 'Ik ga niet met je vader mee.'

Even speelde er een klein glimlachje om haar brede mond. 'Wat betekent dat je wel ergens naartoe gaat.' Ze keek wat verlegen naar opzij. 'Wat moet je voor hem doen?'

'Dat mag ik niet vertellen.'

'Nou, wat het ook is, het is in elk geval beter dan hier in deze troep zitten.'

'Ik dacht dat je het hier wel leuk vond.'

'Zeker met pap gepraat, hè? Sloeg je gelulmeter niet uit? Russische jongens zijn neanderthalers en Russische meiden sletten. Wat moet ik daar leuk aan vinden?'

'Het zit hier vol geschiedenis.'

'Waar niemand over wil praten, omdat die volledig herschreven is. Ik smeek je me hier weg te halen, Jack.'

'Ik wilde dat ik dat kon, Alli, echt waar.'

'Fuck. Fuck jou.'

'Doe eens normaal.'

'Hoe moet ik dan zijn?' Haar ogen vlamden. 'Het brave, gehoorzame meisje?'

'Nou doe je alsof je tegen je vader praat.'

'Hoe kun je een vriend van hem zijn?'

Jack dacht: en ze kan ook verbijsterend kinderlijk zijn. 'Hij is een goede man, maar dat maakt hem niet automatisch een goede vader.'

Zo snel als haar woede opkwam, zo snel verdween die ook weer. 'Fuck.' Maar ze klonk veel rustiger. 'Ik haat dit leven, Jack, echt, het is klote.'

'Hoe kan ik dat beter maken?'

Ze zoende hem zacht op zijn wang. 'Als dat kon.' Toen sloeg ze haar white russian zo snel achterover dat de ijsblokjes tegen haar voortanden klikten. 'Ooit zal het wel beter worden, toch?'

Ze begon van de muurbank af te glijden.

Tegen beter weten in vroeg hij: 'Hoe gaat het met je?'

Alli bevroor. 'Ongeveer net zo goed als met jou.'

Dat was een slim antwoord, dacht Jack, en anders was het een wijsneuzerig antwoord. Alli kennende, zou het dat allebei wel zijn. 'Daar zou Emma om hebben moeten lachen.' Emma, die Alli's kamergenote was geweest, haar beste vriendin, vertrouwelinge en grootste bondgenote tegen Alli's ouders. 'Weet je nog dat ik een keer naar een estafettewedstrijd van je kwam kijken? Je was toen de startende loper, weet je dat nog?'

'Jazeker.'

'Ik moest naast haar gaan zitten en hoewel ze geen woord zei, kon ik zien hoe trots ze op je was. Ze ging niet staan en ze applaudisseerde ook niet zoals iedereen toen je begon te rennen en won.' Alli was even stil, alsof ze in het verleden was verzonken. 'Die avond, toen ik na het feestvieren thuis kwam, was het donker in de kamer en dacht ik dat ze sliep. Ik ging naar de badkamer en kleedde me zo stil mogelijk uit. Toen ik in bed stapte, zag ik dat er een hok op de dekens stond. Dat zette ik in het licht dat door het raam naar binnen viel. Er zat een springerige, zilverkleurige kat in aan een ketting. Toen ik het hok omhoogheld, zei ze

"Het is een cheeta, het snelste fucking dier op vier poten", en ze draaide zich om en ging slapen.' Alli stond op. 'Ik zal haar altijd missen, en jij ook.'

Hij keek naar hoe ze wegliep, maar zag Emma. Alli had gelijk, hij zou altijd zijn dochter missen, die hij van zich had laten vervreemden, die hem net gebeld had voor ze met haar auto tegen een boom reed en ter plaatse overleed. Hoewel het eigenlijk niet kon, kwam ze hierna af en toe bij hem en praatte zelfs met hem.

Wat tot vier mogelijkheden leidde: zijn extreme schuldgevoel toverde haar uit zijn diepste onderbewustzijn naar boven, zoals zijn peut dacht; hij was gek; zijn dyslectische hersenen speelden een spelletje met hem; of het onstoffelijke deel van Emma had haar fysieke dood overleefd. Alle vier deze scenario's vond hij beangstigend, maar niet om dezelfde reden. Hij wilde graag geloven dat er meer bestond tussen leven en dood, wat uiteindelijk concepten waren die door mensen waren bedacht. Hij wilde graag geloven dat Emma in een of andere vorm nog steeds bestond. Dat was voor hem de definitie van vertrouwen: in iets geloven wat de wetenschap niet kon verklaren. Toen Emma stierf, had hij alle vertrouwen verloren; als ze weer bij hem was, kreeg hij het weer terug.

Alli en haar escort waren in de lobby verdwenen en hij zat alleen in de bar. Er hing een stilte als in een mausoleum. De lampen glommen als leisteen in een rivier. De sneeuw tikte zacht tegen het raam, als een kleumende zwerver die naar binnen wilde. Hij had pas een paar slokken van zijn mierzoete white russian gedronken, maar schoof het glas weg, wenkte de slaperige ober en bestelde een single malt whisky en een glas water. Vervolgens pakte hij de papieren met Lloyd Berns' reisroute in Oekraïne en begon geconcentreerd te lezen.

Door zijn dyslexie werkten Jacks hersenen duizenden keren sneller dan doorsneeherseneren. Hij begreep niets, althans niet makkelijk, wat niet driedimensionaal was, maar een Rubiks kubus had hij binnen negentig seconden opgelost. Teksten echter, die tweedimensionaal waren, waren een ramp. Hij moest ze ontcijferen alsof het een vreemde taal of een code was. Een dominee die hem onder zijn vleugels had genomen toen hij bij zijn vader was weggelopen, die hem constant sloeg omdat hij niets leerde op school, had hem leren omgaan met zijn handicap. Pas veel later, als volwassene, had hij ontdekt dat zijn dyslexie een gigantisch voordeel was bij het reconstrueren van misdaden en bij het zich inleven in asociale en psychotische gedachten.

Hij bekeek de lijst met onbekende steden en straatnamen, toen hij een bekende, scherpe stem een wodka hoorde bestellen. Hij keek op en zag een jonge blondine in een zwarte jurk en op hoge hakken op een barkruk neerstrijken. Ze had haar haren in een paardenstaart, die reikte tot tussen haar schouderbladen. Dit deden meestal vrouwen met dun haar, maar zij had prachtig dik haar. Haar grote, ietwat schuinstaande ogen hadden de kleur van carneool. Ze had brede lippen, die sensueel zouden zijn geweest als ze ze niet in een onaantrekkelijke boog naar beneden had getrokken.

Ze zat naast een andere vrouw van ongeveer dezelfde leeftijd, met donker haar en donkere ogen, gekleed in een opzichtig, donkergroen gestreept jurkje dat zo kort was dat het grootste deel van haar bovenbenen glinsterde in het licht. Toen de blondine weer wat zei, werkten Jacks hersenen duizelingwekkend snel om erachter te komen waar hij die stem eerder had gehoord.

De blondine wierp haar hoofd achterover en zei: 'Dus zei ik: "Ik zie je in de hel." '

En Jack wist dat het de vrouwenstem was uit de kamer onder de zijne.

'Daarna gooide ik de lamp in zijn gezicht en de peer schroeide zijn wang.'

De brunette lachte. 'Die fucker kwam er nog mooi van af.'

'Nou en of. Als ik hem weer zie, trap ik zijn ballen naar de andere kant van het Rode Plein. Ik zweer het je.'

'Nou, lieverd, grijp je kans,' grinnikte haar vriendin.

De blondine keek naar de ingang, net als Jack. Hij zag een grote, beerachtige man met donker haar, dat hij net als Amerikaanse gangsters uit de jaren dertig met olie plat achterover had gekamd. Er zat een rode vlek op zijn wang, ongetwijfeld van de lamp. Hij droeg zo'n opzichtig zijden pak dat alleen de Russen mooi vinden, een protserig gouden horloge en een nog protseriger gouden pinkring. Waarschijnlijk vond hij zichzelf een Tony Soprano die in volle uitrusting naar een maffiabijeenkomst kwam. Zelfs Jack, die hem alleen maar via de verwarmingsbuizen kende, wilde zijn ballen naar de andere kant van het Rode Plein trappen.

De blondine draaide zich nu helemaal om om haar geliefde, of ex-geliefde, aan te kijken, die met samengeknepen ogen naar haar toe liep. Jack zag meteen, net als de andere aanwezigen in de bar, dat er ernstige moeilijkheden dreigden. Hij wenste dat hij tegelijk met Alli was weggegaan, want hij had absoluut geen zin om bij een ruzie betrokken te raken waar hij niets mee te maken had. Maar terwijl de Soprano-wannabe doorliep, ving hij een glimp op van de kolf van een .9-pistool in een zeemleren schouderholster onder zijn linkeroksel. Jack schoot met zijn bovenlichaam naar voren naar het eind van de muurbank, waardoor hij een goed uitzicht had en meteen weg kon sprinten als dat nodig bleek.

De man slenterde naar de blondine en haar vriendin. De blondine wipte met haar voet op de maat van onhoorbare muziek. Jack zag haar glimlachen, maar het was een gemene, dodelijke glimlach. De man – verwaand, arrogant en tot de tanden toe bewapend – leek zich niet bewust van haar bloeddorstigheid, of anders voelde hij zich onkwetsbaar in deze openbare ruimte. Wat zou ze hem – en zijn .9 – tenslotte durven aandoen wat hij niet aankon?

Hij stond op het punt om iets tegen haar te zeggen, toen ze met een zwiepende beweging de neus van haar hooggehakte schoen in zijn kruis plantte. Hij vertrok zijn gezicht, wat weinig verschil maakte met zijn eerdere gezichtsuitdrukking, en klapte bijna direct dubbel. Omdat hij aan de linkerkant van de man zat, kon Jack zien wat de blondine niet kon zien: haar geliefde pakte zijn .9.

Jack was al van de muurbank, stond met twee grote stappen bij de bar en sloeg met de zijkant van een hand op de harige pols van de man. Het pistool kletterde op de grond, de ober week achteruit en de barman wenkte bewakingspersoneel.

De geliefde van de blondine dook onhandig langs Jack, zocht en vond met zijn rechterhand haar keel en kneep. Ze maakte een kirrend geluidje, als een baby aan de borst. Jack sloeg de man tegen de zijkant van zijn hals en dat brak hem, of beter gezegd, zijn agressie. Tegen die tijd waren er twee bewakers. Eén sleepte de ex-geliefde weg en de ander pakte met zijn blote vingers de .9, kennelijk niet bang voor vingerafdrukken. Het ging er duidelijk anders aan toe in Moskou, dacht Jack, en hij vroeg zich nog even af hoe de Russische misdaadafdeling zou heten. Hierdoor miste hij de moordzuchtige blik die de ex-geliefde hem toewierp terwijl hij werd weggesleept.

'Alles goed met u?' vroeg hij aan de blondine, die behoedzaam met haar vingers haar hals bevoelde.

'Ja, dank u.'

Hij knikte en wilde weglopen, toen ze verderging: 'Ik ben Annika en dat is Jelena. We wilden gaan stappen. Hebt u soms zin om mee te gaan?'

'Het is een lange dag geweest en ik ben eigenlijk op weg naar mijn kamer.'

'Alstublieft. Ik wil graag wat terugdoen voor uw hulp.' Ze wees naar de lege kruk naast haar. 'Mag ik u dan in elk geval iets te drinken aanbieden?'

Jack wilde echt graag naar zijn kamer en zich gaan voorbereiden op de taak die hem wachtte, maar vond het onbeleefd om te weigeren. 'Eentje dan.'

Ze knikte. 'Eentje. Daarna, als u daar geen bezwaar tegen hebt, zal ik met u meelopen naar de liften. Ik logeer hier ook.'

'Ja. Ik kon er niets aan doen dat ik wat vroeger op de avond jullie schreeuwende ruzie hoorde.'

Ze trok een gezicht. 'Jelena zei al dat iedereen in het hotel Ivan en mij moest hebben gehoord.'

Hij ging op de aangewezen kruk zitten en knikte in de richting van de vertrekkende mannen. 'Ik denk dat we de politie wel wat zullen moeten uitleggen.'

Hier moesten beide vrouwen om lachen.

'Ik hoor dat u nog niet zo lang in Moskou bent,' zei Jelena. 'De politie hier heeft het veel te druk met het uitschudden van bedrijven en van Amerikaanse dollars afpakken van mensen als Annika's vriend…'

'Ex-vriend,' onderbrak Annika haar. 'Héél erg ex.'

'Nou en.' Jelena haalde haar schouders op. Ze sprak bijna accentloos Engels, in tegenstelling tot Annika, die een zwaar Russisch accent had.

'Ik merk dat u het niet vervelend vindt om met vreemden te praten.'

'Als ik dat wel had, zou ik geen werk meer hebben. Ik regel de buitenlandse boekingen in dit hotel.'

Annika gaf de ober een wenk. 'Wat wilt u drinken, meneer…?'

'Jack. Jack McClure.'

Annika knikte. 'Wat is je vergif, Jack McClure?'

'Single malt,' zei Jack tegen de barman. 'Oban, graag.'

'Komt eraan, meneer.' De barman liep weg om een fles Schotse whisky te pakken.

'Ik hoop dat je een sterk gestel hebt, Jack.'

'Hou je mond, Jelena.' Annika keek haar vriendin boos aan voor ze tegen Jack zei: 'Negeer haar maar. Ze heeft een afgrijselijke fantasie doordat ze te veel Amerikaanse thrillers heeft gelezen.'

'Ik heb geen idee waar jullie het over hebben.'

De barman zette zijn drankje voor hem neer en liep toen snel weer weg. Alsof ze alle drie radioactief plutonium waren.

30

'Vertel het hem maar gewoon, Annika.'

'Dat lijkt me een uitstekend idee,' zei hij, en hij nam een slokje Oban. Annika zuchtte. 'Mijn ex, Ivan Goerov, is een onbeduidend, en ik benadruk ónbeduidend, lid van een Russische *groeperovka*.' Ze keek hem nu recht aan. 'Ken je dat woord?'

Nou en of. 'Hij zit bij de Moskouse maffia.'

'Hij is een fucking crimineel,' zei Jelena zeer emotioneel.

'Je merkt wel, Jack, dat Jelena mijn relatie met Ivan niet goedkeurde.'

'Hij is een bloedzuiger. Hij hoort in de goot en snijdt je je keel al door als je een tweede keer naar hem kijkt. Hij houdt meer van bloed dan van wodka. Zeker weten.'

'Mijn vriendin moet hoognodig eens haar mening bijschaven,' zei Annika goedgehumeurd.

'En jij moet goed over je schouder kijken,' zei Jelena. 'Jij trouwens ook, Jack. Ik zag hoe Ivan naar je keek.'

'Ik neem aan dat dit betekent dat hij niet de gevangenis in draait.'

'Zijn vrienden hebben hem er binnen twee seconden uit,' zei Annika, 'daarom maakt de politie zich hier niet zo druk over.'

'Het is waarschijnlijker dat ze niet in een steegje willen eindigen met een kogel in hun achterhoofd,' zei Jelena. 'Ze hebben er echt geen zin in om als vuilnis te eindigen.'

Jack nam nog een slokje whisky. 'En dat geldt ook voor mij.'

'Geen zorgen,' zei Annika. 'Jelena overdrijft graag als het over Ivan gaat. Hij zit heel laag in de voedselketen van de groeperovka.'

Jelena maakte een spottend geluid. 'Dat wil niet zeggen dat hij geen mensen vermoordt.'

'Dat weet je niet zeker.'

'Ik hoor dingen, Annika. Net zoals jij.' Ze schudde haar hoofd. 'Jij kunt zo naïef zijn.'

Jack had inmiddels genoeg griezelverhalen gehoord voor die avond. Hij had totaal geen behoefte om Ivan Goerov nog een keer te zien en verwachtte dat ook niet, aangezien hij de volgende ochtend in de lucht zou zitten, op weg naar Oekraïne.

Hij dronk zijn glas leeg en stond op. 'Dames, het was gezellig, maar nu moet ik echt weg.'

'Kijk wat je nou hebt bereikt,' bitste Annika. 'Je hebt alweer een man verjaagd.' Ze stond ook op en gooide wat geld op de bar. 'Ik heb beloofd dat ik ervoor zou zorgen dat je veilig bij je kamer komt.'

'Dat klopt,' zei Jelena sardonisch. 'Dat walgelijke varken van je zou zich in de lift kunnen hebben verstopt.'

Jack stak zijn handen omhoog. 'Dames, ik vind het best leuk als vrouwen om me vechten, maar ik kan echt zelf wel naar boven komen.'

Alleen in de lift voelde hij nog steeds Annika's kattenogen en hij vroeg zich af of zij of Jelena serieus werk van hem maakte. Misschien vond alleen zijn mannelijke ego dat. Toch zou het heel goed kunnen dat ze met hem hadden zitten flirten, iets waarover hij al heel lang fantaseerde, net als waarschijnlijk zo'n miljard andere mannen. Eén ding was zeker: zijn hersenen en die van hen werkten op twee verschillende frequenties. Naast zijn opdracht in Oekraïne, zo geheim dat zelfs de presidentiële staf er niet van wist, en de escalerende ruzies met Sharon, was er echt geen ruimte meer voor flirtende Russinnen. En zeker niet als een van hen een gangstervriendje had, ex of niet.

Hij stapte op de bovenste verdieping uit, knikte naar de Geheime Dienstmannen die dienst hadden en liep zijn suite in. Iets in het gesprek met Carson in het trappenhuis zat hem dwars. Waarom had hij zijn bodyguards weggestuurd voordat hij over Jacks opdracht begon? Toen Jack hem ernaar vroeg, had de president gezegd: 'Ik vertrouw jou, Jack. Dat is het begin en het eind.'

Dacht Dennis Paull dat er een mol in Edwards staf zat, in het presidentiële detachement van de Geheime Dienst? Als dat waar was, dan was dat een rampzalige klap voor Edwards leidinggevende positie in de regering. Stel je voor dat zijn politieke vijanden – die, zoals hij had verteld, nog steeds zeer machtig waren – elke stap al kenden voor hij die had gezet. Carson had geen namen genoemd, maar Paull wel: Miles Benson, de vroegere CIA-directeur, een harde, meedogenloze oorlogsveteraan, en Morgan Thomson, de vroegere adviseur Nationale Veiligheid, de laatste van de geloofwaardige neoconservatieven, oorlogszuchtig en snel geïrriteerd en met banden met meerdere bedrijven die oorlogsmaterieel produceerden, zoals onlangs was onthuld. Deze twee mannen hadden bijna zestig jaar gewerkt en genetwerkt in Washington en waren inderdaad machtige tegenstanders. Ze konden niet alleen zijn agenda veranderen, maar ook zijn positie in het land ondermijnen. Tegenwoordig waren enquêtes alles. Alleen al de schijn van falen was genoeg om Carsons populariteit te laten dalen.

Hij dacht erover om Sharon te bellen, maar hij had iets nodig om te kalmeren. Misschien een warme douche. Terwijl hij zijn kleren uittrok en naar de badkamer liep, prentte hij zichzelf in om zich aan zijn redenatie vast te houden, met of zonder steun van Carson.

Hij draaide de douche open en moest wachten tot het water warm werd, maar voor het zover was, hoorde hij een mannenstem.

'Haal die hele fucking kamer overhoop.'

Jack luisterde ingespannen, draaide snel de kraan dicht en hield zijn oor naast de verwarmingsbuis.

'Ik wil haar geheimen hebben, iets wat ik tegen haar kan gebruiken.'

Ivan praatte Russisch, een taal die Jack had geleerd toen hij nog bij de ATF werkte en veel met terroristen te maken kreeg. Hij had in acht maanden Arabisch en Farsi geleerd. Spaans sprak hij vloeiend. Zolang een vreemde taal maar hoorbaar werd gepresenteerd, was hij door zijn dyslexie een verbijsterend snelle leerling. Als hij de woorden, zinnen, tijden en dialecten hoorde, zag hij ze driedimensionaal en kon ze daardoor onmiddellijk onthouden. Hoefde ze niet meer te leren.

Hij zat voorovergebogen op de rand van het bad met leeuwenpoten en probeerde elk woord te verstaan. Het was duidelijk dat Ivan niet aan de politie was overgedragen, wat veelzeggend was voor politie en wetgeving.

'Ik dacht dat je dat kreng vanbinnen en vanbuiten kende,' zei een nieuwe mannenstem.

'Alsof jij al je krengen vanbinnen en -buiten kent,' zei Ivan geïrriteerd.

'Mijn krengen zijn *tjolka's*. Hete jonge meisjes kun je niet kennen, en wie kan dat wat fucken? Er zijn elke avond tonnen nieuwe tjolka's in de Bushfire... Hé, wat is dit?'

'Wat heb je daar?'

'Hmm, een vieze onderbroek. Dit kreng is een varken.'

'Als ik haar goed ken, heeft ze die daar expres laten liggen, voor snuffelende ogen als die van jou,' zei Ivan. 'Wat betekent dat we op de verkeerde plekken zoeken.'

'Ik heb al onder de kasten gekeken en achter de stortbak.'

'Ligt veel te veel voor de hand.'

'Ah,' zei de tweede stem, 'we kunnen ook in het afvoerputje van de douche kijken.'

Als antwoord werd er iets gegromd en even later hoorde Jack: 'Hebbes! Kijk, een heel fijne draad die eraan vast is gemaakt. In dit licht is het praktisch onzichtbaar.'

'Wat zit er aan de ander kant, Milan Oskovitsj?' vroeg Ivan opgewonden terwijl hij snel naar de buis liep.

Jack boog zich nog dieper voorover om het beter te horen. Het bleef doodstil beneden hem en even was hij bang dat de twee mannen de badkamer uit waren gelopen.

'Een ketting,' hoorde hij ineens.

'Een camee,' verbeterde Milan hem.

'Geen wonder dat ze die heeft verstopt. Die moet een boel geld waard zijn, zeker op de zwarte markt.'

Zoals Jack Annika had gezien en gehoord, was ze geen type om een camee te dragen.

En blijkbaar vond Milan dat ook, want hij zei: 'Ik kan me niet voorstellen dat ze hem vanwege de geldwaarde heeft verstopt. Kan er iets in de camee zitten?'

Weer stilte, en Jack merkte dat hij zijn spieren strak gespannen had, alsof hij een klap verwachtte.

'Fuck,' zei Milan. 'Een ID.'

'Ze is FSB,' zei Ivan ongelovig.

Jack wist dat de Federalnaja Sloezjba Bezopasnosti, de Federale Veiligheidsdienst, afgekort FSB, de opvolger was van de Russische KGB.

Milan lachte. 'Suffe klungel, je hebt liggen neuken met een undercover-FSB'ster.'

'Hou je bek!'

'Laat Arsov dit maar niet horen.'

'Ik zei toch: "Hou je bek!"'

Jack wist uit briefings voor deze reis dat Kaolin Arsov het hoofd was van de Izmajlovskaja-groeperovka in Moskou.

'Hij zal je ballen roosteren.'

Jack hoorde dat er werd gevochten en stelde zich voor hoe die twee elkaar te lijf gingen. Waarom luisterde hij hier eigenlijk naar? Hij had er toch niets mee te maken? Maar hij dacht aan Annika, aan haar blonde haren en smaragdkleurige ogen, aan lange, over elkaar geslagen benen. Hij hoorde haar parelende lach, die overging in Emma's laatste hulproep: *Pap, help me!*

'Hou verdomme eens op.' Milan hijgde. 'Je hoeft niet bang te zijn dat ik het iemand zal vertellen. Je moet je zorgen maken over dat kreng, niet over mij.'

'Dat weet ik.'

Weer stilte. Daarna veel gefluister. Wat was Ivan van plan?

'Annika? Milan hier... Nee, godsamme, hang niet op. Ivan is neergeschoten... Ja, neergeschoten. Hij leeft nog, maar... we zitten in de Bushfire...
in de Tverskaja... Klopt, vlak bij het Rode Plein, tegenover Nightflight.
Nee, ik heb verder niemand gebeld. Ivan zei dat ik moest bellen... Dus je
komt eraan? Oké, we zitten achter in dat steegje.'
'We moeten weg,' zei Ivan. 'Over een paar minuten zal ze er al zijn.'

3

De sneeuw dempte het maanlicht. Het was harder gaan waaien, waardoor de vlokken in de goten en onder aan de muren omhoog werden geblazen en hard als zandkorrels in Jacks gezicht sloegen. Met zijn handen diep in de zakken van zijn winterjas en zijn schouders gebogen tegen de ijskoude wind stak hij het Rode Plein diagonaal over, op weg naar de Bushfire. Hij had van de louche receptionist het adres gekregen.

'Let goed op uw portemonnee, *gospodin*,' had die gezegd, terwijl hij het adres opschreef.

'Vertel me maar wat het adres is,' had Jack gezegd, zonder naar het nutteloze papiertje te kijken.

Toen hij op de bovenste verdieping naar de lift was gelopen, had hij Alli gezien, die tegen de deur van haar kamer hing en een kruidnagelsigaret rookte, een van haar nieuwe bevliegingen.

'Ga naar bed,' had hij gezegd.

Ze blies geurige rook uit. 'Als jij het ook doet.'

Hij volgde haar blik en duwde zijn SIG Sauer P250 dieper in zijn riem.

De liftdeuren gingen open. 'Ik blijf niet lang weg.'

'Ik wacht. Je mag me alles vertellen als je weer terug bent.'

De deuren sloten en met een raadselachtige glimlach op haar gezicht verdween ze. Jack schudde zijn hoofd en vroeg zich af hoe lang het zou duren voor ze dat duistere gedoe van haar opsluiting definitief kon loslaten. Misschien zou ze nooit helemaal kunnen verwerken wat haar was overkomen; wie weet wat voor psychische schade de geestelijk compleet gestoorde Morgan Herr had toegebracht? Wie wist hoe diep dat ging? Niet haar schare psychiaters, die haar uiteindelijk aan haar ouders hadden teruggegeven omdat ze alle therapeuten die geprobeerd hadden haar te laten praten over haar nachtmerrie met Herr had uitgelachen of genegeerd. Het enige zekere was dat hij haar niet verkracht had, wat een zegen was. Maar wat had hij dan wel gedaan? Dat was de hamvraag.

De gebouwen, van onderaf belicht, leken nu nog monumentaler af te steken tegen de lucht. De duisternis gaf de koepels een sprookjesachtige uitstraling, wat totaal tegengesteld was aan hun lugubere verleden. Maar ja, waar Alli al zo terecht op had gewezen: de geschiedenis werd hier dagelijks herschreven. Hij liep snel, maar niet met gebogen hoofd, wat de meeste mensen wel deden in akelig weer. In plaats daarvan keek hij uit naar Ivan en Milan, hoewel hij heel goed wist dat ze het hotel al verlaten hadden voor hij zich had aangekleed. Meer nog keek hij dan ook uit naar Annika. Als hij haar zag, kon hij haar tegenhouden, vertellen wat hij had gehoord en voorkomen dat ze in de hinderlaag liep. Maar behalve een oude baboesjka, mager en krom als een zwarte zwerfkat, zag hij niemand.

Hij vroeg zich af waar hij in vredesnaam mee bezig was. Hij was hier met een presidentiële opdracht en op verzoek van Carson stond er een chartervliegtuig klaar om hem naar Oekraïne te brengen. Het leek het toppunt van waanzin om midden in de nacht over het Rode Plein te lopen naar een hinderlaag van twee Russische maffiagangsters voor een FSB-agente. Een deel van hem zei dat Annika heel goed voor zichzelf kon zorgen, maar een ander, dieperliggend deel – het deel dat permanent getekend was door de dood van zijn dochter – zei dat ze de volgende ochtend dood met een kogel in haar achterhoofd gevonden zou worden als hij niet ingreep. Was dit Amerika, dan zou hij de politie kunnen bellen, maar zoals Annika zelf al had opgemerkt: dit was Rusland en Rusland had heel andere regels, die weinig of niets met de wet te maken hadden. Hij moest deze nieuwe realiteit accepteren zolang hij in het land was.

Maar op dit moment was hij met iets heel anders bezig. Voor hem zat het verleden altijd in het heden. Stel dat hij niet te druk was geweest met een drugszaak en naar Emma had geluisterd toen ze hem belde om hulp? Zou ze dan ook de macht over haar stuur hebben verloren? Zou ze dan ook van de weg af zijn geraakt en tegen die boom zijn gebotst? Dat zou hij natuurlijk nooit weten, maar hij kon er wel voor zorgen dat zoiets nooit meer zou gebeuren. Hij wist dat het niet zijn taak was om Annika te redden; hij kende haar amper. Hij wist ook dat hij behoorlijk stom bezig was, maar hij kon er niets aan doen. Hij wist dat ze zou sterven en dat hij zichzelf nooit meer recht in de ogen kon kijken als hij dat toestond.

Aan de overkant van het Rode Plein vond Jack de Tverskajastraat en hij wist meteen waar de ingang van de club was door de jonge mensen die eromheen hingen en door de wachtende *bombila*, de zigeunertaxi's die het verkeer in de Moskouse straten lamlegden. Ze kropen bumper aan bumper achter elkaar door het verkeer, op zoek naar klanten, en zodra ze die hadden, raceten ze met huiveringwekkende snelheid naar hun bestemming. Dan waren het net levende bommen, vandaar hun bijnaam.

Hij liep langs de ingang de hoek om en liep behoedzaam naar het steegje waar Ivan en Milan op Annika wachtten. Hij vermoedde dat ze hiernaartoe kwam omdat ze dacht meer over de Izmajlovskaja te weten te komen van de stervende Ivan. Want verder had die haar niet veel te bieden. Misschien zat hij te laag in de hiërarchie om haar nog van nut te zijn. Nadat hij alles wat hij wist in haar oor had gefluisterd na de seks, wilde ze verder, of beter: hogerop.

Aan het begin van het steegje haalde hij zijn SIG tevoorschijn en wachtte even om zijn ogen aan het donker te laten wennen en om Ivan en Milan niet te laten merken dat hij er was. Hij moest ze uit de duisternis plukken en als dat niet lukte, uitvogelen waar ze hun hinderlaag hadden opgezet. Ondertussen construeerden zijn hersenen een driedimensionaal beeld van het steegje, inclusief deuren en ramen, twee gebutste, metalen afvalcontainers tegen een muur, bergen afval in plastic zakken en de vieze straat zelf, vol los afval, gebruikte condooms en papieren zakdoekjes tussen gele sneeuwhopen, als die niet zwart van het roet waren.

Hij hield zijn oren gespitst, niet alleen om de criminelen te horen, maar ook om te luisteren of hij Annika's hoge hakken hoorde, waar ze in dit vieze steegje niet makkelijk op zou kunnen lopen. Ze zouden zelfs heel onhandig zijn. Inmiddels had hij het complete steegje in zich opgenomen en bepaald dat Ivan en Milan hoogstwaarschijnlijk zouden toeslaan vanuit de ruimte tussen de twee afvalcontainers. Omdat het steegje zo smal was, had dat een dubbel voordeel, zeker voor iemand van Ivans bouw: het lag in de diepe schaduw en was vanuit beide uiteinden van het steegje onzichtbaar.

En dat was meteen ook het probleem, want aan de andere kant van het steegje was er even een schaduw zichtbaar, die bijna meteen weer verdween. Jack wist dat het Annika moest zijn. Heel even overwoog hij helemaal om te rennen om bij haar te zijn voordat ze het steegje in liep, maar in het vage licht zag hij haar al bewegen. Ze liep het steegje in en was in het heldere licht van de straat achter haar amper zichtbaar. Vervolgens was ze af en toe te zien, als een geest.

Er bleef Jack niets anders over dan vanaf zijn kant het steegje in te lopen en te hopen dat hij eerder dan Ivan en Milan haar aandacht zou hebben. En te hopen dat hij niet zou hoeven schieten. Terwijl hij in de richting van de afvalcontainers en Annika liep, zag hij een lange pvc-buis liggen. Geen metaal, maar het kon ermee door. Hij raapte hem op, ging sneller lopen en zwaaide de buis door de lucht om Annika's aandacht te trekken. Dat lukte, maar het bleek een verkeerde strategie, want ze schrok ervan en ze lette niet meer op Ivan en Milan, die bij het geluid van haar hoge hakken uit de ruimte tussen de afvalcontainers naar voren sprongen.

Jack zag een flits uit Ivans .9 komen en gooide de buis naar hem. Die raakte zijn schouder en hij draaide zich om en schoot naar zijn aanvaller. Jack dook weg en schoot zelf ook. Hij zag dat Annika een schoen in haar hand had en met een naaldhak op Milans hoofd sloeg, net boven zijn haargrens. Vloekend dook die de ruimte tussen de afvalcontainers weer in.

Toen Ivan zijn maatje hoorde vloeken, schoot hij nog een keer, mogelijk om Jack op afstand te houden, en draaide zich daarna weer om naar Annika. Hij bracht net zijn .9 omhoog toen Jack boven op hem sprong. De twee mannen vielen zwaar op de grond en zowel de SIG als de .9 gleed door het steegje. Annika probeerde de SIG te pakken, maar Ivan kon die nog net voor haar handen weg trappen. De .9 lag ergens verborgen in de schaduw.

Jack plantte zijn vuist in Ivans buik, maar de grote man leek daar amper iets van te merken en pakte Jacks kin en trok die omhoog, waardoor zijn keel onbeschermd was. Jack draaide weg en Ivans vuist raakte hem tegen de zijkant van zijn keel. Een seconde eerder en Ivan zou zijn strottenhoofd hebben vermorzeld. Van dichtbij was de man nog groter en was zijn woede tastbaar. Jack dook weg, schoot een andere kant op en ontweek een paar klappen, maar in feite werd hij methodisch in elkaar geslagen. Vanuit een ooghoek zag hij dat Annika naar Ivan toe rende. Ze sloeg hem zonder zichtbaar effect. Met een massieve arm schoof hij haar aan de kant. Ze struikelde achteruit en viel op de grond. Jack wist dat hij van haar geen hulp meer kon verwachten.

Terwijl Jack hierdoor even was afgeleid, draaide Ivan hem om, hield hem in een wurgklem en probeerde hem achterover te buigen. Jack probeerde met al zijn krachten om naar voren te gaan, om wanhopig langzaam naar de overkant van het steegje te komen, naar de schaduw waar hij dacht dat zijn SIG terecht was gekomen. In een vuistgevecht was hij geen partij voor de Rus. Het pistool was zijn enige hoop.

Hij haalde hortend adem en had het gevoel dat zijn ogen uit hun kassen puilden toen Ivan de druk op zijn keel opvoerde. Hij was duizelig, in zijn hoofd wisselden verblindende lichtflitsen en grote zwarte vlekken elkaar af en dreigden hem mee de bewusteloosheid in te slepen. Het steegje kantelde, alsof hij op één oor lag. Hij wist niet meer wat onder en boven, links en rechts was, en het eind van zijn krachten naderde. Hij zweefde, alsof hij van de ene wereld naar de andere op weg was. En hij hoorde haar stem, Emma's stem, zoals hij die al vaker had gehoord na haar dood. Hij had haar zelfs een keer tussen de bomen achter zijn huis zien staan, het huis aan het eind van Westmoreland Avenue, zijn heiligdom, waar hij ooit met Gus woonde, de grote, zwarte pandjesbaas, nadat hij bij zijn vader was weggelopen.

Pa, riep zijn dochter. *Pa, waar ben je?*

'Emma…?'

Pa, ik zoek je, maar zie je nergens. Waar ben je?

'Ik ben hier, Emma… Volg mijn stem. Het lijkt alsof ik heel dicht bij je ben.'

Ik zie je nu, pa.

Hij hoorde haar teleurgesteld zuchten. *Je moet terug…*

'Waarnaartoe?'

Je moet terug, pa… je bent vlak bij het pistool…

Dat was het moment dat hij iets metaligs tegen zijn knie voelde. Hij tastte rond met zijn hand en vond niet zijn eigen SIG, maar de .9 van Ivan. Hij pakte die vast met zijn vinger om de trekker. Hij kwam overeind tegen de muur en boog zo diep mogelijk. Ivans voorhoofd raakte de muur en zijn greep op Jacks keel werd zoveel losser, dat hij zich met de .9 in zijn hand kon omdraaien.

Hij schoot twee keer in Ivans buik.

Het volgende dat hem bijstond was dat Annika hem onder Ivans roerloze lijf uit probeerde te trekken.

'Kom op,' zei ze buiten adem. 'We moeten hier weg!'

'Wat?'

'Je hebt een lid van de Izmajlovskaja-groeperovka doodgeschoten.'

'Een onbeduidend lid. Dat zei je zelf.' Hij hapte naar adem om zijn brandende longen mee te vullen, en omdat een deel van hem nog steeds in dat ragfijne niets was waar hij naartoe gezweefd was, begreep hij maar half wat er was gebeurd.

'O, je denkt dat dat Kaolin Arsov niets kan schelen?' Annika keek grimmig. 'Hij kan het zich niet permitteren dat een van zijn mensen – ongeacht wie – doodgeschoten wordt zonder dat er meteen wraak wordt genomen. Net als bij alle familiehoofden hangt en staat zijn reputatie met twee dingen: discipline en wraak.'

Hij pakte haar uitgestoken hand vast en wankelde door het steegje, weg van het lijk.

'Laat dat pistool vallen,' zei ze. 'Godallemachtig, laat dat pistool vallen en dan gaan we hier als de bliksem zo ver mogelijk vandaan!'

Jack draaide zich onhandig al rennend en trillend om en liet het pistool vallen, net zoals hij Michael Corleone zo vaak in *The Godfather* had zien doen. Hij struikelde over een been en zag dat Milan met zijn gezicht naar beneden net zo doodstil als Ivan op de grond lag. Waren ze allebei dood? vroeg hij zich even af. Maar daarna stonden ze al in de goed verlichte straat en wenkte Annika een bombila, trok het achterportier open, duwde Jack op de achterbank en stapte zelf ook in.

'We verschansen ons in Jelena's appartement tot ik wat telefoontjes heb gepleegd,' zei ze, en ze gaf de chauffeur het adres.

'Emma?'

'Emma?' herhaalde Annika. 'Wie is Emma?'

Met tranen in zijn ogen draaide Jack zijn hoofd weg. Hij had bijna 'mijn dochter' gezegd, maar zei: 'Niemand.'

Hij draaide het raampje open en stak zijn hoofd naar buiten. *Emma, Emma, ik had zo ontzettend graag jou gered.*

'Hé, mijn ballen bevriezen!' protesteerde de chauffeur.

Maar die ijskoude wind was precies wat Jack nodig had om zijn hoofd weer helder te krijgen. De adrenaline schoot nog steeds door zijn lijf en hij wist dat het nog wel even zou duren voor hij de kwetsuren zou voelen die Ivan hem had toegebracht. Ondertussen moest hij wat aan deze nieuwe situatie doen. Zijn hersenen kwamen tot rust en begonnen met hun gebruikelijke snelheid te werken. Hij leunde voorover. 'Laat dat adres maar zitten,' gilde hij boven de wind uit tegen de chauffeur. 'Breng ons naar Sjeremetjevo.'

'Het vliegveld?' zei Annika. 'Waarom gaan we daarnaartoe?'

Jack ging weer normaal zitten, terwijl de bombila van richting veranderde en naar de ring reed. 'Zoals je al zei, moeten we zo snel mogelijk zo ver mogelijk van die steeg vandaan, en dat is precies wat we nu gaan doen.'

4

Alles raak je vroeg of laat kwijt. Dat had hij van Emma's dood geleerd. En trouwens ook van zijn huwelijk. Al in het begin, tijdens die eerste extatische bloei, werden de zaadjes van het verlies al gezaaid; die waren al voorbestemd, als je er onbevooroordeeld naar keek.

Deze gedachten rolden door Jacks hoofd terwijl hij met Annika in de bombila reed. Toen ze op de ring naar Sjeremetjevo reden, pakte Annika haar mobiel en belde iemand. Haar baas bij de FSB, nam hij aan. Het werd al snel duidelijk dat ze niet de reactie kreeg die ze had verwacht. Nadat ze tot in detail had verteld wat er in dat steegje achter de Bush-fire was gebeurd, viel ze stil en luisterde ze met gefronste wenkbrauwen geconcentreerd en wat later gefrustreerd. Daarna praatte ze met harde stem zo snel in het Russisch dat Jack het niet kon volgen. Ineens brak ze het gesprek af en gooide haar mobiel op de vloer van de bombila.

'Wat is er?' vroeg Jack.

Annika had niets meer tegen hem gezegd nadat hij had uitgelegd waarom hij hun bestemming had veranderd, geen dankjewel voor het redden van haar leven, helemaal niets. Tot dat telefoontje leek ze diep in gedachten verzonken te zijn, zonder enig teken van leven. Alsof ze alleen in de bombila zat. Jack dacht dat dit een reactie was op het geweld waaraan ze was blootgesteld, op de bedreiging van haar leven, het gevecht om te overleven, waarvoor ze alle energie nodig had gehad. Het was helemaal niet raar dat ze in shock was. Daarom had hij haar de kans gegeven om te kalmeren voor hij vragen ging stellen. Nu was daar een nieuw, onheilspellend element bij gekomen.

'Ik zal je vertellen wat er is. We zijn genaaid, totaal en voor altijd genaaid.'

'Hoezo? Ivan was een gangster van het laagste echelon en jij zit bij de FSB.'

Ze draaide haar hoofd zo snel naar hem toe, dat hij haar nekwervels hoorde kraken. 'Waar heb je dat gehoord?'

'Op dezelfde plek waar ik van die hinderlaag net heb gehoord. Ivan en

Milan waren in jouw kamer, op zoek naar wraak. Ze vonden de camee die je in de afvoerbuis had verstopt.'

'Fuck!'

'Je ID in een camee verstoppen was niet slim. Een camee past helemaal niet bij je.'

'Die camee was van mijn moeder.' Even staarde ze met een strak gezicht naar buiten. Toen keek ze hem weer aan en zei: 'Het probleem is niet Ivan, maar Milan. Ivan wist niets, daarom heb ik hem laten lopen; maar hij wilde me echter niet loslaten, zoals je weet.'

'Je schijnt heel goed te zijn in bed.'

Ze keek hem met vlammende ogen aan. Zo dicht bij haar zag hij, zelfs in het schemerige licht, de zilveren vlekjes in haar ogen toen de bombila van lantaarnpaal naar lantaarnpaal reed.

Ze besloot daar geen commentaar op te geven, want ze zei: 'Milan moest ik hebben, en toen hij ontdekte wie ik werkelijk was, heeft hij die val gezet. Natuurlijk hapte ik, omdat hij degene was die belde, omdat ik wist dat hij er zou zijn, en als Ivan van het toneel verdwenen was, kon ik werk van hem maken.'

'Ze naaiden je zes keer vanaf zondag.'

Ze stak haar kin in de lucht. 'Die uitdrukking ken ik niet, maar ik geloof wel dat ik begrijp wat je bedoelt.'

Ze waren nu bijna bij het vliegveld en ze raapte haar mobiel op van de grond. 'Het echte probleem is zelfs niet eens Milan, hoewel die al erg is. Milan hoort bij Batsjoek. Oriel Jovovitsj Batsjoek is een vicepremier, een vertrouweling van president Joekin. Die kennen elkaar al vanaf Sint-Petersburg, waar ze samen in het stadsbestuur hebben gezeten. Toen deed Batsjoek al het vuile werk voor Joekin. Die twee hadden een zeer effectieve modus operandi ontwikkeld. Joekin zocht succesvolle bedrijven in en rondom Sint-Petersburg en stuurde daar dan Batsjoek op af met papieren die de bedrijven – de hoofdeigenaar of de directie – beschuldigde van overtredingen, van het niet voldoen aan vage wetten en dat soort dingen. Alle aanklachten waren nep, maar hierdoor belandde het bedrijf of de mensen zelf voor de rechtbank, waar rechters die Joekin in zijn macht had, beslissingen namen ten gunste van hem. In tegenstelling tot Amerika, kunnen we hier geen beroep aantekenen, of beter gezegd: dat kunnen we wel, maar geen enkele rechter zal daar aandacht aan besteden.'

Het interieur van de bombila werd verlicht door de natriumbooglampen van het Sjeremetjevo. Jack leunde naar voren en vertelde de chauffeur waar hij hen kon afzetten.

'Joekin en Batsjoek werden op jonge leeftijd schatrijk,' ging Annika verder. 'Nu hebben ze beiden het allerhoogste niveau bereikt, waar ze dezelfde modus operandi hanteren, alleen nu op nationale schaal. Joekin gebruikt Batsjoek en de macht van de federale rechtbanken om de grootste, meest succesvolle geprivatiseerde bedrijven terug te krijgen door op zoek te gaan naar vage boekhoudkundige tegenstrijdigheden of door aanklachten wegens het misbruik maken van hun functie te verzinnen tegen de medewerkers en oligarchen achter de bedrijven, van wie velen hem en zijn mensen al betaalden uit de winsten. Het is begonnen met de overname van Gazprom en is alleen maar erger geworden.'

'Maar waar heeft een vicepremier een hooggeplaatst lid van de Izmajlovskaja-groeperovka voor nodig? Hij heeft toch elke overheidsambtenaar op zijn loonlijst staan?'

'Batsjoek is veel meer dan een simpele vicepremier. Hij staat aan het hoofd van een schimmige Geheime Dienst, die onder ieders radar vliegt, die niet eens een naam heeft, tenminste voor zover iemand dat zeker kan weten, alleen maar een aanduiding: *Trinadtsat.*'

'Nummer dertien, misschien Directoraat Dertien?'

'Trinadtsat maakt geen deel uit van de FSB. Het staat erboven en is veel meer dan de FSB en elke andere Geheime Dienst van het Kremlin.' Ze trok een gezicht. 'En daarom kan mijn directoraat me nu niet helpen, en kan ik jou niet helpen. Iedereen die boven me staat, is doodsbang nu Milan Spiakov dood is. Ik ben, zoals ze dat noemen, radioactief besmet. Ik mag niet terug naar mijn werk of naar mijn normale leven, ik ben, om kort te gaan, verbannen.'

'Het spijt me, Annika, maar ik zit min of meer in dezelfde situatie.'

Ze schudde haar hoofd. 'Nee, nee. Jij bent een Amerikaan. En Amerikanen hebben altijd meer opties.'

Wat er de reden van is dat we op dit gedeelte van Sjeremetjevo staan, dacht Jack. Het zou veel gemakkelijker voor Edward zijn om me uit Oekraïne te krijgen dan hiervandaan. Trouwens, ik heb nog steeds mijn opdracht.

Hij zag het privévliegtuig staan dat Carson voor hem had geregeld. De cabinelichten waren aan. Zoals Edward had toegezegd, wachtte de bemanning op hem. Nadat hij had aangegeven dat ze naar dat vliegtuig moesten, zei hij: 'Ik wil dit heel duidelijk hebben. Dertien staat alleen onder bevel van Joekin.'

Ze knikte. 'Joekin en Batsjoek, ja. Maar misschien heet het helemaal geen Trinadtsat. Het weinige wat we weten, komt via speculatie, is anekdotisch en spreekt elkaar vaak tegen. Maar één ding lijkt duidelijk: Batsjoek is de voorheen ondenkbare verbinding tussen een onbekende arm van de Federale Veiligheidsdienst en de groeperovka.'

'Alsof Joekin alle troeven in handen heeft.'

Annika schudde haar hoofd. 'Ook dit begrijp ik niet.'

'Ik bedoel dat hij aan het hoofd staat van alle diensten, ook van die welke traditioneel gezien vijanden zijn.'

'Ja, dat klopt helemaal. Hij staat aan het hoofd van een onzalige alliantie.'

'Maar waarom? Wat is de bedoeling van Dertien?'

Ze waren op hun bestemming. Jack had van tevoren geen prijs afgesproken en kreeg nu een absurd hoge prijs gepresenteerd. Tot Annika de chauffeur een dikke minuut bestookte met een serie platte vloeken die Jack niet begreep. Maar de chauffeur begreep ze heel goed, want Annika kwam een prijs overeen die een tiende was van wat hij eerst had gevraagd. Jack betaalde en ze stapten uit de bombila.

'Niemand weet wat Joekin en Batsjoek van plan zijn,' vertelde ze. 'Maar het kan nooit veel goeds zijn.'

Het was geen koude avond. Wat er nog over was van de sneeuw was óf aan het wegsmelten óf werd weggeblazen door een zacht zuidelijk briesje. Een diadeem van lampen had een andere lucht gecreëerd: laag, metallic, kunstmatig, zonder het twinkelen van de sterren in de lucht hoog daarboven.

'En,' zei ze terwijl ze rondkeek, 'vertel me nu dan maar eens waarom we hier zijn.'

Hij wees. 'Zie je dat vliegtuig? Dat gaat ons hier weghalen.'

Ze stond abrupt stil. 'Wie bent u, meneer McClure?'

'We hadden in de hotelbar al afscheid genomen van "meneer McClure".'

Ze keek hem twijfelend aan. 'Je bent iemand met een eigen vliegtuig. Een Amerikaanse oligarch.'

'Nee. Ik ben geen zakenman,' zei Jack, en hij duwde haar zachtjes in de richting van het vliegtuig met zijn uitnodigende rijdende trap. Hij vond het grappig dat een FSB-agente niet wist wie hij was en niet wist dat hij voor de president van Amerika werkte. 'En dat vliegtuig is niet van mij. Het is van een vriend.'

45

'Een heel rijke en machtige vriend. Dus dan ben jij zijn, laten we zeggen… vicepresident?'

Jack bedacht hoe grappig dat was, hoewel er in werkelijkheid niet veel te lachen viel in hun situatie. 'Laten we zeggen dat ik net als Oriel Jovovitsj Batsjoek een vicepremier ben.'

Nu keek ze hem nog achterdochtiger aan. 'Amerika heeft helemaal geen premiers.'

'Nou, in elk geval nog niet.'

'Heb je echt geen idee wie ik ben en voor wie ik werk?' vroeg Jack.

'Moet dat dan? Als je op de internationale krantenpagina's staat, dan niet op mijn vakgebied of andere gebieden die mij interesseren.'

Nadat ze zich in de kleine wachtruimte zo goed mogelijk hadden opgefrist, zaten Jack en Annika nu in het privévliegtuig, terwijl het cockpitpersoneel de laatste controles uitvoerde. De piloot had tegen Jack gezegd dat hij zijn instructies had; hij had het vliegschema aan de meldkamer doorgegeven en was klaar voor vertrek.

'Ik vroeg me af waarom je op hetzelfde moment als ik in dat hotel was.'

'Misschien was het voorbestemd dat we een gepassioneerde verhouding krijgen.' Ze zei het op zo'n zure toon, dat Jack er geen antwoord op kon bedenken. 'Ja, dat is het natuurlijk,' ging ze op dezelfde toon verder. 'Ik ben je helemaal gevolgd vanuit… waar woon je in Amerika, Jack McClure?'

'Washington – de stad, niet de staat.'

Nu Annika haar punt had gescoord en duidelijk niet in zijn antwoord geïnteresseerd was, draaide ze zich om en keek door het perspex raampje naar het vliegveld. Er hing een eigenaardige spanning tussen hen, alsof ze ineens tegenstanders waren geworden. Jack was een ongewoon scherpzinnige inschatter van karakters, maar van deze vrouw kreeg hij geen hoogte. Net alsof er verschillende persoonlijkheden in haar geest om aandacht vroegen. Wat dat betreft deed ze hem aan Alli denken.

Uiteindelijk zei ze wat vriendelijker: 'Mijn doel is, of was, om in de Izmajlovskaja-groeperovka te infiltreren met de bedoeling bewijzen tegen Arsov te verzamelen. Nu ben ik geneigd te denken dat iemand zich zo bedreigd voelde door mijn onderzoek, dat ik erin ben geluisd om me er vanaf te halen.'

'Ze hadden je ook naar Siberië kunnen sturen.'

Ze keek hem weer aan. De vlekjes in haar ogen waren nu staalkleurig.

'Die onverwachte druk van buitenaf moet bellen hebben laten rinkelen binnen de FSB en zo de ongewilde aandacht van Dertien hebben opgewekt. Nee, dit was veel effectiever, een paria van me maken.' Ze keek grimmig. 'Nu word ik opgejaagd, en hoogstwaarschijnlijk vermoord, door mijn eigen mensen.'

'Vanwege Milans dood?'

Ze haalde haar schouders op. 'Zijn opvolger staat waarschijnlijk al klaar. Zo gaan die dingen. Je snapt natuurlijk dat mensen als Milan – en mensen als ik – van het ene op het andere moment geloosd kunnen worden.'

Jack knikte. 'Dat gebeurt ook in mijn land.' En zonder erbij na te denken ging hij verder: 'Maar je hebt nog niets gezegd over wat er in dat steegje is gebeurd.' Op hetzelfde moment wist hij dat hij een fout had gemaakt.

Annika keek hem met op elkaar geklemde lippen aan. 'Wat moet ik daarover zeggen? Er zijn twee mannen dood en wij leven nog. Wat moet ik doen, Jack McClure? Moet ik instorten en op je schouder uithuilen? Wil je me troosten? Zie ik eruit alsof ik getroost wil worden?'

'Je ziet eruit als iemand die er niet aan gewend is om getroost te worden.' In de hotelbar met haar vriendin Jelena had ze zo flirterig geleken: *We wilden gaan stappen. Hebt u soms zin om mee te gaan?* Maar nu was ze zo hard als titanium en staal. 'Eigenlijk was je aardiger toen we elkaar voor het eerst ontmoetten.'

Als reactie trok ze haar klauwen in en verzonk in gedachten. 'Het is…' Haar stem viel weg en ze schraapte haar keel en leek te twijfelen of ze door zou gaan. 'Het spijt me, maar als ik bang ben, zet ik mijn stekels uit.' Dat laatste had ze met afgewend hoofd gezegd, alsof ze zich schaamde voor emoties die door haar pantser heen braken, ook al was het maar voor even. 'Het is een slechte gewoonte, ik weet het, maar ik ben niet vaak bang, snap je…' Ze keek hem weer aan en lachte zacht en veel te kort. Ze maakte een beweging met haar hand alsof ze haar woorden wilde uitvegen. 'Ik vraag mezelf steeds af waarom je achter me aan bent gekomen. Waarom heb je dat gedaan? We kennen elkaar amper en zijn elkaar niets verschuldigd. Toen niet, tenminste. En elke keer dat ik mezelf die vraag stel, kan ik maar één antwoord bedenken: dat ik voor jou geen onbekende ben omdat je voor een Amerikaanse Geheime Dienst werkt.' Ze keek om zich heen. 'Is dit een CIA-vliegtuig?'

'Nee. En ik werk ook niet voor een Geheime Dienst.'

Annika keek hem peinzend aan en probeerde in te schatten of hij de

waarheid sprak of niet. 'Zou je het me vertellen als je dat wel deed?'
'Nu wel.'

Ze stak een hand uit en nu zag hij hoe bleek die was, hoe lang en hoe slank haar vingers waren. Kreeg hij nu een soort zegen aangeboden of een mystieke handlezing?

'Ik geloof je,' zei ze, alsof ze iets onzichtbaars had gelezen wat ze met haar witte hand had opgeroepen. Ze zuchtte. 'Er is nog iets, iets onder-huids, als je me begrijpt.' Ze legde haar handen in haar schoot, de een over de ander, alsof ze moe van het werken waren. 'Ik denk dat ik ge-prikkeld ben omdat ik veel te veel alleen ben. Jelena heeft gelijk. Shit, ze heeft bijna altijd gelijk en is niet te beroerd om me dat te helpen herin-neren. Maar oké, ik ben dus niet zo goed met mensen, en zeker niet in mijn privéleven.'

'En Jelena?'

Ze keek hem verdrietig glimlachend aan. 'Jelena is geen vriendin, ze is een soort zus of priester, die ondanks haar scherpe tong mijn biecht aanhoort zonder te oordelen. En dat is meteen de andere, betere reden om geen vrienden te maken. Je leven is niet wat je doet, maar wat ande-ren denken dat je hebt gedaan of niet hebt gedaan. En zo wordt de waarheid een leugen en uiteindelijk gaat die leugen een eigen leven lei-den, onafhankelijk van jezelf. Zie je hoe je dan de controle over je eigen leven verliest, want zonder precies te begrijpen hoe het is gebeurd, ben je geworden wat andere mensen over je denken.'

Even werd haar gezicht verlicht door de koplampen van een rijdend voertuig op het platform. Ze was echt een opvallende vrouw, ook in de saaie Diesel-kleren en zeker als haar lippen ontspannen waren en haar wangen een beetje kleur hadden.

'Het werk bij de Veiligheidsdienst zal daar zeker aan hebben bijgedra-gen, neem ik aan,' zei Jack. 'Het holt je uit. Je wordt wat je superieuren willen dat je bent. De leugens die je moet vertellen voor je missie wor-den de waarheid en al snel weet je niet meer wat waarheid en wat leugen is, en weet je niet meer hoe je moet leven.'

'Jij weet hoe moeilijk dat is.' Ze keek hem weer bedachtzaam aan. 'Ik dacht dat je zei dat je geen agent was?'

'Ben ik ook niet. Maar ik ken mensen die het wel zijn en die vertellen allemaal hetzelfde. En als ze het niet hardop willen toegeven, dan zie ik het aan hun gedrag.'

Voor het eerst sinds hun ontmoeting in de bar toonde ze iets van interesse. 'Maar in mijn geval was de schade al toegebracht lang voordat ik bij de FSB ging werken.'

'Je vader?' raadde hij.

'Een variant op het aloude thema vrouwen.' Ze haalde een pakje sigaretten uit haar handtas, die ze nog uit het steegje had weggegrist, maar toen ze zich herinnerde waar ze was, stopte ze het weer terug. 'Mijn broer en ik deelden samen een slaapkamer. Niet ongewoon in dit land. Vanaf mijn twaalfde heeft mijn broer me verkracht, nacht na nacht, met een jachtmes tegen mijn keel. Als hij klaar was, als hij nog op me lag, als hij nog in me was, zei hij: "Als jij het iemand vertelt, snij ik je keel door." En om zijn bedreiging tastbaar te maken, sneed hij ergens in mijn lijf en moest ik mijn eigen bloed proeven. "Dan zul je nooit vergeten dat je je mond moet houden," zei hij. Achttien maanden lang sneed hij me elke nacht als hij klaar was, alsof ik een debiel was die niets kon onthouden.'

De motoren gingen harder draaien en in de cabine was het geloei nu duidelijk hoorbaar. Jack zag dat de verrijdbare trap nog op zijn plaats stond. Hij keek weer naar Annika, hij had geen zelfmedelijden in haar stem gehoord.

'Waar is hij nu?' vroeg hij.

'Mijn broer? In de hel, hoop ik. Niet dat ik een flauw idee heb en ik ga het ook niet uitzoeken. Ik ben geen slachtoffer.' Dat laatste zei ze nadrukkelijk, bijna giftig. Jack kon haar dat niet kwalijk nemen, maar vond niet dat ze gelijk had, want de woorden van haar broer – *Als jij het iemand vertelt, snij ik je keel door* – die elke avond in haar oor werden gefluisterd, hadden een psychische werking, voorkwamen dat ze iemand bij zich in de buurt liet komen, iemand die haar zou kunnen beschermen, iemand die hem zou kunnen aanvallen of ervoor zou kunnen zorgen dat hij ophield met zijn schandalige activiteiten. Dus hield ze haar mond en sloot zich voor iedereen af die haar zou kunnen helpen. Op die manier had ze aan haar broer toegegeven en was ze nog steeds zijn slachtoffer. Haar kracht, die tegelijkertijd enorm en veelsoortig was, zat in dat harde omhulsel dat ze om zich heen had opgetrokken om de kwetsbare kern te beschermen.

In het leven zoeken gelijksoortige lieden elkaar vaak op. Alli en hij hadden een band omdat ze allebei buitenstaanders waren. Hij vroeg zich af of hij een barst in Annika's pantser zou kunnen maken en vond het de moeite van het proberen waard. 'Bij mij was het mijn vader,' zei hij langzaam en welbewust. Hij benadrukte elk woord, zodat ze goed zou

49

luisteren, zodat ze zou begrijpen hoe moeilijk het voor hem was om te vertellen. 'Hij sloeg me omdat hij zei dat ik stom was, omdat hij elke avond dronken thuiskwam en hij zichzelf en zijn eigen leven haatte, denk ik. Op een avond had ik er genoeg van en liep ik weg.'

'Ja, natuurlijk, jij bent een man.' Annika klonk eerder berustend dan boos, alsof ze al zo vaak over die ongelijkheid had nagedacht, dat het een gegeven was geworden. 'Mannen kunnen doen wat ze willen, nietwaar, terwijl vrouwen, tja, waar moeten die naartoe? Zelfs al is de situatie nog zo afgrijselijk, onaanvaardbaar, dan nog hebben ze alleen het huis en het gezin, hoewel die allebei vergiftigd zijn. Want buiten op straat wachten slavernij en de dood.' Ze huiverde, draaide haar hoofd weer weg en was doodnerveus. 'Hadden we inmiddels niet al weg moeten zijn?'

Op dat moment kwam er een adjudant naar hen toe gelopen. 'Sorry voor het oponthoud, meneer McClure, maar er is iemand die nog even met u wil praten.'

Deze adjudanten van Carson waren altijd zo keurig, zo formeel, vond Jack, maar misschien ging dat zo binnen de presidentiële staf, waar protocol en respect een manier van leven waren.

Annika keek geschrokken. 'Wie...?'

'Rustig maar.' Jack stond op. 'Wie het ook is, ik regel het wel.'

Hij liep naar voren toen Naomi Wilde, hoofd van Lyn Carsons Geheime Dienstafdeling, glimlachend naar binnen kwam.

Verdomme, dacht Jack, wat komt zij in vredesnaam doen? Is er iets met de First Lady gebeurd?

Wilde glimlachte, maar verlegen, alsof ze de hond had getrapt op een manier die ze niet durfde te bekennen. Dat was raar, omdat Naomi Wilde een doener was, een vrouw die door en door getraind was. Ze had vertrouwen genoeg voor haar hele team, maar nu keek ze als een vis die spartelde op het droge, een vrouw die zich in een positie bevond waarop ze geen antwoord had, of beter: wel een antwoord, maar niet een dat ze prettig vond.

'Sorry voor het oponthoud, meneer McClure,' zei ze. 'Maar zoals u kunt zien, had ik geen keus.' Nu stapte ze helemaal naar binnen en werd door iemand opzij geduwd alsof ze niet bestond, of niet meer nodig was.

Jack begreep direct waarom Wilde zich zo opgelaten had gevoeld. O, jezus christus, nee, dacht hij. Want hij keek in het grijnzende gezicht van Alli Carson, de First Daughter.

5

'Ha, Jack, blij me te zien?' vroeg Alli terwijl ze de cabine in stapte.

Jack keek Naomi Wilde aan, die ineenkromp onder die blik en vervolgens berustend haar schouders optrok. Het was verbijsterend hoe Alli van mensen als Wilde – professionals, uitstekend getraind, loyaal en dapper – Silly Putty kon maken. Dat was haar speciale talent: in de periode van de inauguratie en de nasleep daarvan had ze geleerd haar labiele mentale gezondheid te gebruiken voor alles wat ze wilde. Haal je me van school om mee naar Rusland te gaan? Oké. Kan ik met Jack optrekken in plaats van met jullie? Oké, lieverd. Deze keer kon Jack alleen maar raden naar het gesprek tussen Lyn en haar dochter. Had ze gedreigd weg te lopen, een labiele gezondheid voorgewend, een enorme depressie die zo diep was dat ze misschien kon afzakken naar zelfmoord? Al deze mogelijke reacties op wat ze had doorgemaakt, waren uiterst nauwkeurig met haar doorgesproken door doktoren, psychiaters en therapeuten in Bethesda, de medische faculteit waar de presidenten en hun gezinnen werden behandeld.

Het was duidelijk dat ze deze details in zich had opgezogen, zodat ze die als wapens kon gebruiken in gezinsruzies. Lyn had gezegd dat ze weer aan het acteren was. Alleen God wist hoe het werkelijk met haar mentale gezondheid was.

Hij vermande zich en ging voor Wilde staan, zodat die Annika niet kon zien. Het laatste waar hij behoefte aan had, waren lastige vragen over wie ze was, waarom ze hier was en of ze gescreend was.

'Wat doet zij hier, verdomme?'

Wilde kromp zichtbaar ineen toen ze zei: 'Ze gaat met u mee.'

'Wat? Dat kan niet. Het is niet veilig.'

'U bent niet de eerste die dat zegt, meneer McClure.'

Op dat moment ging Jacks mobiel over.

'Ik zou die maar aannemen,' zei Wilde. 'Het is de FLOTUS.' Ze bedoelde de First Lady van de Verenigde Staten.

Met bange voorgevoelens hield Jack zijn mobiel bij zijn oor. Alli's uitgesproken voorkeur om bij Jack te zijn had voor wrijving gezorgd tussen hem en Lyn Carson. Wat hij nu vreesde was een uitgebreide uitbrander die uitliep in een bevel om haar dochter met Wilde terug te sturen.

'Hallo, Jack,' zei Lyn koel in zijn oor.

'*Ma'am*, sta me toe: Alli kan niet met me mee. Daar kan geen sprake van zijn.'

'Succes.' Wilde knikte kort in de richting van Alli. 'Ik wacht buiten, meneer McClure. Ik ga niet weg tot u haar naar de limo hebt gebracht of bent opgestegen.'

'Ik ben bang dat we allebei geen keus hebben, Jack,' zei Lyn Carson. 'Hoewel ik het verschrikkelijk vind, moet ik toegeven dat ze beter bij jou kan zijn.'

'Edward zou nooit toestaan dat…'

'Edward is hier niet,' onderbrak de koele stem van de First Lady hem. 'Die zit in de lucht, is op de terugweg naar de States. Hij hoeft niet op de kunsten van zijn dochter te reageren of op haar dreigementen dat ze aan haar bewakers zal ontsnappen en Moskou in haar eentje zal gaan verkennen. Kun je je voorstellen wat voor nachtmerrie dat zou zijn? En jij weet beter dan wie dan ook waarom ik haar niet achter slot en grendel wil houden.'

'Maar mevrouw Carson, u kunt niet verwachten dat ik haar nu meeneem.'

'Dat kan ik wel en dat wil ik. Luister heel goed naar me, Jack. Ik weet dat we het niet altijd met elkaar eens zijn en misschien heb ik je nooit verteld hoezeer ik alles waardeer wat je voor mijn dochter hebt gedaan en nog doet. Maar vanavond vraag ik je om haar te beschermen. Er zijn komende week belangrijke plechtigheden waarbij ik aanwezig moet zijn. Ik heb er niet om gevraagd, maar ik heb geen keus, dat is nu mijn werk en ik moet het doen. Hetzelfde geldt voor jou. Moet ik nog herhalen dat Alli gedreigd heeft om het reservaat uit te gaan, zoals ze het zo kleurrijk weet te vertellen? Jij kent haar, Jack, ze uit geen loze dreigementen. De Amerikaanse pers heeft als vliegen om haar heen gevlogen sinds dat… incident tijdens de inauguratie; ze hebben heel lastige vragen gesteld en als ze niet met mij verschijnt bij die plechtigheden, dan zullen de blogs op internet helemaal gek worden.'

Jack draaide zich om en zag Alli over het middenpad naar Annika lopen.

'Jack is getrouwd. Dat heeft hij je toch wel verteld, hè?' zei ze tegen haar.

'Het onderwerp is niet ter sprake gekomen. Maar dat is niet belangrijk.'
'O, nee?' Alli keek haar met opgetrokken wenkbrauwen aan. 'Dat zou ik anders niet zeggen. Je ziet eruit alsof je met iedere man die in je buurt komt de koffer induikt.'
Jack zei een beetje wanhopig: 'Lyn, dit is echt een heel slecht idee.'
'Laat maar horen als je een beter idee hebt.'
'De koffer in duikt?' zei Annika niet-begrijpend.
'Fuck. Dat woord ken je toch wel, hè? Fuck.'
'Oké, oké.' Jack voelde zich klemgezet door Alli's heftige gedrag en het onvermogen van haar moeder om haar onder controle te houden. 'Dan blijft ze bij mij.'
'Dankjewel, Jack. Ik zal dit niet vergeten.'
'Dat hoef je niet…' Maar hij praatte al tegen een dode lijn. Hij klapte zijn mobiel dicht en haastte zich naar de twee meiden.
Annika glimlachte onbewogen naar Alli's dreigende gezicht en vroeg: 'Jack McClure, wie is dit prachtige duiveltje?'
Zonder aarzelen zei Jack: 'Mijn surrogaatdochter.'
Deze zin, uitgesproken tegen iemand die Alli niet kende, had hetzelfde effect als toen Alladin de toverlamp wilde schoonvegen. De echte Alli, of eigenlijk de Alli die Jack kende van hun rustige momenten samen, verscheen als een geest met de macht om iedereen die naar haar keek te charmeren.
'Ik ben Alli en Jack is mijn vader,' vertelde ze terwijl ze haar donkerblauwe parka uittrok en in de stoel tegenover Annika plofte.
'Ik ben Annika.' Ze stak een hand uit, die Alli kort drukte.
Ze bekeek Annika kritisch en systematisch, net zoals Anna Wintour een potentiële assistente ondervroeg. 'Toch, zeg het maar eerlijk, je denkt echt aan hem als een fuckpop, hè?'
Annika leek niet kwaad te worden door Alli's opzettelijke provocaties. In elk geval nog niet. 'Hoe kom je daarbij?'
'Kijk alleen maar naar jezelf. Ik zou een bloedneus krijgen in die fuck-me-pumps. Moet je naar je kleren kijken, je tieten vallen bijna uit je jurk; kijk naar je make-up, naar je bloedrode lippen en nagels. En o, mijn god, je stinkt als een drukbezochte hoerenkast.'
'Mijn vriendin en ik zouden gaan stappen,' zei Annika vriendelijk.
Alli gluurde over het middenpad naar haar. 'O, ja, natuurlijk, dat verklaart alles.'
'Weet je, volgens mij is dit jouw probleem, niet het mijne,' zei Annika.

'Je gedraagt je als een jaloerse geliefde.'

Alli schoot achteruit alsof ze was gebeten, wat in zekere zin ook was gebeurd. 'Wat de fuck?'

'Ja. Jij hebt het beste van beide werelden. Jij hebt een vader die niet je echte vader is.' Annika gebruikte haar voordeel op een manier die niet gemeen was, maar wel bij Jack de indruk wekte dat ze gekwetst was en dat ze had begrepen dat ze op het slagveld stond.

'U kent me helemaal niet,' zei Alli zo stijf als een soldaat die tegen zijn meerdere spreekt.

'Integendeel,' antwoordde Annika meedogenloos. 'Ik ken je vrij goed. In tegenstelling tot meneer McClure is jouw echte vader een schaduw die eeuwig boven je hangt. Je ziet hem het liefst als een bedrieger, hoewel je wel naar zijn goedkeuring en liefde snakt.'

'Hallo, dames,' zei Jack, en hij stapte letterlijk en figuurlijk tussen hen in, 'kunnen jullie een beetje met elkaar opschieten?'

'Fuck, nee,' zei Alli, en ze stond op. 'Ze is zo'n ijskoude psycholoog.'

Jack legde zijn handen op haar schouders. 'Ga zitten, Alli. We moeten een paar dingen bespreken.'

'Jack,' zei Annika dringend, 'zou het niet verstandig zijn om te vertrekken?'

'Zo meteen,' zei Jack zo kalmerend mogelijk. 'Dit moeten we uitgepraat hebben voor we opstijgen.'

'Wat uitpraten?' zei Alli. 'Laten we gaan. Ik ben er klaar voor, de psychobitch is er klaar voor, wat is het probleem?'

'Jij. Jij gaat niet met ons mee.'

Alli kruiste haar armen voor haar borst. 'O, maar dat doe ik wel.'

'Alli, doe eens redelijk…'

'Niet mijn sterkste kant.'

Ondanks zichzelf merkte Jack dat hij kwaad werd. 'Je hoeft bij mij niet het beschadigde meisje uit te hangen.'

'Ik bén beschadigd. Dat weet jij beter dan wie dan ook.'

'Jij bent veel te slim om zo beschadigd te zijn als je doktoren en ouders vrezen.' Jack keek op haar neer; iemand moest het alfamannetje zijn, anders ging het uit de hand lopen. 'Dat weet jij en dat weet ik, dus hou alsjeblieft op met die onzin. Je kent de regels. De mentale spelletjes die je met andere mensen speelt, speel je niet met mij.'

Ze verloor de staarwedstrijd doordat ze naar de grond keek. 'Ik ga dood in die hotelkamer, Jack.' Haar stem was gekrompen tot de grootte van

een zandkorrel. 'Ik kan niet terug. Alsjeblieft, ik smeek het je.'
'Het is veel te gevaarlijk waar ik naar…'
'Maar niet te gevaarlijk voor die psychobitch, hè?' zei ze zuur.
'Appels en peren,' zei Jack streng. 'Alli, wen er maar aan: je gaat terug. Ik kan jou niets gevaarlijks laten overkomen.'
Ze stond weer op en keek hem smekend aan. 'Maar begrijp je het dan niet, als ik nog een nacht in die hotelkamer moet zitten, dán gebeurt er wat gevaarlijks. Jack, ik maak geen grapjes, serieus.'
Jack aarzelde en toen maakte Annika een tactische fout. 'Je gelooft haar toch niet, hè, Jack? Je bent toch niet serieus aan het overwegen om haar aan boord te laten blijven?'
Alli zei niets, wat het slimste was wat ze kon doen. En nu hij er achteraf op terugkeek, kreeg Jack het idee dat ze Annika en hem perfect tegen elkaar had uitgespeeld. Ze wist onder alle omstandigheden hoe ze moest krijgen wat ze wilde, en hoe moeilijker, hoe beter. Maar destijds had hij andere dingen aan zijn hoofd. Hij kende haar goed, veel beter dan haar ouders en zeker veel beter dan haar doktoren, die ze met veel plezier voor de gek hield. De wanhoop in haar ogen was echt. Hij had die eerder gezien, toen hij haar uit het huis had gehaald waar Morgan Herr haar gevangen had gehouden.
Die blik – de wanhoop – was totaal onopgesmukt, ongetemd, elementair, een wereld op zichzelf en wel op zo'n manier dat die de tijd kon laten stilstaan, of in een minder bloemrijke omschrijving: dat die het verleden in het heden kon laten manifesteren. Met die blik waren Jack en zij terug in het verleden, bij het moment dat hij haar redde, toen het gevaar zo tastbaar was als een hand om je keel of iemand die 's avonds te midden van een mensenmassa iets uit zijn mouw haalt. Op dat moment, terwijl er niets veilig en niets zeker was, bestond er begrip tussen hen, het begrip dat alles om hen heen gevaarlijk was en dat de dreiging onbekend was. Er is geen krachtiger situatie te bedenken waarin ware intimiteit wordt gesmeed, een band die niet verbroken wordt, of misschien nauwkeuriger: niet verbroken kán worden.
Wat precies de reden was dat Jack tegen de wachtende adjudant zei: 'Doe de deur dicht, dan kunnen we vertrekken.'
Alli keek niet naar Annika, ze verkneukelde zich niet, wat ze heel terecht had kunnen doen. In plaats daarvan zoende ze Jack zedig op zijn wang en mompelde een dankjewel in zijn oor, waarna ze braaf op haar stoel ging zitten en de gordel omdeed.

'Zorg dat ik hier geen spijt van krijg,' zei hij, maar eigenlijk begon hij er nu al spijt van te krijgen. Terwijl ze nog over de baan taxieden, wilde hij de adjudant roepen om te zeggen dat het toestel moest stoppen. Toen hij ging zitten, zei hij tegen zichzelf dat Wilde inmiddels al vertrokken zou zijn in die limo, maar hij kwam er niet achter of hij dat nou zei om zijn schuldgevoel te verminderen, dat steeds zwaarder op zijn schouders drukte, of dat het echt zo was, omdat hij opzettelijk niet uit het raampje keek om te zien of de limo al weg was, en daarmee ook zijn andere optie. Hij had zijn keuze gemaakt en daar moest hij hoe dan ook mee leven.

6

'Wat heb je?' vroeg Jack.

'Wat heeft die psychobitch?'

'Noem haar alsjeblieft niet zo.'

'Ik zal haar geen psychobitch meer noemen als zij zich niet meer als een psychobitch gedraagt,' zei Alli. 'Wat nooit zal gebeuren.'

Zodra het vliegtuig was opgestegen en op kruishoogte vloog, had Jack Alli mee naar achteren genomen.

'Jack, wat doet ze hier? Ik bedoel, wie is ze eigenlijk?'

Jack keek over haar heen om te zien of Annika nog steeds in haar stoel zat. 'Zij en ik hebben wat moeilijkheden gehad, daarom is ze hier. Ze kan niet terug naar Moskou, naar haar oude leven.'

'Je bedoelt dat ze haar leven heeft verkloot en nu jouw leven ook gaat verkloten.'

'Zo simpel ligt het niet, Alli.'

'Oké. Leg het me dan maar uit.'

'Hoe minder je weet, hoe beter het is. Geloof me.'

'Nou praat je als mijn vader.'

'Dat is een slag onder de gordel.' Ze lachten allebei tegelijkertijd. 'Maar toch,' zei hij weer serieus, 'er zijn vanavond twee mannen gedood, twee criminelen.'

'En wat is het probleem? De politie…'

'Dit is Rusland, Alli. De politie is niet te vertrouwen. Óf de Russische maffia, óf mensen van de federale regering hebben ze in hun zak, en die zijn allebei zo corrupt als het maar kan. In elk geval had een van die criminelen zulke hoge contacten dat Annika's meerderen haar hebben laten vallen. Misschien sturen ze zelfs mensen achter haar aan.'

'Om haar terug te halen?'

'Om haar te vermoorden.'

'Dat is een grapje, hè? Zeg dat het een grapje is. Het maakt me niet uit hoe ziek dit is, misschien verdien ik dat wel, maar zeg dat…'

'Het is geen grapje, Alli.' Hij zuchtte diep. 'Nu weet je ook waarom ik niet wilde dat je met me meeging.'

Ze zei niets. Het vliegtuig kwam in een luchtzak terecht en zakte onverwacht, waardoor ze zich ergens aan vast moesten grijpen. Jack pakte een van de rekken boven hem, Alli greep hem vast en drukte zich dicht tegen hem aan. Ze beet op haar lip. 'De enige reden dat ik per se mee wilde op deze oersaaie trip is dat ik dan bij jou kon zijn.'

'Alli...'

'Luister naar me. Ik voel me alleen maar veilig als ik bij jou ben. Het maakt me niet uit waar je naartoe gaat, Jack. Ik kan nu niet alleen zijn, en ook niet bij mijn ouders, hun veiligheidsmensen of de doktoren. Als ik alleen ben, ben ik ontzettend bang voor niets. Of misschien is het niet niets, toch? We kennen hem... jij, ik en Emma.'

'Morgan Herr is dood, Alli. Dat weet je.'

'Maar toch vóél ik hem nog steeds bij me in de buurt, vóél ik hem in mijn nek ademen en afgrijselijke dingen in mijn oor fluisteren.'

Jack sloeg zijn armen om haar heen. 'Wat voor dingen?'

'Dingen uit mijn verleden: mensen, plekken, dingen die alleen Emma en ik kenden, en soms alleen ik; dingen waar ik me diep voor schaam, dingen die ik mezelf amper herinner, maar die hij me niet laat vergeten. Soms is het net alsof hij in mijn hoofd zit en op de een of andere manier, ik weet niet hoe, blijft hij daar zitten, levend en ademend, fluistert tegen me, fluistert...'

Haar laatste woorden werden snikken. Ze duwde haar gezicht tegen zijn borst en hij wreef haar nek om haar te troosten en op een ander niveau ook om zichzelf te troosten, omdat hij haar pijn bijna als zijn eigen pijn voelde, een tweeling, twee melancholische treinen die over hetzelfde spoor reden dat ·naar Emma leidde, misschien alleen maar naar een herinnering aan haar, misschien niet, de beste vriendin van de één, dochter van de ander. Maar een deel van hem leefde niet mee. Hij voelde dat een groot deel van haar aanhoudende angst voortkwam uit het wegdrukken van die incidenten uit haar verleden. En hoe meer ze die wegdrukte, hoe harder ze terugkwamen, haar angst en zorgen vergrootten. Voorlopig vond ze het makkelijker om te geloven dat Morgan Herr de oorzaak van die gedachten was, in plaats van aan zichzelf toe te geven dat het haar eigen geest was die het zo verdomde moeilijk had met die afgrijselijke dagen en nachten in haar verleden.

'Ik wilde dat Emma hier was,' zei ze met haar zachte kleinemeisjesstem. Jack streek afwezig over haar haren. 'Ik ook.'

'Soms kan ik gewoon niet geloven hoeveel ik haar mis.'

Alli zei het, maar Jack had het net zo goed kunnen zeggen. 'Ze zit in ons geheugen, Alli. Daarom is het geheugen zo waardevol.' Hij maakte zich van haar los, zodat hij in haar ogen kon kijken, haar kon laten weten dat ze over hetzelfde spoor reden, voor het geval ze dat nog niet wist. 'En in datzelfde geheugen zitten jouw donkere dagen – en ook die van Emma, trouwens, en de mijne – en ik neem aan dat je zelf wel kunt bedenken dat het allemaal één is, de donkere en de heldere, zonnige dagen. Natuurlijk willen we allebei Emma niet vergeten en dat gebeurt ook niet, maar voor jou wordt de prijs voor het vasthouden van je donkere dagen te hoog. Als je die wegdrukt, heb je kans dat je Emma ook verliest.'

'Dat kan zo niet…'

'Zo gaat het, Alli. Wat er met je is gebeurd, is een deel van jou; je mag wensen dat het nooit was gebeurd, maar kunt niet ontkennen dat het is gebeurd.'

'Maar elke keer als ik aan die donkere dagen denk, breekt het koude zweet me uit, ga ik trillen, hoor ik geschreeuw in mijn hoofd dat ik niet kan stoppen en weet ik zeker dat ik gek aan het worden ben, en dan word ik steeds banger en banger, tot ik het niet meer aankan en ik denk…'

En inderdaad, zoals ze net had verteld, trilde ze en verschenen er kleine zweetdruppels onder haar haargrens. Jack trok haar weer tegen zich aan. 'Ik weet wat je denkt, lieverd, maar dat mag je nooit doen. Dat weet je, hè? Je mag jezelf nooit doden, je hebt nog veel te veel leven in je.' Hij wachtte tot hij haar zwijgend voelde knikken voordat hij verderging: 'Wat je ook is overkomen, je bent nog steeds degene die je was. Morgan Herr had niet de macht om dat van je af te pakken. In feite heb je juist in die donkere dagen je eigen moed gevonden, heb je toen uitgevonden wie je bent.'

'Maar hij heeft me gehersenspoeld. Ik deed precies wat hij wilde dat ik deed.'

Ze keek naar hem op, weer het kleine meisje zonder haar stoere vrouwenpantser – de grote mond en scherpe antwoorden die ze in een cultuur had aangeleerd die kinderen veel te vroeg volwassen maakte, een cultuur die veel te snel ging en zich concentreerde op de pracht en praal van de buitenkant van de dingen. Hij zag haar zoals haar vader haar nooit zag. Een onuitsprekelijke tragedie die Jack, een man die zijn enige kind had verloren, zeer diep aangreep.

'Niemand kan in de toekomst kijken,' zei hij, 'en dat accepteren we, maar ook het verleden kennen we niet echt goed. We weten alleen wat ons is overkomen, niet wat er met de mensen om ons heen is gebeurd. We hebben er bijvoorbeeld absoluut geen idee van of dat wat ze wel of niet deden effect op ons heeft gehad. Zodra je hebt geaccepteerd dat we slechts een fractie weten van wat er gebeurt, dan snap je ook dat niets is zoals wij het ons herinneren. We creëren ons eigen verleden, onze eigen geschiedenis. Het zijn allemaal stukjes die we samenbrengen en zo worden we wat we zijn: imperfect, maar menselijk.

'We gaan binnen twintig minuten landen,' zei Annika glimlachend tegen Jack. 'Ik heb deze vlucht al zo vaak gemaakt.'

'Dan ken je Oekraïne.'

'Heel goed.' Ze draaide zich om en keek naar de slapende Alli. 'Voor een jong meisje…'

'Ze is tweeëntwintig.'

'Dan zou ze zeven jaar jonger zijn dan ik! Ze ziet eruit als zestien.'

'Alli heeft de ziekte van Graves. Die werkt op de hypofyse.' Hij wees naar zijn keel. 'Haar groeiproces werd verstoord in haar tienertijd.'

Annika keek verbaasd, of misschien spijtig, dat was moeilijk te zeggen bij een vrouw die getraind was om altijd op haar hoede te zijn, ook als dat niet hoefde. Ze haalde haar schouders op. 'Ach, dat doet er niet toe. Zodra we geland zijn, ga ik ervandoor.'

'Dat lijkt me niet zo'n goed idee.'

Ze trok haar wenkbrauwen op. 'Nee? Hoezo?'

'Je zei dat de FSB misschien mensen achter je aan zou sturen.'

'Ik kan heel goed op mezelf passen,' zei ze stijfjes.

'O, dat geloof ik best.' In gedachten drukte Jack zijn lippen op elkaar. 'Toch val je veel meer op als je alleen bent.'

Annika wierp haar hoofd in haar nek, ze was het niet met hem eens. 'Ik heb veel vrienden in Oekraïne.'

'Vrienden of collega's?' Hij wachtte opzettelijk even. 'Nu ex-collega's. En als Batsjoek zo machtig is als jij beweert en als hij maar half zo wraakzuchtig is als de meeste hooggeplaatste Russen, dan heeft hij er allang een paar, of hen allemaal, voor zijn karretje gespannen.'

In de hieropvolgende stilte merkten ze allebei dat het vliegtuig aan het dalen was. Annika had de spijker op zijn kop geslagen wat betreft de duur van de vlucht.

Er waren nu allerlei emoties op Annika's gezicht af te lezen, alsof het wolken waren die door een fris briesje werden weggeblazen. Ze leek zijn woorden te herkauwen en misschien haar volgende zet af te wegen. 'Heb je een alternatief of constateer je simpelweg een gegeven?'

'Allebei.' Jack wees even kort naar Alli. 'Misschien is haar aanwezigheid voor ons een godsgeschenk.'

Annika lachte hem bijna in zijn gezicht uit. 'Hoe bedoel je?'

'We gaan als gezin naar Oekraïne: vader, moeder en dochter. Dan zullen je FSB-maten je spoor kwijt zijn, in elk geval voor een tijdje.'

'Echt waar?' Annika keek hem schuin aan. 'En wat voor paspoorten gaan we gebruiken, meneer McClure?'

'Daar had ik nog niet aan gedacht.'

'Dat dacht ik al. Maar dat geeft niet. Ik heb ook een plan bedacht, terwijl jij en het meisje achterin knuffelden. Aangenomen dat we naar Kiev vliegen…'

'Klopt.'

'Dan is er vanavond in elk geval iets goed gegaan. Ik ken daar iemand.' Ze stak meteen haar handen omhoog. 'Nee, hij is geen ex-collega. Het is iemand die ik persoonlijk heb opgedoken, het hoofd van de Immigratiedienst op het vliegveld, die altijd geld kan gebruiken voor zijn gokverslaving. Jij hebt geld, ik zal het gebruiken.'

'Ga nooit zonder de deur uit.'

'Dollars, niet die verdomde roebels waar niemand wat aan heeft, ook wij Russen niet.'

Jack knikte.

'Oké.' Ze pakte haar mobiel. 'Dan ga ik aan de slag. Als mijn hebberige vriend ons langs Immigratie heeft geloodst, dan ken ik ook iemand die voor ons documenten kan vervalsen, zodat we jouw fantasiegezinnetje kunnen worden en door de stad kunnen reizen. Namen?'

Jack dacht even na. 'Meneer en mevrouw Charles. Ik ben Nicholas, jij Nora.'

'Nora.' Annika trok haar neus op. 'Ik geloof niet dat ik dat een leuke naam vind.'

'Heb je liever Brandi of Tiffany?'

'Het wordt Nora,' zei Annika, en ze toetste al een nummer in. 'En het meisje?'

'Emma,' zei Jack zonder nadenken, want nadenken kon op dit moment fataal zijn. Nadenken zou alle zwakke plekken in dit plan blootleggen en in neonletters aangeven wat voor verschrikkelijke risico's hij had genomen op het moment dat hij had besloten om Annika te beschermen tegen Ivan en Milan.

Ze gingen zitten en maakten hun veiligheidsgordels vast toen het tekentje om je gordels vast te maken oplichtte. Annika praatte druk in haar mobiel, wat betekende dat ze in elk geval haar immigratievriend aan de lijn had. Stel je voor dat hij geen dienst had gehad of op vakantie was – alhoewel, welke Oekraïner ging in deze tijd van het jaar op vakantie? – of zijn telefoon niet opnam? Maar het lot leek hun gunstig gezind, dus Jack ging achteroverzitten; hij begon hun situatie van alle kanten te bekijken en probeerde een uitweg te bedenken.

Zijn eerste optie was om zodra ze op de grond stonden, Edward te bellen, maar hij wist niet of dat de slimste of de stomste optie was. Het allerlaatste wat hij wilde, was de president van de Verenigde Staten betrekken bij iets wat tot een groot internationaal incident kon uitgroeien. De banden met president Joekin waren toch al niet sterk. Carson was het grootste deel van vorige week druk bezig geweest de schade te herstellen die zijn voorganger de afgelopen acht jaar aan de Amerikaans-Russische betrekkingen had toegebracht. Dus op een helder moment besloot Jack dat de man die hem het beste kon helpen – de machtigste man van de vrije wereld – ook de meest kwetsbare man was en daardoor geen optie.

Een volgende optie was contact opnemen met Dick Bridges en die overhalen om zijn invloed op Defensie te gebruiken om hem en Alli uit Kiev te halen met een legertje clandestiene CIA- of NSA-agenten. Dat plan kende ook risico's, om te beginnen al de waarschuwing van Carson dat Bridges niet mocht weten wat Jacks missie was. Als Bridges inderdaad voor Edwards vijanden werkte en Jack hem ging vertellen wat er allemaal speelde, dan zou Jack persoonlijk Carsons regering de doodsteek toebrengen voor die goed en wel aan de macht was.

De derde en laatste optie was dat hij zijn oude baas van de ATF, Rodney Bennett, erbij zou halen. Het probleem was alleen dat Bennett een regionaal kantoor leidde. Jack had geen idee of hij hogergeplaatsten kende die hij deze explosieve informatie durfde toe te vertrouwen.

Wanneer was deze situatie eigenlijk zo explosief geworden? Toen hij het gesprek had opgevangen tussen Annika en Ivan? Toen Annika door Ivan werd belaagd? Toen hij merkte dat Ivan en Milan in Annika's kamer stonden? Elke gebeurtenis van de afgelopen nacht was een soort glassplinter met een eigen kleur, vorm en samenstelling, op zichzelf vrij onbeduidend, maar alles tezamen hadden ze hem naar deze schuilplek verbannen, waar het onbekende hem wachtte.

Met een lichte schok raakte het vliegtuig de landingsbaan. Annika was inmiddels met haar tweede telefoontje bezig en Jack was tot de sombere conclusie gekomen dat hij voorlopig alleen in vijandelijk gebied was met de First Daughter en een agente van de Russische Veiligheidsdienst die hij amper kende, en dat moordenaars van de FSB en de groeperovka hoogstwaarschijnlijk kat-en-muis met hen gingen spelen zodra hun gezichten op de verkeerde plek opdoken.

De man die aan boord kwam met de wat zwaarmoedige branie die bij zijn positie hoorde, heette Igor Kissin. Hij was niet, zoals Jack in eerste instantie dacht, Annika's contact, maar een gezant van het contact, een jongere uitgave, die Jacks geld aannam voor de diensten die Annika waren toegezegd.

Hij keek naar Alli en even was Jack bang dat hij haar herkende van de foto's die direct na de inauguratie in de media waren verschenen, maar zijn ogen gleden verder in de richting van Jack, die hij niet recht aankeek. Ook niet toen hij het geld aannam. Met zijn brandende, zwarte ogen keek hij alleen dweperig naar Annika. Zijn hoge jukbeenderen en amandelvormige ogen wezen op een Aziatische afkomst. Hij had een donkere, satijnachtige huid, zijn mond en kaak waren hard en barbaars. Jack zag hem zonder moeite voor zich als een Kozak die vluchtende boeren neersloeg en hun akkers en dorpen in brand stak.

'We moeten nu gaan,' zei Annika nadat het geld van eigenaar was gewisseld.

Alli trok haar jas aan, toen Igor zei: 'Wacht.' Hij had een diepe raspstem die als donder door de cabine rolde.

Ze keken hem allemaal aan.

'Er zijn nog een paar dingen die geregeld moeten worden.'

'Welke dingen?' vroeg Jack.

Igor keek strak naar Annika en uit zijn antwoord bleek dat hij het tegen haar had: 'Administratieve dingen.'

'Dmitri en ik hebben een afspraak,' zei Annika rustig maar beslist. 'Die moet worden nagekomen.'

'Met hem, ja. Niet met mij.'

'Ik ga je geen geld meer geven.' Jack had nog meer willen zeggen, maar de opgeheven hand van Annika hield hem tegen.

'Ik geloof niet dat Igor geld wil, hè, Igor?'

Igor bleef haar uitdagend aankijken. 'Het gaat om de manier van nakomen.'

Terwijl hij tussen hen in ging staan, zei Jack: 'Ik sta niet toe...'

'Hou je mond!' Annika keek hem aan. 'Hou nú je mond!' Ze praatte zacht, maar met de stalen klank van een bevel.

'Annika...'

Spijtig glimlachend liep ze langs hem en legde haar hand kort tegen de zijkant van zijn gezicht, waardoor hij zich op een geheimzinnige manier gebrandmerkt voelde. 'Je bent echt heel aardig.' Terwijl ze Igors hand pakte, keek ze nog altijd naar Jack. 'Hier blijven, ja? Blijf hier met het meisje. Als we terugkomen, is alles in orde.'

En ze nam Igor mee over het middenpad naar de achterkant van het vliegtuig, waar ze in het toilet verdwenen.

Alli kwam naast hem staan. Ze zag er verfomfaaid uit, kleiner dan anders, alsof haar onvrede haar ouder of minder aanwezig had gemaakt. Ze had rode ogen van het huilen en daaronder zaten donkere, halvemaanvormige kringen. Ze keek hem aan. 'Jack, je laat haar toch niet echt met die boerenpummel neuken?'

'Dit is Rusland. Ik kan er niets aan doen.'

'Jezus. Geloof je die psychobitch nou?'

7

Hun eerste gezicht op Kiev in de goud met blauwe ochtendschemering was er een met brede boulevards, grote ronde pleinen en monumentale gebouwen, bewaakt door Dorische zuilen of gekroond met blauwe en groene koepels. Gouden koepels, vlammend in de eerste ochtendzon, rezen uit boven de rest van de stad, die zich uitstrekte langs de oever van de brede, diepblauwe rivier de Dnjepr. De lantaarnpalen waren nog aan. Het was net opgehouden met regenen, de straten waren nog nat en glommen als een slangenvel.

Hun taxi bracht hen vanaf het vliegveld naar het winkelcentrum Metrograd op het Bessarabskajaplein, waar Annika hen meenam naar de moderne façade van een restaurantketen. Op weg naar de stad had ze hun verzekerd dat het op dit vroege uur open zou zijn voor het ontbijt. Terwijl ze hun benen strekten, waren Jack en Alli blij verrast dat het weer hier veel zachter, maar wel natter, was dan in Moskou. Alli had haar jas al uitgetrokken voor ze in het restaurant waren. Ze zag er nu heel anders uit met haar korte haar. Jack wilde zo min mogelijk risico's lopen, zeker na de ervaring met Igor, en had erop gestaan dat ze haar haren afknipte voor ze het vliegtuig verlieten. In de taxi zei hij tegen Annika dat ze haarverf moesten hebben voor het einde van de dag.

In het gastvrij ingerichte restaurant, tussen bontgekleurde ballonnen en cartoonachtige schilderijen van *dva goesja*, de twee ganzen uit het populaire volksliedje die het restaurant zijn naam hadden gegeven, gingen ze op stoelen om een houten tafel zitten en bestelden hun eerste eten in twaalf uur.

'We moeten nog een paar uur wachten op de documenten – de paspoorten – die Gustav voor ons maakt.'

'Kan ik hier slapen?' vroeg Alli.

Aan de andere kant van het raam werd de lucht zichtbaar achter grijze wolken, een hemelsblauwe lucht, terwijl de stad langzaam en moeizaam tot leven kwam. Het verkeerslawaai werd erger, het leek alsof een gigantische reus van tijd tot tijd zijn keel schraapte.

Annika bestelde nog een kop koffie, zwart deze keer. Die kwam dampend als een stoommachine. 'Kijk me niet zo aan,' zei ze.

'Hoe?' Jack klonk als een klein kind dat werd betrapt met de koektrommel in zijn handen.

'Alsof ik een exoot in de dierentuin ben. Of in een seksmuseum.'

'Deed ik dat? Het spijt me.'

'Nee, het spijt je helemaal niet.'

Ze had gedeeltelijk gelijk. 'Ik snap niet... ik snap niet hoe je het kon doen.'

'Dat hoef jij ook helemaal niet te snappen.'

'Dat is geen antwoord.'

'Jawel, maar daar wil jij niet aan.' Ze nam een slok kokendhete koffie. 'Hoe dan ook, we zijn veilig hier, precies zoals ik had beloofd.'

'Maar de prijs...'

Ze zette haar halflege kopje neer. 'Jij wilt dat ik ben zoals jij denkt dat ik ben en als ik dat niet blijk te zijn, ben jij in me teleurgesteld.'

'In mijn land doen vrouwen niet wat jij net met Igor hebt gedaan.'

'O, jawel, jij weet het alleen niet.'

Jack keek naar de overblijfselen van zijn vette ontbijt op tafel. Hij hoorde Alli in haar slaap rustig ademhalen en dacht aan wat hij haar had verteld over het verleden, dat je alleen wist wat jou was overkomen en niet wat er met de anderen om je heen gebeurde. En werd zelfs dat niet gekleurd door de onbetrouwbare lens van het geheugen?

'Zal ik je iets over deze stad vertellen?' Annika vroeg het op een heel andere toon, alsof hun eerdere ruziegesprek nooit had plaatsgevonden of door twee andere mensen was gevoerd.

'Graag,' zei hij, blij dat ze hem uit zijn gedachten trok. 'Ik weet niets van Oekraïne, behalve dan de moeizame geschiedenis met Rusland en de geheime marinebasis in Odessa.'

'Oorlog! Dat is het enige wat jullie mannen weten.' Ze viste een sigaret uit haar handtas en stak die aan met een metalen aansteker, inhaleerde diep en blies langzaam en genietend de rook uit. Ze keek hem door de rook heen aan en begon: 'Kiev, de moeder van de Slavische steden, werd vijftien eeuwen geleden door nomaden gesticht, als je dat kunt geloven. De naam komt van een man, Kyi, een *knjaz*, een prins van de Polans, een stam oostelijke Slaven, die met zijn twee broers en zus deze plek op de westelijke oever van de Dnjepr een ideaal punt vond op de transcontinentale handelsroute, en hij had gelijk. Tegenwoordig ligt de stad natuurlijk op beide oevers, maar de linkeroever is pas sinds de twintigste eeuw bebouwd.' Ze blies weer een lange rookpluim uit. 'Dat dit verhaal verweven is in een mythe, bevestigt het idee van de huidige inwoners over het ontstaan van hun geliefde stad.'

Op dat moment kwamen twee politieagenten binnen. Annika's hand bevroor halverwege in de beweging naar haar mond. Sigarettenrook kronkelde naar het plafond. Jack vond dat het gesprek niet mocht stilvallen, maar toen hij wat wilde gaan zeggen, bedacht hij net op tijd dat hij met zijn accent beter zijn mond kon houden. Hij zag dat Annika de agenten scherp in de gaten hield. Die gingen aan een tafeltje tegenover elkaar zitten, zetten hun petten af, streken hun vettige haar van hun voorhoofd weg alsof ze elkaars spiegelbeeld waren en pakten de menukaart.

Terwijl de serveerster hun bestelling opnam, realiseerde Jack zich pas goed hoe kwetsbaar de vrouw en hij waren zonder identiteitspapieren, hoe flinterdun de lijn was tussen vrijheid en gevangenschap. Als een van de agenten naar hen toe kwam en om hun paspoorten vroeg, waren ze erbij. Het koude zweet brak hem uit, het gleed langs zijn ruggengraat naar beneden als een slang.

Annika bewoog inmiddels weer en nam een slok koffie. 'Je moet niet naar ze kijken,' zei ze glimlachend. 'Kijk me in mijn ogen alsof je verliefd op me bent. We zijn een gezin, weet je nog?'

Hij deed wat ze vroeg, maar de slang bleef angstig kronkelen. Alsof ze dat aanvoelde, zei Annika: 'Ik heb de sleutels van een leuke flat hier in de buurt. Een appartement, zeggen jullie Amerikanen.' Ze glimlachte breed alsof ze daarmee voorkwam dat hij weg zou kijken. 'Van Igor. Dus hij is eigenlijk helemaal niet zo slecht, hè?'

Jack merkte dat hij nog altijd kritiek had op haar beslissing in het vliegtuig. Hij vond dat niet aardig van zichzelf, zeker niet gezien de omstandigheden, maar hij kon er weinig aan doen.

'Er zijn twee slaapkamers, dus het meisje heeft wat privacy.'

'Dan hebben wij de andere.'

'Ja.'

Een van de agenten vertelde een schuine mop, waar ze allebei hard om moesten lachen. Hun stemmen galmden door het restaurant. Ze stonden op, blijkbaar waren ze alleen maar gekomen voor koffie met wat erbij en dat hadden ze in recordtijd naar binnen gewerkt. Terwijl ze door de deur verdwenen, klonken hun stemmen langzaamaan steeds

zachter, alsof die de vrolijkheid van hun meesters niet wilden loslaten.
'Maak het meisje wakker,' zei Annika. 'We moeten weg.'
'Die agenten staan buiten sigaretten te roken en naar meidenbenen te kwijlen.'
'Prima,' zei ze terwijl ze geld op tafel legde, 'dan mogen ze naar mijn benen kwijlen.'
'En ik zou graag willen dat je haar niet "het meisje" noemt. Ze heeft een naam.'
Annika keek hem blanco aan. Hij zag geen ironie in haar blik. Toch zei ze luchtig: 'Ik ook, maar zij prefereert "psychobitch".'

Inderdaad kwijlden de agenten, die tegen de muur hingen, naar Annika's benen toen zij, Jack en Alli langsliepen. Ze draaide zich zelfs nog even om om naar hen te glimlachen.
'Is dat nou zo slim?' mopperde Jack.
'Flirten met agenten is geen verdachte bezigheid.' Annika hield er in de koude wind flink de pas in. 'Integendeel zelfs.'
Omdat Jack daar geen ervaring mee had, zei hij niets.
Ze nam hen mee naar een warenhuis, waar ze kleren kochten en een kleurspoeling voor Alli. Terwijl de vrouwen winkelden, keek Jack of hij agenten zag, maar hij zag slechts chagrijnige, overbeladen mensen die geen enkele belangstelling voor hen hadden.
Annika drukte op een bel, een van de vele in vier lange rijen onder elkaar naast afgesloten deuren. Even later werden ze binnengezoemd naar een wachtkamer, waar het hele proces zich nog een keer herhaalde. De amper verlichte, kathedraalachtige vestibule rook naar natte wol en oud leer. Hun voetstappen echoden als een soort eerbetuiging aan oude wederwaardigheden van de zielen die ooit in het gebouw hadden gewoond. Toen hij het afgrijselijke gekreun van de kleine lift hoorde waar ze in stonden, zei Jack: 'We lopen straks naar beneden.'
'Deze kant op,' zei Annika toen ze op de vijfde verdieping door de stoffige gang liepen, die in betere tijden of 's nachts werd verlicht door kale peertjes in goedkope plastic houders die in nissen in de muur stonden.
Aan het eind van de gang stonden ze voor een deur waarop ze een code klopte: twee keer, dan drie keer, daarna weer twee keer. Geen reactie. Door de gang rolden oorlogsgeluiden van de televisie als een dikke mist. Eindelijk hoorde Jack iets krassen aan de andere kant van de deur. Een hond of een kat, waarschijnlijk. De deur ging naar binnen open en twee

ogen, sterk vergroot door een bril met een draadmontuur, keken hen vanuit een lang, vaalbleek, mager gezicht aan.

'Hallo, Djadja Goerdjiev.'

Zodra hij Annika zag, lichtte het gezicht van de man op als een neonreclame. 'Mijn kind!' riep hij, terwijl ze zich in zijn armen stortte. 'Veel te lang, mijn meisje, veel te lang geleden!'

'Wat is dit?' vroeg Alli. 'Lazarus is veel te oud om haar vader te kunnen zijn.'

'Ze noemde hem "oom". En ik denk dat je Methusalem bedoelt. Lazarus was de bedelaar die Christus uit zijn graf zou hebben laten opstaan.'

'Dat moet hij dan ook maar met deze knakker doen voor die in stof verandert,' fluisterde Alli.

Annika stelde iedereen aan elkaar voor en vroeg Djadja Goerdjiev om Engels te praten, omdat het meisje geen Russisch begreep.

'Wie doet dat wel?' vroeg Djadja Goerdjiev met een brede glimlach, en hij vroeg hun binnen te komen.

Jack verwachtte in een rommelige, uitgewoonde ruimte te komen, typerend voor oudere, alleenstaande mensen met beperkt gezichtsvermogen, die niet meer op de details letten en daardoor ongemerkt in de viezigheid woonden. Maar het appartement rook naar citroenolie en appelhout, van de ziekmakende, zoete geur van de naderende dood was totaal geen sprake.

Oké, het was een oud appartement en ook de meubels kwamen uit de vorige eeuw. Maar het hout was gewreven, de koperen lampen glommen en de vloer was in de was gezet. Geen spoortje stof te zien vanaf de grote kussens van de bank waarop ze gingen zitten, terwijl Djadja Goerdjiev in de keuken verdween om thee te zetten en weer tevoorschijn kwam met een grote doos zelfgebakken koekjes, 'gebakken door mijn vriendin van hiernaast'.

Hij moest minstens negentig zijn, schatte Jack, maar behalve dat de oude man heel mager was en lichtgebogen schouders had, wat heel goed door zijn werk kon komen en niet door ouderdom, vertoonde hij totaal niet de lichamelijke onvastheid en warrige geest die zo vaak met ouderdom worden geassocieerd. Zijn stem klonk vast en helder en zijn ogen – goed zichtbaar achter de vergrotende brillenglazen – twinkelden en sprankelden net zoals ze zestig jaar geleden getwinkeld en gesprankeld moesten hebben. Maar zijn huid was zo dun, dat die bijna blauw leek door de bloedvaten die vrijwel aan de oppervlakte lagen.

Hij besteedde overdreven veel aandacht aan Alli, omdat hij net zoals de meeste mensen dacht dat ze veel jonger was dan ze was. Jack vond het interessant om te zien dat Alli hem niet op zijn fout wees. Misschien uit eerbied voor Djadja Goerdjievs hoge leeftijd, maar het kon net zo goed zijn dat ze de spontane aandacht die ze belangeloos van de oude man kreeg, prettig vond. Ze was niet immuun voor zijn duidelijke plezier.

Toen de thee was ingeschonken in glazen in metalen houders en ze koekjes knabbelden, in elk geval Alli, ging Djadja Goerdjiev eindelijk in een grote leren stoel zitten die naar zoete tabak en lanoline rook.

'Ik moet zeggen, Annika, dat je altijd fascinerende mensen bij je hebt als je komt en dat je altijd onder – tja, hoe zeg je dat? – opmerkelijke omstandigheden komt.' Hij grinnikte vermanend. 'Waarschijnlijk kijk ik daarom zo uit naar je bezoekjes.' Hij leunde naar voren en klopte liefdevol op haar hand. 'Die, behalve dat ze doodvermoeiend zijn, ook veel te weinig voorkomen voor deze oude man.'

'U bent niet oud,' zei Annika. 'U wordt nooit oud.'

'Ach, de jeugd,' zei Djadja Goerdjiev en hij keek nu iedereen in de kamer aan, 'altijd aan het flirten met de onsterfelijkheid!' Hij grinnikte weer om aan te geven dat hij Annika haar illusie vergaf. 'De waarheid is dat als je mijn leeftijd hebt, leven een welbewuste daad van wilskracht is. Niets werkt meer echt goed, het mechanisme van lichaam en geest dat zo goed in elkaar grijpt, begint te slijten. Toch gaan we door.' Hij streelde nu Annika's hand. 'Voor degenen die van ons houden en voor degenen van wie wij houden. Uiteindelijk is dat de enige reden om voor te leven, toch?'

'Ja, Djadja Goerdjiev,' zei Annika met tranen in haar ogen, 'u hebt gelijk.'

De oude man pakte een linnen zakdoek, net gewassen, gestreken en keurig opgevouwen. Als een oogspecialist depte hij met een hoek ervan elke traan weg voordat die over haar wangen naar beneden zou glijden. 'En, kleintje, vertel me maar eens in wat voor ellende je nu weer bent beland.'

Annika keek snel Jack samenzweerderig aan, mogelijk om hem te waarschuwen dat hij zijn mond moest houden. Daarna zei ze tegen de oude man: 'Deze keer is de beste optie volgens mij om niets te vertellen.'

Even zei Djadja Goerdjiev niets. In de tijd dat ze thee dronken en koekjes aten, viel het licht van buiten op de ragfijne, kanten gordijnen met honingkleurige contouren aan weerszijden van de ramen, waardoor ze er anders dan anders uitzagen. Nu de sfeer in de kamer zo zwaar werd, leek de tijd stil te staan. Iedereen – zelfs Alli, wier aandacht anders vaak snel verslapte – wachtte op Djadja Goerdjievs reactie, alsof ze wetenschappers waren die naar een vulkaan keken waarvan ze vermoedden dat die na eeuwen slapen zou gaan uitbarsten.

'Dat klinkt niet goed, kleintje,' zei hij uiteindelijk. Hij haalde een dikke manillakleurige map tevoorschijn, die hij openmaakte en waaruit hij drie paspoorten liet glijden. 'Nu je Amerikaanse bent, kleintje, heb je geen visum nodig om Oekraïne binnen te komen, maar ik heb er toch een gemaakt, voor het geval je weer een Russische wilt worden.'

'Dank u wel, Djadja Goerdjiev.'

Ze leunde naar voren en pakte de documenten, maar toen ze die in de manillakleurige map wilde stoppen, legde de oude man zijn hand over de hare om haar tegen te houden.

'Je móet me hier antwoord op geven, kleintje: denk je dat ik te oud ben om meer voor je te doen dan ik al voor je heb gedaan?'

Annika keek geschrokken. 'Nee, helemaal niet, Djadja Goerdjiev, het is alleen dat…'

Jack rook zijn kans en greep die met beide handen. 'Wat Annika probeert te zeggen is dat ik hulp kan gebruiken om iemand hier te vinden en dat ze niet zeker wist of ze het u kon vragen.'

Djadja Goerdjiev trok zijn hand terug en ging weer goed in zijn stoel zitten. Hij keek Jack inschattend aan met ogen vol jarenlange ervaring. Langzaam gleed er een glimlach over zijn gezicht en hij stak een wijsvinger in de lucht, die hij quasibestraffend heen en weer bewoog. 'Ik zie wat je doet, jongeman, denk niet dat ik het niet doorheb, maar…' Hij bewoog zijn vinger weer heen en weer. '… als je het meent, laat me dan maar horen wat je te vertellen hebt, want hoewel ik er vrij zeker van ben dat mijn Annika me alleen maar wil beschermen, is de waarheid dat ik haar bescherming nog nooit nodig heb gehad.'

'Tegenwoordig is alles anders, Djadja Goerdjiev,' zei ze.

'Stil, kind. Laat de jongeman zijn verhaal vertellen en dan zien we wel of hij naar de goede plek in Kiev is gekomen, hmm?'

Jack sloeg zijn handen ineen en probeerde zich alleen op de oude man te concentreren. Hij vroeg zich af of hetgeen hij ging vertellen een gevaar voor de man zou worden, gezien wie Annika was en voor wie ze had gewerkt. Maar daar was nu niets meer aan te doen. Het enige wat hij kon doen, was in het donker doorploeteren en afwachten wat er zou gaan gebeuren.

'Zes dagen geleden werd ene Lloyd Berns vermoord op het eiland Capri, bij Napels.'

'Ik weet waar Capri ligt. Ik ben dan wel een vervalser, maar ik ben niet achterlijk. Misschien verbaast het je, maar in mijn jeugd was ik een soort Romeinse beursstudent. Twee weken ben ik over dat prachtige eiland getrokken om het laatste deel van het leven van Caesar Augustus na te lopen.' Hij gebaarde dat Jack verder kon gaan met zijn verhaal.

'Wat belangrijk is, is dat Berns helemaal niet op Capri hoorde te zijn. Hij hoorde hier in Kiev te zijn. In feite was hij ook hier in Kiev, tot zo'n tien dagen geleden, toen hij onaangekondigd vertrok.'

'En wie was deze Lloyd Berns, jongeman?'

'Een ervaren senator van de Verenigde Staten.'

Er volgde een stilte die normaal gesproken alleen hing in de nissen van vergeten bibliotheken of in eeuwenlang begraven relikwieënkastjes.

Djadja Goerdjiev staarde peinzend naar het plafond. 'Dus dan mag ik aannemen dat u ook in de politiek zit, meneer McClure.'

Voor het eerst sprak de oude man hem bij zijn naam aan. 'Op een bepaalde manier, ja.'

Djadja Goerdjievs hoofd kwam weer omlaag en hij keek Jack doordringend aan. 'Als dat inderdaad het geval is,' zei hij langzaam, 'waarom bent u dan hier? Waarom zit u niet op Capri?'

'Ik wil de laatste persoon spreken die senator Berns heeft gezien voordat hij Kiev verliet.'

'En daar hebt u mijn hulp bij nodig?'

'Ik heb alleen maar een naam. Nou ja, eigenlijk slechts een initiaal en een achternaam. K. Rotsjev.'

'Rotsjev, Rotsjev.' De oude man sloot zijn ogen en bleef die naam herhalen alsof hij hem op zijn tong wilde proeven. Toen hij zijn ogen weer opendeed, leek hij sprekend op een sluw reptiel. 'Ik ken een Karl Rotsjev, maar die heb ik al heel lang niet gezien.'

'Woont hij in Kiev?' vroeg Jack.

'Misschien nog wel.' Djadja Goerdjiev haalde zijn schouders op. 'Maar er zullen ongetwijfeld heel veel K. Rotsjevs in Kiev wonen. Het is geen ongewone naam. En deze man van u hoeft helemaal niet in Kiev te wonen.'

Er hing nu een indrukwekkende wolk om hem heen, vol energie, lijm- of inktachtig. Zo moest hij zijn geweest in zijn topjaren, met een gespierd lichaam en vol kracht. Vanaf het moment dat Jack de naam Rotsjev had genoemd, was de man veranderd. De vaderlijke vriendelijkheid was verdwenen, had plaatsgemaakt voor zijn professionele vervalsers-voorzichtigheid, ook al was Jack met Annika meegekomen, of misschien was dat juist de reden. Wat in elk geval duidelijk was, was dat hij veel meer over Karl Rotsjev wist dan hij vertelde. Waarom vertelde hij niet alles? vroeg Jack zich af. En als hij niet alles wilde vertellen, waarom had hij dan niet gewoon gelogen en gezegd dat hij die naam niet kende? Maar daar zou hij waarschijnlijk niet snel een antwoord op krijgen.

'U kunt meneer McClure vertrouwen, Djadja Goerdjiev,' zei Annika. 'Hij heeft gisteren mijn leven gered en daardoor zijn eigen leven in ge-vaar gebracht. Als u iets weet over deze Rotsjev, is meneer McClure daar heel erg mee geholpen. Vertelt u het ons dan alstublieft.'

Jack constateerde verrast dat ze in het meervoud sprak: *vertelt u het ons*. De oude man haakte zijn vingers in elkaar en er verschenen diepe fron-sen in zijn voorhoofd. De wolk hing nog steeds om hem heen als wakers uit een langvervlogen tijd die in zijn geheugen waren opgeslagen. Nie-mand had hem destijds kunnen raken en Jack was ervan overtuigd dat dit ook nu niet zou gebeuren. Hij mocht dan oud zijn, maar zijn pant-ser van macht zou nog niet met een slopershamer kapot te maken zijn.

'Ik moet u vertellen dat ik het hoogst verontrustend vind dat een lid van de Amerikaanse Senaat bij Karl Rotsjev was.'

'Als Karl Rotsjev de man is die ik zoek, wat ik betwijfel. Behalve dat er tientallen, misschien wel honderden Karl Rotsjevs in Kiev kunnen wo-nen, vind ik het veel te toevallig dat de eerste man naar wie Annika me meeneemt in Kiev, deze K. Rotsjev kan identificeren.'

'Ik snap uw punt.' Djadja Goerdjiev schudde langzaam zijn hoofd. 'En hoe langer ik erover nadenk, hoe meer ik denk dat Karl niet de K. Rots-jev is.'

'Dat zou heel goed kunnen.'

'Ik zie geen enkele reden om het met uw analyse van de situatie oneens te zijn, maar misschien denkt u daar zo meteen anders over.'

Jack haalde zijn schouders op. 'Ik zou niet weten waarom.'

'Natuurlijk niet. Toch zou ik graag nog wat van uw tijd willen vragen.' Djadja Goerdjiev keek nu ernstig. 'Karl Rotsjev en ik zijn in dezelfde achterbuurt van Kiev opgegroeid. We zijn allebei heel vaak door de Rus-sische bezetter in elkaar geslagen en door die pakken slaag hadden we een pact gesloten om ons te wreken. Ik werd een vervalser, maakte iden-titeitspapieren voor het verzet. Karl is altijd een man van de actie geweest. Toen we nog jongens waren, was hij degene die ons aanvoerde op plundertochten tegen Russische soldaten. Zelfs zijn grappen – voor we oud genoeg waren om met wapens mensen te doden – hadden een sadistische ondertoon. In die tijd was hij geen man die lang en diep nadacht, hij was veel te ongeduldig en rusteloos. Het is niet vreemd dat hij een sluipmoordenaar werd in de guerrilla tegen de Russen. Hij accepteerde alle opdrachten, vooral de opdrachten die als zelfmoordacties werden beschouwd en die niemand vrijwillig op zich nam. Niet dat hij roekeloos was, hoor, en ik geloof ook niet dat hij dood wilde. Het ergste waar je hem van zou kunnen beschuldigen, was dat hij kortzichtig was. Hij dacht nooit verder dan het moment zelf: mogelijke consequenties interesseerden hem niets. Hij had de opdracht om een Russische kolonel of generaal te vermoorden, hij wist dat hij het kon en hij deed het. Hij faalde nooit. Nooit.'

'Raakte hij ook nooit gewond?' vroeg Jack.

'Dat hangt ervan af hoe u "gewond" definieert.' Hij wachtte even om een kop thee in te schenken, hoewel die inmiddels koud was geworden. Hij leek het niet te merken toen hij een slok nam. 'Degenen die hem niet goed kenden, en dat was bijna iedereen die met hem werkte, beweerden dat hij nooit gewond was geraakt. En in zekere zin hadden ze daar gelijk in. Geen enkel schrammetje, nog geen druppel bloed stond op zijn moord-cv. Maar ik, die hem kende als een broer, wist dat zijn werk hem wel degelijk had verwond. Je wordt geen moordenaar zonder ernstige consequenties. Je wordt vermoord, óf tijdens een missie, óf in een badkuip waarin je je ontspant na de verraderlijke actie. Wat maakt dat uit? zult u zich afvragen. In allebei de gevallen ben je dood. Dat klopt natuurlijk, maar in het eerste voorbeeld lig je in een gore kuil ergens ver weg van huis, ben je wormenvoer. In het tweede voorbeeld ben je gezond en wel thuis, in elk geval je lichaam. Het is je geest, of eigenlijk je hart, dat is gestorven.' Djadja Goerdjiev zette zijn lege theeglas neer, er lagen alleen nog theeblaadjes op de bodem, donker als opgedroogd bloed. 'Mijn oude vriend Karl Rotsjev past in het tweede voorbeeld. Er wordt beweerd of staat geschreven dat elke keer dat iemand een mens vermoordt, er een deel van hemzelf sterft. Dat is beweerd en geschreven door artiesten en journalisten die zelf nooit hebben gedood en de waarheid dus niet kennen.'

De oude man zweeg en knipperde met zijn ogen. Vanaf de straat kwamen geluiden binnen, net zoals het zonlicht dat op het tapijt aan hun voeten viel. Na een tijdje slaakte de oude man een diepe zucht. 'De waarheid. Er is me verteld dat er ergens in Azië, mogelijk in het Mekonggebied, een duizendpoot leeft die cyanide aanmaakt. De waarheid is dat het doden van een ander mens net zo'n wezen creëert. Bij elke dood komt er meer vergif van het insect vrij, tot het hart van de moordenaar het begeeft en sterft. Precies op deze manier is Karl Rotsjev een man zonder geweten geworden, zonder moreel kompas. Zonder zijn hart weet hij niet meer hoe hij goed van kwaad moet onderscheiden.'

'Dus toen het verzet overbodig werd, toen Oekraïne van de Russen bevrijd was, werd hij een crimineel,' concludeerde Jack.

'Een politicus,' verbeterde Djadja Goerdjiev. 'Maar we weten allemaal dat dat bijna hetzelfde is.'

8

'Daardoor weet ik dat Karl de man is die u zoekt.' Djadja Goerdjiev
hield met twee vingers, die niet gebogen of onnatuurlijk vervormd waren door de artritis, een koekje vast, dat hij ronddraaide terwijl hij nadacht. 'Politici,' zei hij. 'Uw senator en Karl, twee kanten van dezelfde
munt, onverbiddelijk tot elkaar aangetrokken, zelfs vanuit hun tegenstellingen.'
De oude man gaf het koekje aan Alli, pakte zelf een ander, propte dat in
één keer in zijn mond en kauwde er tevreden op. Toen hij het laatste
kruimeltje had doorgeslikt, ging hij verder: 'Uw senator... hoe heette
hij ook alweer?'
'Lloyd Berns.'
'Ja, uw senator Berns zou Karl hebben willen spreken als hij in Oekraïne
iets voor elkaar had willen krijgen.' Hij hield zijn hoofd schuin. 'Hebt
u enig idee waarom de senator in Kiev was?'
'Voor zover iemand weet, was hij hier op een onderzoeksmissie van de
Senaat, maar zijn allerlaatste afspraak was met K. Rotsjev, en dat was
geen officiële, daarom viel mijn oog erop,' vertelde Jack.
De oude man keek hem bedachtzaam aan. Misschien wachtte hij op een
verspreking van Jack, bijvoorbeeld dat Jack zou zeggen 'waar ons oog op
viel', wat hem de mogelijkheid bood om te vragen voor wie Jack nou
precies werkte. Als doorgewinterde vervalser stelde hij dat soort vragen
niet in het wilde weg.
'Dan is Karl de man met wie je moet gaan praten.' Hij stond op en liep
naar een goed onderhouden palissanderhouten tafel met caprioolpoten
zo dun als reeënpoten. Hij rommelde wat tussen papieren tot hij een
veelgebruikt adresboekje had gevonden. Hij zag er inderdaad niet uit als
een man die Outlook vertrouwde. Hij pleegde twee korte telefoontjes
en keerde toen terug naar zijn gasten.
'Zoals ik al dacht, is hij vandaag niet op het Verchovna Rada van Oekra-
ine, ons parlementsgebouw. En het heeft ook geen zin om te kijken of
hij thuis is, daar zullen alleen zijn vrouw en zijn moeder zijn – eerlijk

gezegd zit er weinig verschil tussen deze vrouwen.' Hij schudde zijn hoofd. 'Nee, als het verleden het voorspel van het heden is en aangezien het vandaag vrijdag is, zal Karl bij zijn huidige maîtresse zitten en het weekend met haar doorbrengen.'

'Weet u hoe ze heet of waar hij haar heeft ondergebracht?' vroeg Jack.

'Zoals ik al zei: ik heb al jaren geen contact meer met Karl. Het kan raar lopen tussen jarenlange makkers als ze oud zijn, soms krijgen ze ruzie. Die van ons was behoorlijk heftig. Voor mij is hij dood. Maar er is nog niets verloren, hoor, meneer McClure. Tenminste, als ik een bepaald telefoonnummer kan vinden.' Hij bladerde door het boekje en likte af en toe aan zijn wijsvinger om makkelijker om te slaan. 'Ah, hier heb ik het. Milla Tamirova.' Hij pakte een pen, schreef wat op een blocnote, scheurde het bovenste blaadje eraf, draaide zich om en gaf het aan Jack. 'Milla Tamirova was Karls maîtresse toen hij en ik ruzie kregen. Ik kan me niet voorstellen dat ze dat nog steeds is, want Karl wisselde vaker van vriendin dan andere mensen hun autobanden laten draaien. Maar misschien weet ze wie het nu is.'

'Waarom zou ze dat weten?' vroeg Jack.

'Alle maîtresses van Karl komen uit dezelfde stal.'

'Waarom zou hij ervoor betalen?' vroeg Alli. 'Voor zover ik heb gezien, zijn er minstens honderd willige meisjes voor iedere man in Moskou. Ik kan me niet voorstellen dat het hier anders is.'

Glimlachend wees hij met een vinger naar haar. 'We hebben een slimmerd onder ons. Natuurlijk is daar een reden voor. De madam van de stal traint alle meisjes in verschillende, eh, disciplines.'

'En uw vriend houdt van fetisjen,' zei Alli zonder met haar ogen te knipperen.

'Nou nou.' Even leek Djadja Goerdjiev sprakeloos. Misschien was hij zijn mening aan het herzien over de jonge vrouw die hij voor een pubermeisje had gehouden. 'En wat weet jij van fetisjen, jongedame?'

'Dat er minstens één is die elk mogelijk psychologisch verlangen bevredigt.'

'Klopt.' Djadja Goerdjiev stond op en haakte zijn vingers op zijn rug in elkaar. 'Karl houdt van bondage, het serieuze werk, heel akelig.'

'Niet voor iedereen.' Alli zei het zo droog, dat Annika haar scherp aankeek.

'Blijkbaar niet,' zei Jack, die Alli's onderbreking heel vervelend vond, aangezien die naar een onderwerp leidde waar ze het nooit met hem over had gehad. 'Als ik uw telefoon even mag gebruiken, bel ik haar meteen op.'

'Dat lijkt me niet zo'n goed idee,' zei Annika.

Djadja Goerdjiev knikte instemmend. 'Dat ben ik met je eens. Zo'n vrouw zal zéér wantrouwend staan tegenover een man als u.'

'Zal ik het doen?' stelde Alli voor.

Jack snoof. 'Ja, vast.' Hij stak een hand in de lucht. 'Vergeet het maar. Het is al erg genoeg dat je hier zit. Annika, bel jij maar.' En hij wilde het papiertje dat de oude man hem had gegeven aan Annika geven.

Maar voor die het kon aanpakken, had Alli het tussen zijn vingers uit gegrist. Ze stond voor Jack op het tapijt met haar voeten wat uit elkaar. 'Hoor eens. Die vrouw zal iedereen wantrouwen die wil weten waar haar vroegere minnaar tegenwoordig is. Ik bedoel: ze kan helemaal geen antwoord geven, of ze geeft ons een verkeerd adres, of ze geeft het goede en belt hem direct zodra we weg zijn.'

'Alli, hou onmiddellijk op met die onzin...'

Djadja Goerdjiev zette een stap in haar richting. 'Meneer McClure, het kan toch geen kwaad om haar te laten uitpraten?'

'Ik wil haar hier niet bij betrekken.'

De oude man haalde zijn schouders op. 'Volgens mij is ze er allang bij betrokken.'

In de geschokte stilte die hierop volgde, greep Alli haar kans. 'Hoor eens,' zei ze opgewonden, 'ik ga Milla Tamirova bellen...'

'Ja, en wat ga je dan zeggen?' vroeg Jack. 'Je spreekt niet eens Russisch.'

'Dat geeft niet,' vertelde Djadja Goerdjiev. 'Milla spreekt uitstekend Engels.' Hij wreef met twee vingers langs zijn duim. 'En waarom ook niet? Engels is de taal van het geld.'

'Ik ga zeggen dat ik zijn dochter ben en dat ik bescherming nodig heb.' Alli liep naar Djadja Goerdjiev alsof ze zijn bescherming nodig had tegen de protesten van Jack. 'En dat ik hem daarom moet vinden.'

Ze pakte de hoorn.

'Ik heb je mobiel naar de mijne doorgeschakeld,' zei Jack, 'je hoeft alleen maar op de twee te drukken als je in moeilijkheden komt.'

'Ik kom niet in moeilijkheden,' zei Alli. 'Ik kan heel goed op mezelf passen.'

Hij wist dat dit geen loze opmerking was. Een van de dingen die hij had gedaan, was haar trainen in het fysieke gevecht. Ze was een snelle leerling, wat hem niet verbaasde, omdat ze op school veel aan sport had gedaan. Emma had hem weleens meegenomen naar gymnastiekwedstrijden van haar. Hij had haar ook leren schieten met een pistool. Twee keer per week hadden ze een uur getraind op de schietschool van de ATF in Virginia. 'Als je in moeilijkheden komt,' herhaalde hij, 'ik zit maar één verdieping hoger.' En hij klopte op de kolf van de Mauser die hij met een doos kogels van Djadja Goerdjiev had gekregen.

Ze stonden op de derde verdieping van het gebouw waar Milla Tamirova woonde, aan de Andrivjivsky Spoesk, een mooie straat met winkels, kerkjes met spitse torens en trouwtaartachtige gebouwen die vanaf de benedenstad, Podil, naar de bovenstad liep. De ex-maîtresse van Rotsjev woonde in een hoekappartement op de vierde verdieping. Via de telefoon had ze niets willen zeggen. Ze had zelfs meteen willen ophangen, maar toen Alli in tranen was uitgebarsten en haar stem pathetisch had laten trillen, wilde ze Alli wel spreken. Waar had Alli zo op commando leren huilen? dacht Jack terwijl hij haar als een topbokser met Tamirova aan het werk zag.

'En doe niet te eigenwijs, oké?'

Ze keek hem recht in zijn ogen. 'Oké.'

Toen ze op het punt stond om de ijzeren brandtrap te beklimmen, pakte Jack haar elleboog en draaide haar voorzichtig naar zich toe. 'Alli, weet je zeker dat je dit wilt doen? We kunnen ook een andere manier…'

'Ik weet het heel zeker, Jack.' Ze keek hem onbevangen aan. 'Trouwens, het is nu toch al geregeld.' Met een grijns op haar gezicht keek ze hem aan. 'Je wilt toch geen roet in het eten gooien?'

Dit antwoord overrompelde hem. Voor het eerst sinds Emma's dood zat er weer een sprankje leven in Alli. Ze vond het zichtbaar geweldig dat ze haar talenten kon gebruiken, dat ze aan iets anders werkte dan aan de pijn en wonden in haar binnenste. Op dit moment begreep Jack iets van haar wat die hele batterij artsen over het hoofd had gezien: wat ze meer dan iets anders nodig had, was dat ze uit zichzelf werd getrokken, dat ze de wereld in ging, dat ze een uitdaging kreeg, dat ze haar eigen expertise weer zou voelen. Morgan Herr had haar het gevoel van controle afgenomen. Jack zag dat ze, vanaf het moment dat ze dit plan zelf had bedacht, op weg was om terug te veroveren wat haar was afgenomen en wat voor haar het belangrijkst was. Hij knikte haar glimlachend toe. Gaf een zoen op haar wang en liet haar gaan. Zag haar ongekend energiek de trap op rennen.

'Ik hoop van harte dat je weet wat je doet,' zei Annika.
Jack staarde naar de plek op de trap waar Alli was verdwenen. 'Dan zijn er twee die dat hopen.'

Milla Tamirova deed onmiddellijk de deur open nadat Alli had geklopt. Ze moest achter de deur hebben staan wachten. Ze was een van de vele typisch Slavische blondines, met een prachtige botstructuur, een porseleinen huid, korenbloemblauwe ogen en borsten die geen siliconen nodig hadden. Ze had het ongetemde, roofdierachtige gezicht dat mannen onweerstaanbaar vinden, in elk geval in de slaapkamer, wat betekende dat ze haar seksualiteit aan de buitenkant droeg. Vanaf het eerste moment verachtte Alli haar.
Toch glimlachte ze vriendelijk, daar op de drempel, en was ze zich er zeer van bewust dat de oudere vrouw haar bekeek alsof ze een opgezette pad was waarvan de ingewanden bestudeerd konden worden.
'*Pajaliste tsjawdeetzje*,' zei Tamirova terwijl ze een stap achteruit deed. 'Ach, sorry, ik vergeet dat je geen Russisch spreekt. Kom binnen.'
Terwijl ze de deur dichtdeed en haar gast naar een smaakvol ingerichte kamer met chintz en gestreepte satijnen stoffen leidde, hield ze Alli nauwlettend in de gaten. Zware gordijnen waren half voor de ramen getrokken, de meubels waren groot en leken zo diep dat je erin kon verdwalen. Wat waarschijnlijk precies de bedoeling was, dacht Alli.
Met haar gestifte lippen zei Tamirova: 'Ik vind het heel raar dat een kind van Karl geen Russisch kan spreken.'
'Ik ben in Amerika opgegroeid,' vertelde Alli met een gemak dat ze net zo grappig vond als het liegen dat ze tegen haar artsen deed. 'Ik heb pas onlangs mijn herkomst ontdekt – een foto, een naam, een datum, een straatnaam. Die heb ik gegoogeld en zo kwam ik in Kiev.'
Het onderzoek bleek voorbij. Tamirova gebaarde met een arm. 'Ga zitten, alsjeblieft.' Ze sprak bijna net zo goed Engels als Annika. Een van de vele talen die ze sprak, zo vertelde ze, dat hoorde bij haar training om de klanten zo goed mogelijk ter wille te zijn. Ze had een lange, zeegroene jurk aan van een stof die haar mooie vormen goed deed uitkomen en om haar enkels golfde. Onder die enkels droeg ze hooggehakte schoenen. Wie draagt er nou hoge hakken in zijn eigen huis? vroeg Alli zich af.
Toen ze zaten, vroeg Milla Tamirova: 'Weet je wie je moeder is?'
'Totaal niet,' loog Alli zonder aarzelen, en ze trok haar wenkbrauwen op. 'U bent toch niet mijn moeder, hè?'

'Allemachtig, nee!' Milla Tamirova grinnikte diep vanuit haar keel. 'Ik ben zelfs nooit zwanger geweest... nou ja, behalve een keer, en toen... je weet wel...'

'Vraagt u zich nooit af hoe die baby eruit zou hebben gezien?'

'Ik zou geen goede moeder zijn geweest. Ik heb geen... hoe noemen jullie dat in het Engels...?'

'Geweten?'

'Moederinstinct.' Er speelde een klein glimlachje om haar brede lippen. 'Misschien kun je dat ooit begrijpen.'

'Jezus christus, ik mag hopen dat het nooit gebeurt.'

'Hebben ze je dat in Amerika geleerd? Religie?' Ze stak een hand omhoog. Haar nagels waren langer dan die van Annika. 'Je kunt niet veel ouder zijn dan vijftien, zestien jaar.'

'Ik ben tweeëntwintig.'

'Allemachtig!' Milla Tamirova keek haar ongelovig aan.

'Ik moet naar de wc.'

'De gang in, tweede deur aan de linkerkant,' zei de oudere vrouw afwezig, alsof ze in trance was of heel diep nadacht.

Alli ging naar de wc, trok door, waste haar handen en droogde ze af. Daarna ging ze op verkenning. Ze zag Tamirova's slaapkamer, pal aan de overkant van de gang, zeer vrouwelijk en uitnodigend, maar niet voor Alli. Die was rebels. Verderop in de gang, waar waarschijnlijk een tweede slaapkamer was, zat een dichte deur. Alli stond ervoor stil en draaide de glazen deurklink om. En had de kerker gevonden.

Aan de linkermuur hingen zwepen en gesels van verschillende lengten en verschillende materialen. Daaronder hing een breed assortiment boeien, sommige met kettingen ertussen. Voor deze uitstalling hing een westernzadel, compleet met beugels en zadelriem, over een zelfgemaakt stropaard. Het midden van de rechtermuur was een spiegel, van de vloer tot het plafond. Aan weerskanten ervan stonden drie rijen etalagehoofden, met elk een volledig hoofdbedekkend masker van leer of zwarte latex. Onder elk hoofd, naast elkaar als kleine rode soldaatjes, lagen, zo zag ze, knevelballen. Het kleine raam was zwart geverfd en er zat een dik, metalen raamwerk voor dat zo uit *De Graaf van Monte Cristo* kon komen.

Deze gigantische uitstalling was al verontrustend genoeg, maar haar aandacht werd getrokken door een object midden in de kamer: een massieve, houten leunstoel die aan de vloer was vastgeklonken. Op de

armleuningen en aan de voorpoten hingen leren banden met een metalen gesp. Van die stoel, het evenbeeld van de stoel waar Morgan Herr
haar bijna een week lang in had vastgebonden, kreeg ze buikpijn.

'Ben je geïnteresseerd in mijn speeltjes?' Milla Tamirova leunde tegen de
deurpost. Terwijl Alli in de badkamer was, had ze een sigaret opgesto-
ken en nu blies ze een rookwolk naar het plafond.

Alli kon haar ogen niet van de stoel losmaken, die haar afschuw inboe-
zemde maar ook fascineerde. De kamer rook naar zweet en seksuele
muskus. 'Ik wil dat u me hier meer over vertelt.'

'De techniek van bondage is heel simpel.'

'Geen techniek.' Alli cirkelde om de stoel heen. 'Ik bedoel over de psy-
chologie ervan.'

Milla Tamirova rookte langzaam verder en keek haar aan. 'Dat gaat niet
om seks, weet je.'

'Dat gaat over macht, klopt dat?'

'Nee,' zei de oudere vrouw. 'Dat gaat over controle, over controle krijgen en controle loslaten.'

Alli draaide zich om en keek haar aan. 'Controle.' Ze sprak het uit alsof
het een woord was dat Milla Tamirova zelf had bedacht, een woord dat
zowel fascinerend als ondoorgrondelijk was.

Tamirova knikte. 'Klopt.'

'Geef eens een voorbeeld.'

Milla Tamirova leek eerder de kerker in te zweven dan te lopen. 'Neem
nou deze stoel. De cliënt wordt daarin vastgebonden. Hij smeekt om
vrijgelaten te worden. Ik negeer hem. Hij zegt dat hij alles zal doen wat
ik wil en dan zeg ik: "Alles? Echt alles?" Dan knikt hij met zijn hoofd,
verlangend, begerig en zelfs belust op de straf die ik zal bedenken.'

Er gleed een huivering langs Alli's ruggengraat. Ze voelde zich alsof ze
getuige was van het begin van een ongeluk, misschien een autobotsing,
twee auto's die op volle snelheid naar elkaar toe rijden.

'Waarom?' vroeg ze fluisterend. 'Waarom doen ze dat?'

'Tja, waarom doet iemand zoiets? Omdat het goed voelt.' Tamirova
blies hoorbaar uit, als een paard of een draak. 'Maar dat is niet wat je
wilt weten, hè?'

'Nee.'

'Mmm.' De oudere vrouw cirkelde om de stoel heen, of misschien cirkelde ze om Alli heen om haar van alle kanten te zien. 'Deze mannen
zijn heel machtig. Dagelijks staan ze aan de top van een machtspiramide

en blaffen bevelen naar de mensen onder hen. Het klinkt misschien vreemd, maar ze vinden dat het hen slap maakt: al die mensen die hun vragen wat ze moeten doen, die wachten tot ze hun bevelen krijgen, het trekt de energie uit hen. Ze komen naar mij voor verjonging. Voor hen is het een zalige bevrijding om in een positie te verkeren waarin ze niet alleen geen bevelen mogen geven, maar zelfs moeten gehoorzamen.' Ze stond stil en pakte de rug van de stoel vast. 'Je begrijpt toch wel dat dit allemaal theater is. Er is niets echts aan, behalve zoals het in hun geest bestaat.'

'U doet hun geen kwaad.'

'Integendeel, ik…' Tamirova viel stil en liep naar Alli toe, die nog steeds voor de stoel stond. 'Wat is er met je gebeurd, kindje?'

Zonder haar ogen van de stoel af te nemen, perste Alli haar lippen op elkaar.

De oudere vrouw nam Alli's handen in de hare, maar toen ze naar de stoel ging lopen, trok Alli zich los. Hierop legde Milla Tamirova haar eigen hand op de stoelleuning.

'Kun jij dit ook, Alli?'

Alli schudde haar hoofd.

Milla Tamirova ging in de stoel zitten met haar handen op de leuning. 'Raak mijn hand aan, kindje. Alleen mijn hand.'

Alli aarzelde.

'Alsjeblieft.'

Alli haalde diep adem en legde een hand op die van Milla Tamirova. Ze kreeg amper nog adem.

'Ik ga mijn hand weghalen, Alli,' zei de oudere vrouw. 'Begrijp je me?'

Met doodsbange ogen knikte Alli.

Langzaam en voorzichtig liet Tamirova haar hand onder die van Alli uit glijden. Even bleef Alli's hand boven het hout en leer hangen. Toen, met gesloten ogen en bevend van angst, liet ze haar hand zakken. Toen ze het koude hout voelde, zag ze het afgrijselijke, walgelijk knappe gezicht van Morgan Herr en hoorde ze de kwaadaardige woorden die hij in haar oor fluisterde.

'Alli, doe je ogen open. Kijk naar me.' Milla Tamirova keek haar glimlachend aan. 'Het is goed, ja? Je bent hier bij mij. Alles is goed, toch?'

Alli had amper genoeg kracht om te knikken.

'En nu…' Milla Tamirova stond op. 'Waarom ga je niet zitten waar ik net zat?'

Paniek greep Alli bij de strot, klopte achter haar ogen en dreigde haar hele bestaan over te nemen.

'Alli, het is heel belangrijk voor je dat je in die stoel gaat zitten.'

'Ik… dat kan ik niet.'

Milla Tamirova keek haar recht in de ogen. 'Nu laat je je door je angsten leiden. Je moet het onderkennen, je moet het overwinnen, anders leef je de rest van je leven in angst.'

Alli voelde zich gehypnotiseerd en volslagen krachteloos. Alsof haar opnieuw alle bewuste wilskracht was ontnomen.

'En dan,' ging de oudere vrouw verder, 'zou degene die je dit heeft aangedaan, degene die je heeft misbruikt, hebben gewonnen.' Ze glimlachte. 'En dat kunnen we niet laten gebeuren, hè, kindje?'

'Het is te veel,' zei Alli, naar adem snakkend. 'Ik kan het niet.'

'Kun je het niet of wil je het niet?' Milla Tamirova bestudeerde Alli's bleke, zwetende gezicht. 'In deze kamer, Alli, heb je alles onder controle. Jij bent degene die besluit om wel of niet in die stoel te gaan zitten.'

'Ik wil hier weg.'

Milla Tamirova stak een arm omhoog. 'Ga dan weg.' Ze glimlachte teleurgesteld. 'Niemand kan je dwingen om iets te doen wat je niet wilt doen.' Alli stond al op de drempel toen ze daaraan toevoegde: 'Zonder dat je het beseft, maak je die herinnering heilig, dat moet je goed begrijpen.'

Alli keek naar haar zonder haar te zien, haar ogen zagen iets wat al gebeurd was, iemand die al dood was. 'De herinnering is heidens.'

'En dat is precies waar religie tekortschiet.' De hand van Tamirova leek de dikke leuning van de afschuwelijke stoel te strelen. 'Het geheugen kan geen verschil maken tussen het heilige en het godslasterlijke, omdat het de tijd vernietigt. Wat in het verleden godslasterlijk was, kan het geheugen in het heden heilig maken.' Haar vingers – lang, sterk, bloedrode toppen – leken, net als het geheugen, een eigen leven te leiden. 'Dat is de enig mogelijke verklaring waarom je je zo aan je angst vastklemt, waarom je het niet los kunt laten.'

'Controle,' fluisterde Alli. 'Dat wil ik.'

'Dat willen we allemaal, kindje.' Ze zei niets en liep naar Alli.

Op precies datzelfde moment, alsof ze twee auto's waren die naar elkaar toe reden, liep Alli zo dicht langs haar heen dat ze de prettige, aardse geur van Milla Tamirova kon ruiken.

Alli ging in de stoel zitten, haar armen lagen op de plek waar die van de oudere vrouw eerder hadden gelegen. Haar hart bonkte zo hard dat het pijn deed en het leek alsof ze in brand stond, alsof ze elk moment spontaan kon verbranden. Maar langzaamaan werd ze zich ervan bewust dat ze ook een kolkende energie voelde, of misschien was dat het naspel van het bedwingen van haar angst. Ze voelde de stoel onder zich, onder haar billen en bovenbenen, onder haar ellebogen en polsen. Ze keek naar de boeien en het waren gewoon stukjes leer en metaal, niet meer en niet minder. Het waren geen talismannen of voodoo of zwarte magie die haar dwongen terug te gaan naar die week van wanhoop en angst. En in elk geval op dit moment kon ze die herinnering aan, werd ze er niet door overmeesterd. Maar ze kon er nog steeds niet lang naar kijken zonder dat ze er verblind door raakte of er misschien juist door in een onbegrijpelijke duisternis raakte.

Ze stond op, omdat ze dat wilde, omdat ze dat kon. Ze voelde haar vlees tintelen op de plekken waar dat door haar kleren heen contact had gehad met het hout.

'Wil je een kopje thee?' vroeg Milla Tamirova. Ze keek óf liefdevol, óf troostend, dat kon Alli niet onderscheiden. 'Of misschien wil je iets sterkers om je kleine overwinning te vieren.'

'Waar is mijn vader?' vroeg Alli.

'Je zei dat je zijn bescherming nodig had. Waarvoor, of moet ik zeggen: voor wie?'

'Voor niets. Ik heb gelogen, omdat u me anders niet zou willen zien.'

Milla Tamirova fronste haar wenkbrauwen. 'Je had waarschijnlijk gelijk. Niet dat het belangrijk is. Ik vind het geen goed idee voor jou...'

'Ik wil hem zien.'

'Dat begrijp ik.' Milla Tamirova schudde haar hoofd. 'Maar jouw vader is een heel gevaarlijk man en het is niet te voorspellen hoe hij zal reageren op het nieuws dat hij een buitenechtelijke dochter heeft. Het is beter dat je bij hem wegblijft.'

'Oké. U hebt uw plicht gedaan. Ik ben gewaarschuwd.'

Milla Tamirova sloot de deur van de kerker achter hen toen ze in de gang stonden. 'Je hebt net de eerste stap gezet, meer niet. Maak niet de vergissing om te denken dat het de zilveren kogel is. Je hebt een lange, donkere reis voor je liggen.'

Alli wilde haar doordringende blik niet meer zien. Ze wilde dat ze het begreep, maar ze beet nog liever haar tong af dan toe te geven dat ze dat niet deed.

'Ik hoop dat je mijn advies opvolgt, ook al mag je me niet.'

'Dat is niet waar. Nou ja, dat is nu niet meer waar.'

'Ik waardeer je oprechtheid.' Weer speelde er een verdrietig lachje om Milla Tamirova's lippen. 'Maar je gaat mijn advies niet opvolgen, hè?' Alli schudde haar hoofd. 'Waar heeft hij zich begraven?'

'Perfecte woordkeus.' Milla Tamirova leidde haar door de woonkamer naar de voordeur. 'Dat moet zijn fonkelnieuwe *datsja* zijn, net buiten de stad. Hier is het adres.' Ze maakte de deur open. 'Oké, ga dan maar naar hem toe. Misschien ben je nog op tijd voor de doop.'

9

Waarom vergeet het geheugen niets, vroeg Jack zich af, lang nadat de details van een gebeurtenis of een persoon vaag en onduidelijk zijn geworden? De kern van het geheugen blijft intact als een droom of een afbeelding op een foto die snel verbleekt.

De datsja van Karl Rotsjev, diep in de dichte bossen voorbij Kievs oostelijke buitenwijken, onooglijk met hun lelijke appartementencomplexen uit de Sovjettijd, die als ondoden naar het niets leken te lopen, leek sprekend op een oude boerderij en was minstens even groot. Het houten skelet was uitgebouwd en op sommige plekken vervangen door dikke stenen, waardoor het er solide en militaristisch uitzag.

Jack zat met Annika en Alli in een huurauto. Hij kon zich heel goed voor de geest halen hoe de oorspronkelijke datsja er moest hebben uitgezien, omdat het heel veel op zijn eigen huis leek. Hij voelde een rilling door zijn lijf trekken toen dat beeld uit zijn geheugen het beeld waar hij naar keek overlapte.

De datsja stond aan het eind van een kronkelende oprijlaan met nieuwe beplanting erlangs. Blijvend groene bomen, die hoog genoeg waren om het huis volledig af te schermen van de weg. Het was net of het in brand stond, zo verlicht was het. Uit elk raam stroomde een aangenaam, botergeel licht dat de invallende schemering buiten hield. Er blies een koude wind door de toppen van de dennenbomen, wat een geluid veroorzaakte dat op de branding leek. Verder heerste er een absolute stilte. Met de schemering waren ook de wolken gekomen en beide hadden de schaduw en vogelgezang verdreven.

Jack stuurde de auto van de weg af naar de lage takken van de dollekervel. Daaronder parkeerde hij. Na wat zoeken vond hij een oude tandenstoker in het handschoenenvakje, die hij tegen de versnellingspook zette. Toen ze waren uitgestapt, zorgde hij ervoor dat de wagen vanaf de weg niet gezien kon worden. Uit voorzorg had hij de nummerborden al verwisseld met die van een in een zijstraat geparkeerde auto in een buitenwijk. Meer kon hij nu niet bedenken om hen te beschermen. Hij keek om zich heen. Alleen maar dichte bosschages van altijdgroene struiken. Geen enkel huis te zien en hun auto was de enige auto.

Vlak voor ze de oprijlaan op liepen zei Annika: 'Die man is gevaarlijk. Misschien moet het meisje bij de auto blijven.'

'Noem me geen "meisje",' zei Alli scherp.

'Als jij me geen "psychobitch" meer noemt.'

De twee vrouwen keken elkaar aan tot Alli snuivend haar hoofd wegdraaide.

'Ik laat Alli hier niet alleen achter,' zei Jack. 'Ze gaat mee.'

Annika haalde haar schouders op, alsof ze wilde zeggen 'het is haar begrafenis', en ze liepen achter Jack aan, die zo dicht mogelijk langs de bijna twee meter hoge groene struiken in de duisternis bleef.

Jack gebaarde dat ze moesten stoppen toen ze zo ongeveer driekwart van de oprijlaan naar de datsja hadden afgelegd. Weer keek hij rond. Behalve een grote, zwarte kraai die zijn nest bewaakte – Jack kon het nest nog maar net zien – was het uitzicht niet veel anders dan het vanaf het begin van de oprijlaan was geweest. Het was er heel geïsoleerd, heel eenzaam, heel anders dan de drukte van Kiev, wat waarschijnlijk ook de bedoeling was, dacht Jack, zeker als je de datsja als plek voor rendezvous gebruikte.

Pas toen ze op de brede veranda stonden, zag Jack dat het raam helemaal links openstond. Hij probeerde de klink van de voordeur, maar merkte dat de deur op slot zat. Hij gebaarde naar de vrouwen dat ze moesten blijven waar ze waren en liep zelf zacht naar het open raam. Dieprode gordijnen bewogen als zeilen en binnen hoorde hij een stereo of radio het prachtige *Rapsodie op een thema van Paganini* van Sergei Rachmaninov spelen, waardoor hij visioenen kreeg van Karl Rotsjev en zijn nieuwe maîtresse in een oversized bed met satijnen lakens.

Hij luisterde ingespannen of hij ook andere geluiden hoorde: stemmen, voetstappen, kristallen glazen, bestek. Maar hij hoorde alleen die prachtige muziek. Met zijn hoofd naar beneden klom hij over de vensterbank. Eenmaal binnen pakte hij zijn Mauser. De zware gordijnen verborgen hem nog steeds voor de mensen die misschien in de kamer zaten. Hij rook brandend hout en een zoetig parfum. Met getrokken Mauser trok hij een gordijn wat naar opzij en zoals een goochelaar plotseling op het toneel staat, zo stond hij in een woonkamer, die werd gedomineerd door een enorme, stenen haard zoals die ook in oude jachthutten te vinden zijn. Er brandde een vrolijk vuurtje, dat een warme gloed uitstraalde. Twee identieke banken stonden tegenover elkaar, met een lage tafel daartussen. Er was niemand in de kamer en ook niet in de eetkamer daarnaast. Hij keek ook in de redelijk grote keuken met de eenvoudige schragentafel, waar vier stoelen omheen stonden. In de linkermuur zat de achterdeur. Niemand had zich verstopt in het voorraadkamertje met ramen aan de rechterkant. Naast de deuropening stond een groot boeket droogbloemen, versierd met dennenappels, in een bolvormige vaas op een klein houten bijzettafeltje. Hij liep naar de voordeur, draaide die van het slot en maakte hem open voor de twee vrouwen. Vervolgens liep hij naar de trap om naar de eerste verdieping te gaan.

Met zijn rug tegen de muur liep hij zonder geluid te maken naar boven. Op de bovenverdieping lagen drie kamers en een badkamer. De eerste kamer was als kantoor ingericht, de tweede als een bibliotheek, met houten lambrisering, twee cognacglazen en een half opgerookte Cubaanse Cohiba in een zware, glazen asbak. Jack liep de kamer in, pakte de sigaar en rook aan het uiteinde. Die was pas kortgeleden uitgegaan. In de gang zag hij hoe Annika en Alli behoedzaam de trap op liepen. Ze keken hem vragend aan en hij schudde zijn hoofd en gaf aan dat hij naar de derde en laatste kamer ging, ongetwijfeld de grote slaapkamer.

De deur stond op een kier. Rachmaninovs *Rapsodie* was bijna afgelopen. Nu hij de muziek nog kon gebruiken om zijn eigen geluiden te maskeren, dook hij ineen en duwde de deur met de loop van de Mauser helemaal open. Hij zag een kamer die bijna even groot was als de woonkamer, maar hier lagen tapijten en was het gezelliger. Tegen een muur stond een elegante secretaire met daarop een foto van een man die de middelbare leeftijd ruim was gepasseerd maar nog steeds knap was op de ruwe, boerse Russische manier, gekleed in een jachtjasje voor de datsja: Karl Rotsjev. Er was een zitgedeelte met een loveseat tegenover twee grote ramen die uitzicht boden op het donkere bos en de avondschemering. Aan beide kanten van het bed stond een porseleinen lamp in de vorm van een elegante vrouw. Het bed zelf was nog breder dan Jack zich had voorgesteld. Niet dat het belangrijk was.

Het beddengoed was teruggeslagen als schuimende branding, waardoor het onderlaken zichtbaar was, waarop een naakt vrouwenlichaam zo rustig en ontspannen lag dat ze had kunnen liggen slapen. Maar er rees een pijl of speer op uit haar linkerborst.

Achter hem hoorde Jack de vrouwen binnenkomen. Toch was het naakte meisje engelachtig mooi. Met haar gouden haar en blauwe ogen had ze een zus van Annika kunnen zijn.

'Haal Alli hier weg,' zei hij tegen Annika.

'Te laat,' antwoordde die. Ze liep naar de badkamer en toen ze terugkwam, zei ze: 'Daar is niemand. En waar is Rotsjev, verdomme?'

'Misschien is hij gevlucht nadat hij haar had vermoord,' zei Alli. En toen de andere twee zich naar haar omdraaiden, voegde ze daaraan toe: 'Dat doen moordenaars toch?'

'Aangenomen dat de moord van tevoren was beraamd,' zei Annika.

Alli werd lijkbleek en rende naar de badkamer, waar ze haar hoorden kokhalzen en overgeven.

'Ze heeft op één punt gelijk: Rotsjev is hier niet,' zei Jack. 'Hoe eerder we hier weg zijn, hoe beter.'

'Momentje.' Annika knielde op het bed.

'Wat doe je nou?'

Ze keek naar het moordwapen, dat een smalle schacht van misschien een meter of iets langer had. 'Er is hier iets raars mee.'

Jack hoorde water stromen en even later kwam Alli weer naar binnen met een lijkbleek gezicht en rode ogen. Hij stak een arm uit en zij liep naar hem toe, sloeg haar armen om hem heen en drukte hem dicht tegen zich aan. Ze had haar gezicht van het bed afgekeerd en ze beefde.

'Kunnen we nu weg?' vroeg ze met een zacht bibberstemmetje.

'Zeker weten. Annika, wat is er zo raar aan dat ding? Het is toch een pijl?'

'Nee. Kijk, geen pijlpunt.' Ineens, heel schokkend, pakte ze de schacht met haar beide handen vast en trok die zo hard uit de borst van het slachtoffer dat het lichaam even omhoogkwam en de witte rug doorboog, tot Annika de moorddadige punt uit het vlees had getrokken.

Ze stond op en liep met het wapen naar Jack. Hield het einde met de punt, die onder het bloed en de ingewanden zat, recht omhoog. 'Zie je dat die punt de vorm van een ruit heeft. Heel ongebruikelijk en heel opmerkelijk.'

Alli ving een glimp op en begon te jammeren.

'Kom, we gaan,' zei Jack, en hij liep naar de slaapkamerdeur. Hij hoorde Annika achter hem de trap af lopen. In doodse stilte liepen ze naar de voordeur. Rachmaninov was klaar en nu hing er een dikke, verstikkende stilte in de datsja. Alli was aan het hyperventileren en Jack zei dat ze langzaam en diep moest inademen. Hij trok de deur open en ze liepen de veranda op. De wind had de middagwolken weggeblazen en nu, net na zonsondergang, was de lucht diepblauw. Hij keek naar de groene bomen, zocht met zijn ogen de waakzame kraai, maar die zat niet meer op zijn nest, had dat onbeschermd achtergelaten.

'Terug!' zei hij. 'Naar binnen!'

Aan beide kanten van de oprijlaan, tussen de bomen, flitsten schijnwerpers aan die hen verblindden. Vervolgens werd er woedend geroepen en gegild en daarna kwamen de schoten.

10

'SBOE,' riep Annika boven het geschiet uit, terwijl ze de datsja weer in vlogen. 'Oekraïense Veiligheidsdienst. Schieten eerst en stellen dan pas vragen. Zo werken ze.'

'Ze waren aan het wachten tot er iemand kwam,' zei Jack. 'En we hebben ons keurig aangeboden.'

Annika gooide de deur dicht en draaide die op slot. Jack hield Alli vast en trok haar bij de voordeur weg voor het geval er een kogel door het hout kwam. De tegenstribbelende Alli gaf hij daarna over aan Annika en zelf rende hij naar de haard. Tussen de vlammen pakte hij een brandend stuk hout en nam dat mee naar de voordeur, waar hij het bijzettafeltje omverschopte. De keramieken vaas viel kapot op de grond en de inhoud lag overal. Er werd buiten inmiddels niet meer geschoten, maar het geroep van de SBOE-mannen klonk luider omdat ze naar de veranda renden. Jack schopte de droogbloemen naar de voordeur, zorgde ervoor dat de dennenappels goed zichtbaar waren en wierp het brandende houtblok in de zeer ontvlambare stapel.

Met een zucht vlogen de dennenappels in brand en de vlammen schoten eruit. Bijna onmiddellijk bladderde de verf op de voordeur, smolt en vloog ook in brand. Vrij snel hierna begon het hout eveneens te branden. Jack trok de gordijnen van het dichtstbijzijnde raam af en gooide ze op het vuur. 'Annika, je aansteker,' zei hij. 'De vloeistof.'

Ze knikte, rommelde in haar handtasje en haalde de aansteker eruit. Aan de onderkant ervan draaide ze een knop om, ze goot de aanstekervloeistof over de gordijnen en stapte vlug achteruit toen de vlammen zo hoog opschoten dat ze bijna het plafond bereikten. De hitte was overweldigend. Overal bladderde de verf af en begon te smelten. Het bijzettafeltje stond in brand.

'We gaan!' Hij greep Alli's hand en met Annika op zijn hielen rende hij door het huis. In de donkere keuken zei hij tegen Annika: 'Neem Alli mee naar het voorraadkamertje en zet het raam open. Pal daarvoor staat een hoge heg.'

Annika knikte dat ze het begreep. 'En jij?'

'Ik kom achter jullie aan.' Hij glimlachte bemoedigend naar Alli. 'Hup. Opschieten, jullie. Nu!'

Hij zag hen door de openstaande deur van het voorraadkamertje verdwijnen, zag Annika het raam opendoen, erdoorheen klauteren, zich omdraaien en Alli over de vensterbank trekken. Daarna doorzocht hij de kasten tot hij een zaklantaarn en een rol zwarte elektriciteitstape had gevonden. De zaklantaarn was een militaire uitgave: groot en zwaar met een dikke waterbestendige buitenkant. Met een stuk tape bevestigde hij hem aan een bezemsteel. Vervolgens zette hij twee stoelen voor de deur en legde zijn geïmproviseerde, merkwaardige knutselwerk op de bovenste lat van de stoelruggen, op een hoogte waarvan hij dacht dat hij een zaklantaarn zou vasthouden als hij door de deur naar binnen zou komen. Hij trok de stekker van het broodrooster uit het stopcontact, sloop behoedzaam naar de deur en maakte het eind van het snoer vast aan de deurknop. De deur zette hij voorzichtig op een kier. Hij sloop weer terug naar de zaklantaarn en vierde het snoer terwijl hij terugliep.

Hij hoorde dingen aan de voorkant van de datsja versplinteren. Of de SBOE'ers probeerden het vuur aan de voorkant uit te trappen, óf ze kwamen door hetzelfde openstaande raam naar binnen als waardoor hij was gekomen. In allebei de gevallen had hij niet veel tijd meer.

Hij trok aan het snoer dat aan de deurknop vastzat. De deur opende naar binnen toe en toen hij de zaklantaarn aandeed, sneed de lichtstraal door de nacht. Onmiddellijk werd er geschoten door de mannen die, zoals hij had verwacht, aan de achterkant van de datsja stonden opgesteld.

Hij liet het snoer vallen, rende door de keuken naar het voorraadkamertje, sprong door het open raam achter de heg waar Annika en Alli op hem wachtten en kroop daar verder. Zelfs vanachter hun beschutting konden ze het vuur ruiken en als ze hun nek strekten konden ze de vlammen tegen de donkere lucht omhoog zien schieten.

Jack leidde hen weg via de heg die het verst verwijderd lag van de achterkant van de datsja en van de mannen die daar nu al schietend naar buiten renden. Aan deze kant van het huis was er slechts een smalle open ruimte tot aan de bomen, die zwart en massief als een stenen muur oprezen. Jack trok Alli over zijn schouder en rende gebukt over de open plek naar de bomen. Achter hem volgde Annika.

Ze was bijna bij de eerste bomen, toen een verraderlijk schot over de open plek zeilde en haar tegen de grond deed slaan. In het spookachtige, flikkerende licht van het vuur zag Jack een man naar haar toe kruipen. Hij had een pistool in zijn hand, dat Annika met de zijkant van een hand wegramde. Hijgend als een bloedhond boog hij zich gebukt over haar heen. Het licht van het vuur viel over zijn lange, wolfachtige gezicht. Zijn tanden waren ontbloot en stijf op elkaar geklemd in zijn poging haar te overmeesteren.

Annika trapte naar boven en bracht de man daardoor even uit zijn evenwicht, maar ze kon niets tegen zijn gewicht doen en hij stompte haar hard tegen haar wang. Jack zag bloeddruppels, zwart als teer.

'Hier blijven,' zei hij fluisterend tegen Alli.

Haar ogen stonden wijd open. 'Jack!'

Hij kneep even zachtjes in haar schouder. 'Wat er ook gebeurt, zorg dat je altijd tussen de beschermende bomen blijft.'

De SBOE-geweldenaar had zijn vuist alweer naar achteren getrokken voor een nieuwe stomp. Jack was inmiddels onder de bomen uit gekomen en rende naar hem toe. Maar Annika stootte de pijl of speer of wat het dan ook was waarmee Karl Rotsjev zijn maîtresse had vermoord, diep in de borstkas van de man. Van schrik en pijn schoten diens ogen wijd open. Zijn gebalde vuist viel naar beneden. Toen sprong Jack boven op hem, trok hem van Annika af en hees haar omhoog.

'Mee!' riep hij toen zij zich over het lijk boog. Hij zag dat ze het pistool in haar broekzak stak en vervolgens iets anders ging doen. 'Wat ben je verdomme aan het doen?'

Ze had een voet op de borstkas van de man gezet en hield met haar handen de schacht van het wapen vast.

'Jezus christus! Laat zitten!'

'Nee. We moeten dit ding meenemen.' En met veel moeite trok ze de ruitvormige punt uit het vlees en de kleren.

Vervolgens renden ze de diepe schaduwen van het bos in, weg bij de brandende datsja en het regiment agenten van de Veiligheidsdienst.

Dankzij Jacks dyslexie kon hij hen veilig verder leiden. Op de heenweg had hij een driedimensionale plattegrond van het gebied om de datsja gemaakt. Hun auto stond nog precies waar ze hem hadden achtergelaten, verscholen achter de dichte bossen dollekervel. Hij gebaarde dat ze moesten gaan zitten en op hun billen wachtten ze terwijl hij luisterde en uitkeek naar opvallende dingen. Het was de kraai die hem had gewaarschuwd dat er mensen in de buurt waren. De vogel zou nooit zijn nest hebben verlaten als hij niet doodsbang was geweest voor die grote schepsels op de grond en hun heimelijke bewegingen.

Toch liet hij ze zitten waar ze zaten, terwijl hij behoedzaam naar voren kroop. Gebukt en langzaam. Zijn Mauser in de aanslag. Bij de auto aangekomen, trok hij het achterportier open en stak de loop van de Mauser naar binnen, maar er was niemand. Hij klom naar binnen, naar de chauffeursplaats. De auto was leeg. Hij controleerde de versnellingspook en vond de tandenstoker precies zoals hij hem had achtergelaten. Opgelucht ademde hij uit. Er was niemand in de auto geweest. Toch controleerde hij ook nog de kofferbak voor hij Alli en Annika gebaarde dat het veilig was om naar de auto te komen.

Hij liep Alli tegemoet, bracht haar naar de auto, draaide zich om en zocht langs de bomen naar Annika, die inderdaad naar hem toe kwam rennen. Hij zag ook een flits tussen de bomen en hoorde tegelijkertijd een schot. Annika werd geraakt. Ze viel. Jack loste al rennend drie schoten, rende naar haar toe, trok haar omhoog, sloeg een arm om haar slanke middel en rende met haar terug naar de auto. Terwijl hij haar op de achterbank hielp, zag hij de wond en schatte aan de grootte ervan dat het een geweerkogel moest zijn geweest. Hij ging achter het stuur zitten en zag diverse zaklantaarns tussen de smalle openingen tussen de struiken en bomen hun kant op komen.

Hij startte de motor, zette de auto in de versnelling en reed hard weg zonder de koplampen aan te doen. In het achteruitkijkspiegeltje zag hij meerdere schimmen verschijnen, terwijl hij het gaspedaal diep intrapte. Er werd op hen geschoten, maar ze misten, omdat er slecht gemikt werd of omdat de auto buiten bereik van hun pistolen was. Even vroeg hij zich af waarom de sluipschutter die Annika had neergeschoten, niet meer schoot. Want ze waren vast nog binnen zijn bereik.

'Alli,' zei hij terwijl hij een heuveltje op reed, 'kijk eens even hoe erg Annika gewond is.'

Zonder iets te zeggen klom ze over de stoel naar de achterbank en ging naast Annika zitten, die op de bank lag. 'Het is haar arm.'

Jack keek snel even in het spiegeltje. Ze had niet geaarzeld of zich weggedraaid. Boven aan het heuveltje deed hij de koplampen aan om te zoeken naar een afslag of kruispunt. De weg liep rechtdoor, nu nog zonder ander verkeer. Maar hij wist dat dit niet lang meer zou duren. Op dit moment gaf de SBOE via de radio hun coördinaten al door. Daarom was het noodzakelijk dat ze deze weg verlieten en zo snel mogelijk van richting veranderden.

'Annika,' zei Jack. 'Hoe gaat het?'

'Niets gebroken, volgens mij.' Haar stem klonk dun, ijl, alsof ze heel ver weg was. 'Gewoon een vleeswond.'

'Toch moet dat bloeden worden gestopt.'

'Ik ken wel een dokter,' zei ze. 'In Kiev.' Ze gaf hem het adres en de buurt.

Jack wenkte Alli, die weer naar de passagiersstoel klauterde. 'De plattegrond die ik van het verhuurbedrijf kreeg, ligt in het handschoenenvakje,' zei hij.

Het duurde een paar minuten voordat ze de straat had gevonden die Annika had genoemd en van daaruit zocht ze de route terug naar waar ze nu stonden. Aangezien ze hen ook de stad uit had geleid, kostte het haar niet veel moeite om die te plannen.

'Binnen een halve kilometer moet er een afslag komen. Een afslag naar links en dan vijf kilometer rechtdoor. Bij een stoplicht gaan we dan weer links en rijden naar de stad terug.'

De wijk Charkivskji in Kiev lag in het zuiden op de linkeroever van de Dnjepr. Het was een redelijk nieuwe wijk, uit de jaren tachtig, met veel meren en stranden. Door de zanderige grond stonden er weinig bomen in de straten met moderne, hoge gebouwen. Dr. Sosimenko woonde in zo'n appartementencomplex in westerse stijl, dat zich in niets onderscheidde van de buurgebouwen waar het schouder aan schouder mee stond.

Sosimenko had gelukkig een appartement op de begane grond, want Annika droop van het bloed. Alli had een mouw van haar shirt afgescheurd om haar arm net boven de wond af te binden, dus die bloedde nu amper meer, maar haar kleding was aan de linkerkant van haar lichaam doorweekt.

Nadat ze hadden aangebeld, deed de dokter zelf de deur open. Hij schrok toen hij Annika zag, die op Jacks arm leunde. Toch moest hij haar eerder zo hebben gezien, want toen de eerste schrik voorbij was, liet hij hen binnen zonder tijd te verliezen met zich voor te stellen of te vragen wat er was gebeurd; het was trouwens overduidelijk dat hij naar een schotwond keek.

'Ik wil haar in de spreekkamer hebben,' zei hij in het Russisch. Hij was een kleine, ronde man, keurig gekleed in een pak en stropdas, ondanks het late uur. Hij had een dikke neus, rode wangen en een kleine mond die bijna even rood was. Op een rand rossig haar boven zijn oren na was hij kaal. Hij nam Annika mee door een woonkamer met tapijt naar een gang die naar de achterkant van het appartement leidde. 'Ga zitten,' zei hij over zijn schouder. 'Begrijpen jullie me?'

'Ik spreek Russisch,' zei Jack.

'Mooi. In de keuken staat eten en drinken. Pak alsjeblieft wat jullie willen.'

Met die woorden verdween hij met Annika door de deur van de spreekkamer, die hij achter zich dichtdeed.

Jack vroeg aan Alli: 'Alles oké?'

'Ik lust nu wel een borrel.'

'En wat voor borrel mag het wezen?' vroeg Jack, die al naar de keuken liep die met een boogmuur van de woonkamer was afgescheiden.

'Maakt me niets uit, wodka of zo.'

Ze liep naar de badkamer om zichzelf wat op te frissen en toen ze terugkwam, had hij twee glazen ijskoude wodka op de koffietafel gezet naast de versleten, bruine tweed sofa in de woonkamer. Langs twee muren bevonden zich planken gevuld met dikke handboeken, afgewisseld met allerlei soorten antieke klokken, porseleinen vazen en koperen theeketels. Er hingen schilderijen aan de muur. Portretten van een ernstig kijkende vrouw, die misschien de overleden vrouw van de dokter was, en een jongeman, die óf zijn zoon moest zijn, óf hijzelf op jongere leeftijd. De dikke gordijnen waren dicht en het was er ontzettend warm. Jack trok zijn jas uit, hij zweette al van de hitte, en Alli plofte op de bank.

'Heb je geen honger?' vroeg hij toen ze haar eerste slok nam.

'Dit is belangrijker,' zei ze heel stoer.

Hij liep naar haar toe, ging op zijn hurken voor haar zitten en zette haar glas op tafel. 'Hoe voel je je?'

Haar ogen tastten zijn gezicht af.

'Dat is niet belangrijk, echt niet.'

'Waarom zeg je dat?'

Ze haalde haar schouders op, nam een grote slok wodka en trok een vies gezicht. 'Jesses, dit is afgrijselijk. Waarom drinken ze dit bocht?'

'Om de pijn weg te drinken.'

Even draaide ze haar hoofd weg, alsof ze zich iets belangrijks herinnerde. '"Ik moet mijn eigen systeem creëren of tot slaaf gemaakt worden door een andere man."' Ze citeerde regels uit een gedicht van William Blake dat Emma's favoriet was. '"Ik zal niet redeneren of vergelijken, mijn werk is om te creëren." Als ik dat hardop zeg, weet ik dat ze bij ons is, dat ze ons tweeën om de een of andere reden niet heeft verlaten. Waarom is dat, Jack? Omdat we nog altijd iets van haar moeten leren, of omdat ze nog iets van ons moet leren?'

'Misschien allebei.'

'Heb jij haar nog gezien of gehoord? Je hebt me beloofd het te vertellen als dat zo was.'

Jack beet op zijn onderlip, herinnerde zich dat hij de stem van zijn dochter in zijn hoofd had gehoord toen hij het bewustzijn dreigde te verliezen.

Alli, die boos werd toen ze merkte dat hij aarzelde, zei: 'Je hebt haar gehoord, hè? Waarom vertel je me dat niet?'

Jack nam een grote slok wodka en voelde het vocht door zijn slokdarm naar zijn maag branden, waar het ging gloeien als een vuurtje. 'Omdat het gedeeltelijk de reden is dat Annika bij ons is. Twee mensen hebben geprobeerd haar te vermoorden. Ik kwam ertussen en ging bijna buiten westen.' Hij ging haar niet vertellen dat hij Ivan had doodgeschoten. 'En toen hoorde ik Emma, ze riep me. Ik voelde me zo dicht bij haar, ik was nog nooit zo dicht bij haar geweest.' Hij ademde moeizaam in. 'Ik denk dat ik toen heel dicht bij de dood was. Haar stem bracht me terug.' Naar dat steegje met al dat bloed achter de Bushfire, maar ook dat vertelde hij niet. 'O, Jack! Dus ze ís hier, bij ons.'

'Ja. Maar om de een of andere reden kan ik het niet begrijpen.'

Ze zuchtte diep. 'Ze zoekt ons, beschermt ons.'

De wodkadampen kwamen door zijn slokdarm omhoog. 'Ik denk niet dat het verstandig is om daarop te rekenen.'

Alli schudde haar hoofd, alsof ze zijn woorden wilde afschudden. 'Ik heb je ooit verteld dat, toen ik ouder werd, ik me voelde alsof ik in een kooi zat: zoveel regels en voorschriften, zoveel dingen die ik – als dochter van een snel stijgende politicus – niet mocht doen. Het enige wat ik mocht doen, was verlangend naar de bars kijken en me proberen voor te stellen hoe de echte wereld eruitzag. En toen kwam jij en begon ik te zien hoe die was. Ik begon dat citaat van Blake te begrijpen en waarom dat een favoriet van Emma was.'

De deur achter in de gang ging open en Annika verscheen met dr. Sosimenko.

'Jack,' zei Alli gehaast, omdat hun tijd samen bijna op was, 'ik vind het hier leuk, buiten die kooi.'

'Zelfs als je je darmen uitkotst?'

Ze knikte. 'Of als ik door een bos kruip of een tourniquet om de arm van hoe-heet-ze-ook-alweer aanbreng. Juist dan, want dan adem ik zonder de pijn in mijn borst te voelen. Dan weet ik dat ik leef.'

Jack, die had gehoord dat ze voor het eerst Annika anders had genoemd dan 'de psychobitch', stond op om Annika te begroeten en dr. Sosimenko te bedanken. Stap voor stap, dacht hij.

'De wond was schoon,' vertelde de dokter toen hij met zijn patiënte de woonkamer in liep, 'en dankzij het tourniquet bleef het bloedverlies binnen de perken. Ik heb alles schoongemaakt, de wond verbonden en Annika een spuit antibiotica gegeven. Ik heb haar ook pijnstillers gegeven en een potje antibioticatabletten, die ze de komende tien dagen twee keer per dag moet innemen. Geen dag korter.' En tegen Annika, wiens arm in een mitella hing: 'Heb je dat heel goed begrepen?'

Ze knikte glimlachend en gaf hem een zoen op zijn wang. 'Dankjewel.'

Hij klakte met zijn tong en zei tegen Jack: 'Let u alstublieft goed op haar, zelf is ze daar niet zo goed in.'

'Ik zal mijn best doen.'

'Mooi.' Dr. Sosimenko wreef in zijn handen.

Annika frutselde aan haar mitella. 'Nog één ding.'

Met een scheef lachje zei dr. Sosimenko tegen Jack: 'Mijn lieve Annika heeft altijd nog één ding. Ze lijkt op die Amerikaanse rechercheur, hoe heet hij ook alweer? Ah, ja, Columbo. Ik moet altijd om hem lachen, en hij is zo slim!'

Annika zei onverstoorbaar: 'Ik vroeg me af of u ons de naam en het adres van uw antiquair wilt geven.'

'Natuurlijk.' De dokter liep naar de keuken, zocht daar in de kasten en kwam terug met een klein blocnote. 'Wil je soms theepotten gaan verzamelen?'

'Ik heb iets gevonden wat misschien een oud Russisch wapen is. Ik wil graag weten wat het is.'

Hij knikte. 'Een wapen, natuurlijk, waar zou je anders interesse voor hebben, lieverd.' Hij grinnikte. 'In dat geval moet je Bogdan Boyer hebben. Een Turk, maar zijn moedertaal is Engels, wat het gesprek makkelijker zal maken. Hij is mijn kenner op veel gebieden, onder andere wapens.' Hij schreef met een balpen een paar regels op het blocnote, scheurde het bovenste blaadje af en gaf dat aan Annika.

Annika bedankte hem en vouwde het papiertje op.

'Hij gaat om tien uur 's ochtends open, geen seconde eerder. Zeg dat jullie vrienden van me zijn en dat hij jullie niet moet proberen af te zetten.'

Annika keek geschokt. 'Doe je zaken met een handelaar die niet eerlijk is?'

'Bogdan is niet oneerlijk,' corrigeerde Sosimenko haar. 'Hij vraagt alleen te veel als hij denkt dat hij ermee wegkomt. Dat doet iedere zakenman.'

Het appartement waarvan Igor de sleutel had gegeven, lag in Vinohrader, een oudere wijk, maar doordat er een prachtig park in lag, zag het er veel vriendelijker en uitnodigender uit dan veel van de nieuwere wijken, zoals bijvoorbeeld Obelon. Het appartement zelf lag hoog en de ramen in de woonkamer keken uit over het park. De kamers waren niet groot, maar groot genoeg voor hun wensen, die op dit moment vooral douchen en slapen waren.

De vloer kraakte onder zijn voeten, niet op een enge manier alsof hij door een spookhuis liep, maar op een prettige manier, het geluid van een haardvuur, prettig knetterende houtblokken. Het voelde alsof dit appartement, dat comfortabel was gemeubileerd en in warm licht- en donkerbruin was geschilderd, bewoond werd door een vriendelijk iemand, iemand als Djadja Goerdjiev.

Er hingen tekeningen aan de muur van kronkelige naakten en jonge gezichten vol wijsheid en een Tibetaanse mandala hing boven een bank die tegen de muur tegenover de ramen stond. Er hingen zware gordijnen langs de ramen, die verscholen gingen achter lamellen, die het straatlicht naar boven stuurden, naar het bepleisterde plafond met de vormen van in elkaar grijpende akantbladeren. Er lag nergens een spikkeltje stof.

Met algemeen goedvinden verdween Alli als eerste in de badkamer. Ze kwam net uit de douche met een badlaken om haar slanke lichaam gewikkeld en vroeg zich gedeprimeerd af of ze er ooit zo oud als nu had uitgezien, toen Annika binnenwandelde.

'Ik hoop dat ik niet stoor.'

Alli veegde de condens van de spiegel boven de wastafel. 'Daar is het nu te laat voor.'

'Het lijkt wel of ik vijftien lagen zweet, viezigheid en bloed op me heb zitten. Ik snak naar een douche, maar dr. Sosimenko zei dat het verband nog niet nat mag worden.'

'Waarom vraag je Jack niet? Zeker weten dat die het geweldig zal vinden in de douche met jou.'

Annika deed de deur achter zich dicht. 'Ik hoopte dat jij me zou willen helpen.'

'Ik?'

'Ja, Alli. Jij.' Annika schopte haar schoenen uit en zocht tevergeefs de rits van haar kapotte jurk. 'Maar eerst moet ik me zien uit te kleden, wat allemachtig moeilijk is met één hand.' Ze draaide zich om.

Alli controleerde of het badlaken goed vastzat en hielp daarna Annika met haar rits en het uittrekken van de jurk. Ze moesten daarvoor de mitella afdoen en Alli zag dat de tranen in Annika's ogen sprongen. 'Gaat het?'

Annika knikte, maar perste haar lippen stijf op elkaar van de pijn.

Alli draaide de kraan open en haakte de beha van de andere vrouw los. Annika stapte uit haar string en terwijl ze tegen de wastafel leunde, trok ze haar kapotte en vieze netkousen uit. Voorzichtig stapte ze over de rand van de douchebak en stak haar linkerarm langs het douchegordijn. Alli trok de andere mouw uit haar kapotte shirt en wikkelde die om het verband, om het droog te houden.

Ze draaide de spiegel net zo lang tot ze Annika erin zag, de zijkant van haar gladde, glimmende hals en slierten haar die tegen de porseleinen huid geplakt zaten. Het is een zeer intiem gezicht om iemand zijn of haar naakte lijf te zien inzepen, misschien omdat diegene zich van jouw aanwezigheid niet bewust is. Die iemand kijkt relaxed en peinzend, alsof hij of zij aan het mediteren is. Zelfs de best bewapende persoonlijkheid is dan kwetsbaar voor een ondervraging. Het puntje van Annika's tong verscheen tussen haar lippen en bewoog af en toe, terwijl ze zich concentreerde op het inzepen met één hand zonder uit te glijden.

'En, wat is jouw verhaal?' Annika vroeg het zo onverwacht dat Alli bevroor, alsof ze betrapt werd op roken in bed.

'Ik heb geen verhaal.'

Dat was een automatische reactie, wat Annika meteen doorhad. 'Gelul. Iedereen heeft een verhaal. Waarom zie jij er zeven jaar jonger uit dan je bent?'

'Ziekte van Graves,' zei Alli, en ze hoopte dat ze er zo gemakkelijk mee wegkwam. 'Die werkt op je groei en ontwikkeling.'

'Blijf jij er dan je hele leven uitzien als vijftien?'

Weer bevroor Alli, want die vraag had ze zichzelf ook al gesteld. 'God, nee. Ik hoop van niet, zeg.'

'Waarom niet? Het lijkt me geweldig. Iedereen om je heen wordt ouder.' Ze lachte. 'En als je eigen dochter vijftien is, zal iedereen denken dat jullie een tweeling zijn.'

Om de een of andere reden vond Alli dat helemaal niet grappig, wat ze vrij bot meldde.

'Oké, dat brengt ons terug bij mijn eerste vraag: wat is jouw verhaal?' Annika leunde zwaarder op de arm die Alli drooghield. 'En zeker weten dat het niet die ziekte van Graves is, daar ben je allang overheen.'

'En hoe weet jij dat?'

'Je praat er veel te makkelijk over. Er is iets anders, hè? Er hangt een schaduw om je heen.'

'Je weet niet waar je het over hebt.'

Alli zag Annika's spiegelbeeld haar schouders ophalen.

'Dat zou kunnen, maar ik denk het niet.' Ze probeerde haar arm te draaien. 'Hé, zeg, ik kan niet eens mijn rug wassen, omdat ik mijn arm niet kan omdraaien.'

Alli vloekte, liet het badlaken op de grond vallen, schoof het douchegordijn aan de kant en stapte in de douchebak. Ze pakte de zeep aan die Annika haar aangaf en maakte snelle cirkelbewegingen om haar rug in te zepen. Annika duwde de douchekop een beetje omhoog en boog wat naar voren, zodat het water over haar rug kon lopen. Onder aan haar rug zag Alli een paar verticale littekens.

'Wat zijn dat?'

'Precies wat ze lijken,' was het laconieke antwoord.

'Klaar.' Alli legde de zeep terug en stapte uit de douchebak terwijl ze de linkerarm van Annika keurig gebogen hield.

Een tel later draaide Annika de douche dicht. De stilte in de kleine ruimte was oorverdovend. Alli liet de arm los en Annika stapte op haar beurt uit de douche. Wauw, ze ziet er geweldig uit, dacht Alli toen ze de vrouw een handdoek aangaf.

Terwijl Alli zich in het badlaken wikkelde, zei Annika: 'Je hebt een mooi lichaam.'

'Dat heb ik niet.'

'Wie zegt dat?'

'Ik hoef alleen maar in de spiegel te kijken.'

'Vertel me eens, ben je ooit met een jongen geweest?'

'Ooit geweest? Bedoel je in de bijbelse betekenis? Bedoel je of ik heb geneukt?' Alli schudde haar hoofd. 'Jezus christus, nee.'

'Hoezo Christus? Wat heeft Christus hiermee te maken?'

'Het is gewoon een uitdrukking.'

Annika schudde haar hoofd. 'De Amerikanen en hun geloof.' Ze begon haar haren af te drogen. 'Weet je, met dat korte haar doe je me aan Natalie Portman denken.'

Alli bekeek zichzelf goed in de spiegel. 'Hou op, wat een kul.'

'Waarom zou ik liegen?'

'O, ik kan wel een paar redenen bedenken.'

'Die allemaal met Jack samenhangen, neem ik aan?'

Alli kon er niets aan doen, ze moest lachen. En toen moest Annika ook lachen. Ze zag dat Annika zich in allerlei bochten wrong om haar rug af te drogen. Zonder dat het haar werd gevraagd, pakte ze de handdoek van de andere vrouw en begon de waterdruppels weg te vegen.

'Maak je geen zorgen, die doen geen pijn meer.'

Maar toch bleef Alli voorzichtig Annika's rug droogdeppen. De littekens deden haar denken aan pijn, wreedheid, ontbinding, verlies en uiteindelijk de dood. 'Ik had een vriendin.' Ze had het gezegd voor ze het goed en wel doorhad. 'Emma. De dochter van Jack. Op de middelbare school waren we hartsvriendinnen. Afgelopen jaar is ze overleden. Ze reed met haar auto tegen een boom.'

'Verschrikkelijk. Zat jij niet in die auto?'

Alli schudde haar hoofd. 'Dan zou ik nu ook dood zijn. Of,' ze haalde diep adem, '… misschien had ik haar kunnen redden als ik erbij was geweest.'

Annika draaide zich om om haar aan te kunnen kijken. 'Dus dat is het. Jij voelt je schuldig omdat je nog leeft.'

'Ik heb geen idee van wat ik heb,' zei Alli wanhopig.

'Twee dagen voor mijn zeventiende verjaardag ging ik feesten met mijn vriendje en mijn beste vriend. Ik reed ons van feest naar feest en we werden steeds dronkener. En toen, toen we naar de auto liepen om weer naar een ander feest te gaan, had ik het ineens gehad. Tot op de dag van vandaag weet ik niet wat er is gebeurd, het was alsof er een knop werd omgedraaid, alsof ik ons vanuit een ander perspectief zag, alsof ik boven mezelf zweefde en mezelf observeerde. Plotseling zag ik hoe stom het allemaal was: het feesten, het dronken zijn, het overgeven en daarna weer verder drinken. Wat had ik daaraan? Dus zei ik dat het mooi was geweest. Mijn vriendje was het met me eens, ongetwijfeld omdat hij geen enkele kans wilde missen om me te beklimmen, maar mijn beste vriend – Joeri – die wilde altijd meer, was een echt feestbeest. Zo noemen jullie dat toch?'

Alli kreeg een verschrikkelijk voorgevoel in haar maag, afschuwelijke donkere en gevaarlijke gedachten in haar hoofd die de giftige zaadjes van zelfmoord bevatten. 'Ja.'

'De enige auto was van mij, dus zei Joeri dat hij naar het volgende feest ging lopen. Ik smeekte hem dat niet te doen, maar hij stond erop – het was niet ver en ach, dan kon hij weer wat ontnuchteren tijdens de wandeling zodat hij daar weer dronken kon worden.'

Annika stond pal voor de spiegel, net als Alli eerder. 'Dat was de laatste keer dat ik Joeri in leven heb gezien. Hij werd geraakt door een vrachtauto die veel te hard reed. Ze zeiden dat hij wel twee meter de lucht in werd geslingerd. Je kunt je wel voorstellen wat er van hem overbleef toen hij weer landde.' Ze schudde haar hoofd. 'Ik heb mezelf eindeloos afgevraagd wat er gebeurd zou zijn als ik niet naar huis was gereden, als ik naar het volgende feest was gereden. Zou Joeri dan nog steeds leven?'

'Of je auto kon door die vrachtauto zijn geraakt en dan waren jullie alle drie dood geweest.'

Annika keek boos naar zichzelf in de spiegel. Vervolgens knikte ze. Toen ze zich omdraaide, zag ze dat Alli ongegeneerd en heftig huilde. Pas na een tijdje bedaarde Alli. Toen ze haar T-shirtmouw van het verband van Annika wilde halen, hield deze haar tegen.

'Laat maar. Ik wil het erom laten zitten.'

11

Waarom zijn emoties – sommige tenminste, de diepste, de belangrijkste – zo onduidelijk, zo verward, alsof ze door een visnet of zeef gefilterd worden? Dat was de vraag die Jack zichzelf stelde toen hij op de wc-bril zat, de douche aanstond en hij Sharons mobiele nummer intoetste. Middernacht in Kiev, wat betekende dat het vijf uur 's middags was in Washington. Ze nam niet op, wat door van alles kon komen, ook dat ze naar het schermpje keek, zijn nummer zag staan en besloot om niet op te nemen. Dat was typisch iets voor Sharon, de Sharon die ze ooit was, de Sharon die de afgelopen weken weer terug was.

Hij probeerde het nummer thuis, met hetzelfde resultaat. Hij sprak geen boodschap in. Wat moest hij inspreken? Haar beeld was nu al aan het vervagen, alsof ze van cellulose was dat aan het zonlicht was blootgesteld. Emma, nu alweer vijf maanden dood, zag hij veel duidelijker voor zich, zó duidelijk alsof ze aan weerskanten van een dunne glasplaat stonden. Transparant maar onbreekbaar.

Hij zette zijn mobiel uit, legde hem op de rand van de wastafel en stapte onder de douche. Bijna kreunde hij hardop. Het warme water voelde goed op zijn zere spieren en de zeep waste de lagen zweet en vuil weg. Er zat bloed, donker als inkt, onder zijn vingernagels. Terwijl hij elke nagel schoonboende, kwam alles weer boven wat hem was overkomen sinds zijn vertrek uit het hotel in Moskou, voor zijn waanzinnige, donquichotterige missie om Annika te redden. Vanaf dat moment was hij bijna vermoord, had hij twee mannen neergeschoten, was hij bijna door de politie opgepakt, had hij een naakt meisje gevonden dat op een zeer bizarre manier was vermoord, was hij door een kraai gered en was hij ternauwernood ontsnapt aan een SBOE-actie.

Hij hief zijn gezicht op naar de waterstraal, de druppels masseerden zijn gezicht. Er kwamen steeds meer onbeantwoorde vragen, zoals: waarom had de SBOE die actie bij Karl Rotsjevs datsja gehouden? Waren ze al binnen geweest en hadden ze die vermoorde vrouw al gezien? Waarschijnlijk niet, anders zou het huis vol specialisten zitten. Maar waarom waren ze daar dan? Op wie wachtten ze? Rotsjev, een medeplichtige, of – en dat was beangstigend – op Jack en Annika? Maar als dat laatste het geval was, hoe hadden ze dan geweten dat ze daarnaartoe gingen – de enige andere die wist waar ze naartoe gingen was Milla Tamirova. Het leek absurd haar te verdenken, maar toch hield Jack in zijn achterhoofd rekening met die mogelijkheid. En dan nog het raadsel van die sluip-schutter van de SBOE, die Annika had beschoten: waarom had hij niet geschoten toen ze wegreden?

Het was niet één van die vragen die door zijn hoofd zeurde, het was het geheel. En zijn unieke brein werkte aan het hele plaatje alsof het een Rubiks kubus was, verplaatste de incidenten om ze driedimensionaal te kunnen bekijken en ze zo op hun goede plek te kunnen zetten in de puzzel die hij moest oplossen.

Hij draaide de kraan dicht, trok het douchegordijn opzij en wilde een handdoek pakken, toen hij Emma op precies dezelfde plek zag zitten als waar hij eerder Sharon had geprobeerd te bellen. Jack wikkelde de hand-doek om zich heen alsof zijn dochter nog leefde.

Hoi, pap. Emma sprak zacht, bijna zoals het water uit de douchekop viel. *Mam is niet thuis.*

'Emma.' Hij voelde zijn knieën knikken en ging op de rand van de dou-chebak zitten. 'Emma, ben je dat echt of zit je in mijn hoofd?' Was dit beeld van Emma een manifestatie, een tastbare weergave van die ge-dachte?

Emma, of het beeld van Emma, sloeg haar benen over elkaar. *Je zit op een donkere plek, pap, zo donker dat ik je niet kan zien. Ik weet niet of ik je hier kan helpen.*

'Dat geeft niet, lieverd.' De tranen schoten in zijn ogen. 'Dat is jouw werk niet. Je moet rusten.'

Ik ga pas rusten als ik dood ben.

Hij werd afgeleid door geklop op de deur.

'Jack, ik moet piesen,' zei Alli vanaf de andere kant van de deur.

Hij stond op. 'Ik kom eraan.' Maar toen hij keek naar de plek waar zijn dochter had gezeten, was ze verdwenen als een dwaallichtje.

Annika en hij hadden het nog niet gehad over de slaapplekken, maar in de woonkamer zag hij geen beddengoed en kussen op de bank liggen. Dus duwde hij de deur van de grootste slaapkamer open, die al uitnodi-gend of vragend op een kier stond.

De kamer was bijna vierkant, met in twee muren ramen die met ouderwetse luxaflex waren gesloten. Het straatlicht viel door de kieren naar
binnen, schilderde rijen parallelle strepen over een gestoffeerde stoel,
over een verschoten kleed en over ongeveer een derde van het bed. Het
grote licht was uit, maar een lamp scheen cirkelvormig op de lege kant
van het bed, wat eigenlijk twee tegen elkaar aan geschoven eenpersoons-
bedden waren.

Beddensprei en deken waren tot het voeteneinde teruggeslagen. Annika
lag van hem af gedraaid onder het bovenlaken. Ze had niets meer aan
haar haren gedaan, waardoor ze verward over een wang en in haar nek
lagen en een schouder en schouderblad bedekten. Haar gewonde arm
lag op haar heup en lag niet onder het laken. Hij kon het in het donker
niet goed zien, maar het leek alsof Alli's shirt er nog steeds omheen zat.
Jack maakte de handdoek los, vond zijn nieuwe kleren en trok een T-
shirt en onderbroek aan. Zodra hij op het bed ging zitten, was hij bekaf.
Elke spier in zijn lijf gilde om rust. Voorzichtig kroop hij onder het laken; hij probeerde Annika niet wakker te maken, deed de lamp uit en
legde zijn hoofd op het kussen. De strepen buitenlicht die door de luxaflex naar binnen vielen, waren nu heel duidelijk zichtbaar, leken op een
trap of een brug naar Emma's wereld, wat of waar die ook mocht zijn.

Hij probeerde rustig adem te halen, maar zoals wel vaker gebeurt als je
bekaf bent, viel hij niet meteen in slaap. Terwijl zijn lichaam naar rust
snakte, waren zijn hersenen nog druk aan het werk. Uit ervaring wist hij
dat hij zijn duivelse radertjes hun gang moest laten gaan als ze eenmaal
bezig waren.

Annika verstijfde. 'Jack?'

'Sorry dat ik je wakker heb gemaakt,' zei hij zacht.

'Je zuchtte.'

'O?'

'Ja, je zuchtte. Waarom?'

'Geen idee.'

Ze ging op haar rug liggen en in de strepen licht zag hij haar gezicht:
frisgewassen, zonder een spoortje make-up. Het viel hem weer op hoe
begeerlijk ze was. Ze was ook mooi, dat had hij meteen al gezien toen ze
elkaar voor het eerst in de bar van het hotel ontmoetten. Maar wat was
schoonheid? Grote ogen, brede, halfgeopende, lokkende lippen, diep
decolleté, machtige benen die je de adem benamen. Maar dat waren allemaal oppervlakkigheden, teer en voorbijgaand, die ontkend konden

worden door gemeen commentaar, door een boze bui of door onbegrip.
Begeerte hield met al die dingen rekening. En met meer.

'Heb je je antibiotica ingenomen?'

'Ja.'

'Hoe is het met je arm?'

'Die doet pijn.'

'Dan wordt het tijd voor een van dokter Sosimenko's wonderpillen.'

Ze schudde haar hoofd. 'Ik wil geen pijnstiller.'

Jack pakte het papiertje waar de pillen in gewikkeld waren. 'Hou eens
op met je stoïcijnse gedrag.'

'Dat is het niet. Ik wil niet dat ik suf word.' Ze staarde naar het plafond.

Ze lagen een tijd zwijgend naast elkaar in een stilte die leek te knetteren
van elektriciteit of een magnetisme waar hij zich tegelijkertijd toe aangetrokken en door afgestoten voelde. Maar misschien was afstoten een verkeerd woord. Hoe noemde je het als je iets wilde waarvan je wist, of in
elk geval vermoedde, dat het verboden was? En dan dacht hij niet alleen
aan Sharon, want ook zonder Emma's doemvoorspelling was de boot die
hen terug naar het land zou brengen terechtgekomen in zwaar weer,
waarin alle zeilen moesten worden bijgezet. Nee, het was ook dat Annika
lid was van een undercovereenheid van de Russische Federale Veiligheidsdienst, of was geweest. Je zou haar zonder meer een spion kunnen
noemen. Niet voor het eerst sinds Emma's dood, sinds zijn huwelijk was
gestrand en zeker sinds Emma aan hem verscheen, vroeg hij zich af waarom hij zo uit zijn evenwicht was, of hij misschien een langdurige mentale ziekte onder de leden had waardoor hij langzaamaan gek werd. Hoe
moest hij anders de situatie verklaren waar hij – en Alli! – zich nu in
bevond? Maar diep vanbinnen wist hij ook dat zijn onvermogen om zijn
dochter te helpen toen ze hem het hardst nodig had, alles zou kleuren
wat hij de rest van zijn leven zou doen. Alli redden uit de handen van
Morgan Herr was een poging om te boeten voor zijn dodelijke zonde.
Zijn drang om Annika te redden van Ivan en Milan idem dito.

'Waar denk je aan?'

Annika was dichterbij gaan liggen terwijl hij zijn zwartgallige gedachten
had. Ze rook naar het strand: een beetje zoutig, frisgewassen. Van haar
lichaamswarmte gingen de haartjes op zijn arm recht overeind staan.
Hij aarzelde niet lang. 'Om eerlijk te zijn dacht ik aan mijn dochter.'

'Emma. Alli heeft het me verteld. Gecondoleerd.'

Deze woorden, die zo vaak werden uitgesproken door zoveel agenten over de hele wereld in zoveel talen, ook door hemzelf, kregen een heel andere lading toen Annika ze uitsprak, omdat er bij haar een oprechte emotie achter zat.

'Bedankt.'

'Alli lijkt haar bijna net zoveel te missen als jij doet.'

'Ze waren heel close. Op school waren ze alles voor elkaar.'

'Wat tragisch.' Hij kon niet horen of ze het over de twee vriendinnen had of over zichzelf. Misschien had ze het over allebei, was dit een kruispunt waar verleden en heden elkaar raakten. 'Jack, mag ik je wat vragen? Stel dat je een waarheid ziet die verder niemand om je heen ziet. Stel dat iedereen, ook docenten, vrienden – ex-vrienden! – denken dat je een leugenaar en een freak bent.'

'Ik denk dat het Emma is overkomen,' zei Jack. 'In elk geval is dat mij overkomen.'

'Weet je dat niet zeker?'

'Ik schaam me dat ik moet toegeven dat ook dat iets is wat ik niet van haar weet.'

'Daar hoef je je niet voor te schamen. Je hield van je dochter en dat is het belangrijkste, toch?'

'Ja.'

Hij hoorde de lakens ritselen en voelde haar hand de zijne pakken. Die hand was koel, droog en slank, maar toch schoot er een elektrische schok door zijn hele lijf.

'Voelde je dat?' fluisterde ze. 'Ik voelde het.'

Hij draaide zijn hoofd haar kant op en zag dat ze naar hem keek.

'Ik kan de kleur van je ogen niet goed zien. Het zijn smaragden, die gloeien alsof erbinnenin licht brandt.'

Ze legde haar hoofd op zijn kussen. 'Zo beter?'

'Ja.'

'Vertel me over Emma.'

Jack aarzelde even. Moest hij zo'n persoonlijke vraag wel beantwoorden? 'Ze hield van muziek,' zei hij uiteindelijk. 'Blues en rock. En ze hield van filosofische dichters als Blake.'

Annika keek hem vragend aan. 'Ja?'

'Meer weet ik niet van haar.'

'Alles zit in je geheugen,' zei ze gespannen. 'Je ziet haar voor je.'

'Ja, maar eigenlijk meer als een droom, zoals je droomt als je in een oorlog zit, om jezelf uit de afgrijselijke realiteit te halen.'

'Ja, een oorlog,' herhaalde ze, alsof ze hem volledig begreep. 'In een oorlog doe je wat je moet doen.' Maar haar stem klonk onoprecht of vol zelfbedrog, alsof het een zin was die ze net zo lang tegen zichzelf had gezegd tot die waar werd. Maar opeens verzachtte die stem: 'Niets is wat het ooit geweest is, herken je dat? Elk moment gaat onmiddellijk op in het volgende, seconden en minuten verdunnen tot je verleden is geworden wat je wilt dat het is, als het geheugen en de dromen zo met elkaar vervlochten zijn dat je niet meer weet wat wat is.'

'En die verschrikkelijke momenten worden minder zodra het heden het verleden naar het geheugen verplaatst.'

'Ja! Precies.' Ze kwam nog dichter bij hem, haar zachte, geurende huid raakte nu de zijne. 'Zo overleven we. De verschrikkingen verdwijnen, zoals dromen wanneer we wakker worden en aan onze dagelijkse bezigheden beginnen.'

'Ik wilde dat Alli zo dacht, maar ik weet dat ze dat niet doet.'

Er viel weer een stilte. Af en toe reed er buiten een voertuig voorbij, maar verder waren er geen straatgeluiden, nog geen blaffende hond.

Na een tijdje zuchtte ze. 'Ik ben moe.'

'Ga maar slapen, Annika.'

'Leg je hand op me. Ik wil je voelen. Ik wil met je verbonden…'

Hij legde zijn hand op haar heup, zacht als zijde. Ze strekte zich loom uit en zijn hand gleed naar haar gespierde, sterke bovenbeen. Hij voelde zijn hart langzaam kloppen. Het voelde goed bij haar te zijn, hun warmte verstrengelde zich. Het flauwe geluid van haar ademhaling klonk als de wind in de bomen of als vogelgezang in de verte.

'Er is nu geen tijd voor ons,' fluisterde ze. Maar waarschijnlijk was ze al in slaap gevallen.

12

'Dat heet een *soelitsa,* of soms ook wel *dzjeridom*,' vertelde Bogdan Boyer. Hij was de antiquair die dr. Sosimenko had aanbevolen. Zijn winkel was in Gorodetskogo, vlak bij het metrostation Maidan, maar zij hadden vanuit het appartement de auto genomen, nadat ze Alli's haar donkerblond hadden geverfd en snel een ontbijt naar binnen hadden gewerkt, omdat het niet handig vlak bij de metro lag.

Boyer, een kleine man met het ingevallen, hebberige gezicht en de drukke handen van de onverbeterlijke verzamelaar, draaide het moordwapen keer op keer om onder een grote loep met een verlichte fluorescerende ring. Hij zat voorovergebogen op een kruk, ongeveer zoals Bob Cratchit gebogen moet hebben gezeten over zijn tafel onder de inktvlekken in zijn sombere kleine cel, zoals Charles Dickens zijn kluisachtige werkruimte beschrijft.

'De soelitsa is een van de wapens die algemeen bekend zijn onder de naam splijtwapens, want – kijk maar hoe de punt ruitvormig is, prachtig functioneel – ze werden gesmeed om door wapenrustingen te gaan,' vertelde hij enthousiast verder. 'Dit is een werpspeer, hoewel hij ook wel op korte afstand werd gebruikt. Zijn bijnaam is longvanger. Wapens als deze en de veel grotere jachtspeer, die een schoppenvormige punt heeft, werden voor het eerst in 1378 door Russische soldaten gebruikt in de slag bij Riazansk langs de Vozje. De Russische kozakken, de bereden regimenten, gebruikten deze splijtwapens tegen de binnenvallende Tataren.' Hij keek Annika aan. 'Het is een interessant voorwerp, maar ik kan u er niet veel voor geven. Op een paar verzamelaars na en mogelijk een museum is er geen markt voor deze voorwerpen. En het is trouwens incompleet.'

'Incompleet?' vroeg Jack. Hij hield Alli in de gaten, die door het overvolle, bloedhete winkeltje struinde. 'Hoe bedoelt u?'

'Normaal gesproken zitten er drie soelitsa's in een *elaeagnus,* een smalle, leren pijlkoker die langs de linkerheup hing.' Hij schudde zijn hoofd. 'Zonder zijn broers, of zussen…' Hij grinnikte naar Annika '… is het ding bijna niets waard.'

'Ik wil het niet verkopen,' zei Annika. 'Ik wil weten van wie het is.'

Boyer fronste zijn wenkbrauwen. 'Dat zou weleens lastig kunnen worden.'

Hij pakte de hoorn en begon te bellen. Ondertussen ging Jack op zoek naar Alli, die was verdwenen achter een glazen kast vol koperen theepotten en ketels. Toen hij haar vond, was ze een blad papier aan het lezen – hier waren geen computerprints te vinden. Op het papier stond een handgeschreven lijst van bestellingen die óf de afgelopen dagen al verstuurd waren óf bijna verstuurd zouden worden. Achter elke bestelling stond een naam. Zwijgend wees ze naar de naam 'M. Magnussen' en het adres dat onder zijn bestelling stond van *drie soelitsa's (een set) in originele elaeagnus, ca. 1885, prov. J. Lach.* ONMIDDELLIJK AFLEVEREN stond er in het rood bij.

Toen ze zag dat hij de lijst moeilijk las, gebaarde Alli dat hij moest bukken, zodat ze de bestelling en naam en adres van de ontvanger in zijn oor kon fluisteren.

Jack liet haar het papier terugleggen waar ze het had gevonden, pakte vervolgens haar hand en nam haar mee naar de voorkant van de winkel. Daar legde Boyer net de hoorn neer. Hij glimlachte onzeker. 'Ik ben bang dat ik geen geluk heb gehad.'

'Jammer, maar het geeft niet,' zei Jack. 'Dank u wel voor de moeite.' Hij pakte het moordwapen en zei tegen Annika: 'Maar we zijn inmiddels laat voor onze afspraak. Dr. Sosimenko moet je verband nog verwisselen.'

Annika speelde het spel vlotjes mee, hoewel ze net zo verrast moest zijn als Boyer. 'O, ja. Ik vond het hier zo boeiend dat ik die helemaal vergeten ben. Kom, lieverd,' en ze pakte Alli's hand en ze liepen samen de deur uit, gevolgd door Jack.

'Wat had jij nou ineens?' vroeg ze toen ze buiten stonden.

'In de auto,' zei Jack. 'Nu!'

Hij gooide Annika de sleutels toe en ze kroop achter het stuur. Jack ging naast haar zitten, Alli op de achterbank.

Terwijl ze startte en invoegde, zei ze: 'Hebben we een bepaalde bestemming, of rij ik gewoon rondjes?'

'Rondjes,' zei Jack, en hij keek geconcentreerd in de zijspiegel.

'Dat was een grapje, Jack.'

'Weet ik, maar ik wil er zeker van zijn dat we niet worden gevolgd.'

'Oké.' Bij het eerste stoplicht sloeg ze rechts af. 'Ik geef het op.'

'Alli vond een lijst met bestellingen achter in de winkel, onder meer een set van drie soelitsa's in hun koker, die afgeleverd moest worden bij een cliënt, ene M. Magnussen.'

Annika knikte. 'Wat betekent dat Boyer tegen ons loog.'

'En wie moest hij verdomme bellen?' zei Jack.

'De SBOE of de politie,' gokte Annika.

'Of die Magnussen, die hem vroeg om uit te kijken naar iemand die langskwam met een reservelongvanger.'

'De moordenaar, verwacht jij,' zei Alli, die voorovergebogen met haar gezicht tussen hen in hing.

'Klopt, je hebt gehoord wat Boyer zei: één soelitsa is waardeloos. Magnussen bestelde een nieuw set soelitsa's, omdat met één van het setje dat hij al had de maîtresse van Rotsjev is vermoord.'

'Maar waarom zou iemand met een van die dingen een moord willen plegen?' vroeg Alli.

'Denk je dat de politie weet wat dit is?' maakte Annika haar duidelijk. 'Het bemoeilijkt het onderzoek.'

'Behalve,' zei Jack, 'als iemand anders dan de politie het lijk heeft gevonden. Iemand die slim genoeg is...'

'... of die er groot belang bij heeft,' viel Annika hem in de rede.

'Inderdaad,' ging Jack verder, 'om het onderzoek te vertragen.'

'En daarom,' zei Alli, 'heeft hij Boyer de instructie gegeven hem te bellen als iemand navraag kwam doen.'

'Eh, trouwens,' onderbrak Jack haar, 'zien jullie die zwarte sedan achter die twee auto's daar? We worden inderdáád gevolgd.'

Annika bewees dat ze net zo bekwaam was als Jack in het afschudden van achtervolgers, wat een van de voordelen was van haar FSB-training, bedacht Jack. Een tweede voordeel kon hij echter niet bedenken.

De volgende tien minuten liet ze hen in de waan dat ze niet waren ontdekt, voor ze keihard door een rood stoplicht reed en een spoor van kwade toeters en piepende remmen achterliet. Ze ging naar rechts en bijna meteen naar links en schoot een straatje in dat zo smal was dat de stenen muren bijna hun zijspiegels eraf rukten. Op een derde van het straatje zette ze de motor uit en wachtten ze. Veertig seconden later racete de zwarte sedan het straatje voorbij. Onmiddellijk startte Annika de auto en liet de koppeling opkomen, en zo rolden ze naar het einde van het straatje, waar ze links afsloeg.

'Waar naartoe?' vroeg ze.

Jack gaf haar het adres. 'De naam van de verzamelaar is M. Magnussen.'
'Klinkt niet Oekraïens,' vond Alli.
'En ook niet Russisch,' zei Annika terwijl ze door de drukke straten van Kiev manoeuvreerde.
'Wat hij ook moge zijn,' zei Jack, 'er loopt een duidelijke lijn van hier naar mijn uitgangspunt. Senator Berns is gedood bij een aanrijding op Capri, nadat hij vanhier was gevlucht. De laatste persoon die hij hier heeft gesproken, was Karl Rotsjev, wiens maîtresse op een bizarre manier is vermoord met een antiek kozakkenwapen en die zelf onvindbaar is. Het lijkt nu wel duidelijk dat het moordwapen het eigendom was van deze M. Magnussen.'
'Wie hij dan ook moge zijn.'

Wie hij dan ook mocht zijn, Magnussen was in elk geval rijk. Hij woonde net buiten de stad, in zo'n buurt die zo duur was dat er geen enkel hoog gebouw of zelfs maar een blok cement te zien was. In plaats daarvan kilometerslange akkers, net zoals het platteland van Virginia, die zijn huis afschermden van de puinhopen van de moderne stad. De oprijlaan naar het huis was driekwart kilometer lang en leidde door dichte dennenbossen, waardoor het huis volledig onzichtbaar was vanaf de weg, zelfs als die er op slechts honderd meter langs had gelopen. Het gebouw, dat op een heuveltje stond, was een kopie van een Engels landhuis, met twee vleugels die met elkaar verbonden waren via een lang middenstuk, dat de bezoeker aankeek met de vierkante schouders van een soldaat en de koele minachting van een magistraat van de Hoge Raad.
'Het ziet er hier uit alsof Keira Knightley elk moment kan verschijnen in een vergulde koets,' zei Alli.
Ze zat er niet zo heel ver naast, dacht Jack. Deze plek was uitermate geschikt voor een baron of hertog uit de negentiende eeuw, maar wel een dode. Er brandden geen lampen in het huis en het was, zoals ze zouden ontdekken, beter afgesloten dan het achterste van een eend.
'Dit is niet logisch,' vond Alli.
Wat ook waar was, dacht Jack, tenzij Magnussen, nadat hij dat waarschuwingstelefoontje van Boyer had gehad, zijn biezen had gepakt in het uurtje dat zij nodig hadden gehad om hier te komen. Het zou hun veel minder tijd hebben gekost als die zwarte sedan hen niet had achtervolgd. Pas toen begreep hij het. 'Magnussen is verdwenen. En we wer-

den niet geschaduwd om te kijken waar we naartoe gingen, maar om tijd te rekken. Boyer moet meteen nadat wij weg waren naar achteren zijn gelopen en hebben gezien dat de bestellingenlijst op een andere plek lag.'

'Toch kan het geen kwaad om nog even wat rond te lopen,' vond Annika.

Ze begonnen in noordelijke richting om het hele terrein te lopen. De druilerige, klamme ochtend was weggeblazen door een frisse, westelijke wind, maar hoog in de lucht dreven nog een paar ochtendwolken.

Ze kwamen eerst bij een appelboomgaard, de keurig rechte rijen knoestige bomen stonden er verlaten en verloren bij. Hierna volgde een omheind gedeelte dat waarschijnlijk in de zomer propvol rijen stokbonen, kool, komkommers en sla zou staan, maar nu volledig kaal was.

Inmiddels waren ze achter het landhuis, stonden op een hoek van zo'n vijfenveertig graden van de rechtervleugel en liepen tegen de klok in. Toen ze over een heuveltje kwamen, zagen ze water glinsteren, misschien een meertje of een grote vijver, dat was vanaf hun positie moeilijk te zien. Maar het kleine familiekerkhof op het vlakke land ernaast, waarop grote treurwilgen stonden waarvan de takken het water raakten, was een verrassing. Hier stonden zerken van minstens vier of vijf voorouders van Magnussen, zag Jack. De letters M en S herkenden zijn hersenen om de een of andere reden het makkelijkst.

'Vader, moeder... en broer, denk ik,' zei Alli terwijl ze naast hem kwam staan. 'Op elke steen staat de plek waar ze zijn overleden met de data.' Ze tuurde door het waterige zonlicht. 'De vader was tien jaar ouder, maar wat opmerkelijk is: hoewel ze in dezelfde week zijn gestorven, was dat niet op dezelfde plek. Wie zou de slimmerik zijn? Pappie zou het geld kunnen hebben verdiend.'

Op dat moment hoorden ze Annika roepen. Ze draaiden zich om en zagen dat ze hen vanaf een ander heuveltje wenkte. Jack vroeg zich af wat ze had gevonden en liep onmiddellijk haar kant op. Alli volgde hem.

'Kijk.' Annika wees naar links zodra ze bij haar waren.

Jacks vermoeden werd bevestigd: Magnussen had als een dronken zeeman geld laten rollen. Op een landtong die precies in het midden van het aangelegde meertje lag, stond een stenen pergola, een misbaksel in romaanse stijl. Maar het was niet de pergola die Annika was opgevallen, maar een zittende gedaante in de schaduw van de pergolakoepel. Vanwaar ze stonden, zagen ze dat de gedaante voorovergebogen zijn armen om zijn knieën had geslagen. Hij leek diep in gedachten verzonken.

Ze liepen het heuveltje af en gingen over de vochtige, mossige grond naar de kale wilgen waarvan de takken als reumatische vingers naar beneden hingen. Langs de rand van het meertje liepen ze naar de landtong. Vanhier was alleen maar te constateren dat het een mannelijke gedaante was.

'Magnussen?' riep Jack. Maar als Magnussen inderdaad zijn biezen had gepakt, zoals Jack dacht, dan zou deze man niet reageren op die naam. Dat deed hij dan ook niet en hij bleef diep in gedachten in dezelfde houding zitten.

Nog voorzichtiger liepen ze verder, tot Jack, die een rilling langs zijn ruggengraat voelde gaan, voor de gedaante stond, even goed naar de man keek en heel rustig zei: 'Alli, blijf alsjeblieft staan waar je staat.'

Haar nieuwsgierigheid was gewekt en eigenlijk wilde ze dichterbij komen, maar iets in Jacks stem hield haar tegen. 'Waarom? Wat is er?'

Inmiddels stond Annika naast Jack en voor de man, wiens ogen naar de horizon staarden. De man zat op een fleurig geverfde, houten Adirondack-stoel. Het was in eerste instantie amper zichtbaar vanwege al het bloed en het enorme gat in zijn borstkas, maar boven aan elk been, waar ze overgingen in zijn heupen, was een soelitsa gestoken. Ze leken identiek aan de soelitsa's die de jonge vrouw had vermoord, en waren met onbeheerste woede krachtig dwars door spieren en vet gedreven, zodat de punten in het hout eronder vastzaten en het slachtoffer op zijn plaats hielden.

'Het is de man op de foto in de datsja,' zei Annika. 'Dit is Karl Rotsjev.'

Jack hurkte neer voor een nieuwe barbaarse misdaad. 'Wat betekent dat onze belangrijkste verdachte voor de moord op zijn maîtresse nu zelf vermoord is.'

'Nou en. Nu loopt het spoor dood.' Annika zuchtte. 'Deze moord maakt ons niet veel wijzer.'

'Hoe kom je daar nou bij?' zei Jack terwijl hij ging staan. 'Dit is het bewijs dat de dood van senator Berns geen toeval was. Hij is vermoord vanwege iets wat Rotsjev hem heeft verteld, iets wat de senator aan iemand anders wilde vertellen.' Hij wilde een van de schachten pakken, maar bedacht zich en stopte zijn handen in zijn broekzakken. 'Dit lek wordt gat voor gat gedicht.'

Deel 2

'Slaap na hard werken, haven na stormachtige zeeën, rust na oorlog, dood na leven brengt grote voldoening.'

– Edmund Spenser, 1590

13

Rhon Fjodovitsj Kirilenko gebruikte een magere, rode hand om een sigaret uit het doosje te schudden en in zijn mond te steken. Hij schoof het doosje lucifers open dat hij altijd bij zich had en stak er een aan. De scherpe zwavelgeur trok de zuurstof uit zijn neusgaten, waardoor hij even naar adem moest happen, een onvrijwillige actie. Langzaam en opzettelijk, zoals hij alles deed, de grote en de kleine dingen, bracht hij het vlammetje naar de punt van zijn sigaret, inhaleerde diep de scherpe, zwarte Turkse tabak en hield de rook net zo lang in zijn longen tot het in zijn hoofd rustig werd. Een onrustig hoofd was een ongeorganiseerd hoofd en ongeorganiseerde hoofden maken fouten. Vanaf het moment dat hij rechercheur Moordzaken werd bij de FSB was dat zijn filosofie. Het was zo simpel, zo bondig en zo waar, dat hij in de twintig jaar dat hij achter moordenaars en serieverkrachters aan zat, nooit reden had gehad om er één letter aan te veranderen. Het paste precies bij het soort man dat Kirilenko was: praktisch en solide. Zijn weinige vijanden beschuldigden hem ervan een ploeteraar te zijn, dat hij afgestompt was, schoolmeesterachtig deed. Aan de andere kant wisten zijn weldoeners dat zijn imago – zacht en grijs, net zoals de federale gebouwen waarin ze allemaal ploeterden – een zorgvuldig opgebouwde façade was. Ze vonden dat hij slim genoeg was om zijn bevelen naar de letter uit te voeren en dat hij de rustige oprechtheid bezat om niemand tegen de haren in te strijken, waardoor hij zijn onderzoeken kon uitvoeren zoals hij dat wilde. Iedereen vond hem meedogenloos: zodra hij zijn tanden in een onderzoek had gezet, liet hij niet meer los tot hij een bevredigende conclusie had bereikt, wat een bekentenis van de dader inhield, of diens dood. Het maakte hem niet uit wat het werd. Dat was zo'n beetje het enige waar Kirilenko overduidelijk in was. Opsluiting of dood, het was hem om het even, omdat deze dood en verderf zaaiende boeven hem woedend maakten. Hij beschouwde ze als iets anders, iets niet-menselijks, nog minder dan menselijk, een onderras dat nog lager stond dan de dieren.

Toen het hem gegeven had wat hij wilde, blies Kirilenko de Turkse rook uit en inhaleerde daarna langzaam en diep. Achter zich hoorde hij de zachte, bekende geluiden van zijn mannen, die de verkoolde overblijfselen van Rotsjevs datsja onderzochten, maar hij besteedde er net zo weinig aandacht aan als hij zou hebben gedaan met de geluiden om hem heen in een sportstadion: onbelangrijk tot het tegendeel was bewezen.

Hij keek naar de matras die zijn mannen uit de slaapkamer op de eerste verdieping hadden gered, net voordat de trap instortte. Die matras lag nu onder de bomen, tussen dode bladeren en graspollen. Op de matras lag het tweeëntwintigjarige lichaam van Ilenja Makova, Rotsjevs huidige maîtresse, of beter – zo corrigeerde hij zichzelf – zijn overleden maîtresse. Ze lag op de verkoolde, niet meer smeulende matras. Duidelijk zichtbaar was een rafelig gat. Nadere inspectie leerde hem dat de wond niet door een kogel of een mes was toegebracht. Het zag er kwaadaardig, lelijk en oud uit, alsof het moordwapen was gebruikt om haar ingewanden naar buiten te rukken. Wat voor wapen het ook mocht zijn geweest, hier lag het nergens.

Hij keek vervolgens naar de digitale foto op het schermpje van de mobiel in zijn hand. Een van de mannen die hiernaartoe was gestuurd door de FSB had de tegenwoordigheid van geest gehad om een foto te maken van de drie mensen die in de voordeur waren verschenen voor de brand uitbrak: de moordenaars van Ilenja Makova. Jammer genoeg voor hem was die man Mondan Limonev, het lid van de eenheid waarmee hij werkte dat hij meer verachtte dan enig ander lid. Nog erger: hij riep angst en wantrouwen op bij Kirilenko. Limonev, de moordenaar met de leegste ogen die Kirilenko ooit had gezien, behoorde precies tot de diersoort waar Kirilenko zijn hele volwassen leven op had gejaagd en die hij voor de rechtbank had gebracht. Het irriteerde hem mateloos dat dit creatuur bij de FSB werkte. In zijn fantasieën had hij legio ongewone manieren bedacht om Limonev uit te roeien, maar helaas had hij niet de mogelijkheid om een van die manieren te gebruiken.

De foto op Limonevs mobiel was korrelig en vaag. Drie gedaanten. Als hij zijn ogen een beetje dichtkneep, zag hij een man en twee vrouwen. Dat op zich was al een mysterie. Waarom zou Rotsjev drie mensen inhuren om zijn maîtresse te vermoorden? En waarom moest ze dood? Kirilenko kende Rotsjev als een serieneuker, hij bedroog zijn vrouw met een ellenlange lijst vrouwen, die zowel knap als professioneel waren. Hij had er nog nooit een vermoord, waarom deze dan wel? En trouwens, waar was hij? Niet op zijn werk, niet thuis en niet in zijn liefdesnestje in zijn eigen liefdeshotel.

Maar alles op zijn tijd. Terug naar de moordenaars: niet alleen waren ze met z'n drieën, zo te zien was een van hen minderjarig, of een dwerg. Dat paste totaal niet in het gebruikelijke profiel van een sluipschutter, die – voor zover Kirilenko uit zijn uitgebreide ervaring wist – alleen werkte. Maar eigenlijk zei dat niet zoveel, want zijn uitgebreide ervaring leerde hem ook dat professionele sluipschutters elke tactiek gebruikten die ze konden bedenken om hem om de tuin te leiden. Tot op heden was dat nog niet gelukt, hij had ze allemaal in de grond geboord. Een van de redenen dat hij altijd de boef, de moordenaar, de wurger, de schutter of de messensteker te pakken kreeg, was zijn geordende geest, waardoor hij meer wist over elke gebeurtenis dan de mensen om hem heen. Hij absorbeerde een plaats delict met al zijn vijf zintuigen en liet dan zijn geest naar patronen zoeken. Een plaats delict, doordrenkt van dood, woede, geweld, angst en zelfs desinteresse, was de beste definitie van chaos. Dood ontregelde het leven. Veel moordenaars die hij had opgespoord, waren op hun manier net zo toegewijd als hij. Het verschil was woede. Hij werd woedend van moord, of het nou een vooropgezette of een toevallige was, professioneel of amateuristisch. Voor hem was het nemen van een leven – elk leven – ondenkbaar, een zonde die volledig gewroken diende te worden, via de wet of op een andere manier. Een leven nemen was een vergrijp. Het creëerde een toestand op zich, een die niets van doen had met de gemeenschap die pijnlijk kloppend buiten de grenzen van de beschaving bestond. Laat de straf passen bij het vergrijp. Toch leefde hij met deze wrede daden, met de gruwelijkste beledigingen, alsof het kamerbewoners waren die te lang in zijn geest waren blijven hangen en nu niet meer hun plaats in zijn leven wilden afstaan voor liefde en geld.

Hij probeerde de gezichten van de boeven scherper te krijgen, maar de man hield een arm voor zijn ogen, de vrouw draaide zich al om en het gezicht van de minderjarige of dwerg zat achter het vrouwenlichaam. Hij probeerde zich op het vrouwengezicht te richten, toen hij ineens zag dat ze iets in haar hand had, een pijl of een korte speer, iets met een gemene punt, bedoeld om ingewanden van slachtoffers naar buiten te rukken: het moordwapen. Nu pas keek hij naar het vrouwengezicht. Door wat in te zoomen onderscheidde hij haar gelaatstrekken. Met een schok herkende hij Annika Dementieva.

'Er is geen spoor van de schutter, de man in het bos die heeft geschoten.' De magere man met het sombere gezicht was van de afgebrande datsja naar Kirilenko gelopen, die zich pas op het laatste moment van de man bewust werd en snel Limonevs mobiel met de belastende foto in zijn zak stopte. Hij mocht vervloekt worden als hij vertrouwelijke informatie met deze man ging delen. En wat betreft Limonev: hij prentte zichzelf in dat hij ervoor moest zorgen dat de Oekraïners zo snel mogelijk een nieuwe mobiel voor de man moesten regelen.

'Hij was niet van mij,' zei Kirilenko, 'dus moet het er een van jou zijn geweest.'

'Nee, hoor. Trouwens, ik heb niet eens een sluipschutter meegekregen, dat weet je best.'

'Als het over jouw mannen gaat,' zei Kirilenko zonder rancune, 'weet ik helemaal niets.'

'Nou, geloof me dan maar op mijn woord.' De magere man keek over zijn schouder. 'Misschien anders een van die SBOE-mannen, je weet hoe ongedisciplineerd die Oekraïners zijn.'

Kirilenko keek vanachter de rook die tussen zijn halfgeopende lippen omhoogkringelde naar de man. 'Oordeel je net zo hard over Russen als over Oekraïners?'

'We hebben veel respect voor je,' zei de magere man scherp. 'Ik dacht dat we dat heel duidelijk hadden gemaakt.'

Kirilenko keek de man doordringend aan. Hij had goudkleurig haar en de rode wangen van een atleet. Onbewust wreef Kirilenko over de rug van zijn handen, rood en stijf van de reumatiek. 'Het was geen Oekraïner. Die durven geen stap te zetten zonder aan mij te vragen of het goed is.'

'Ze verachten je,' zei de magere man.

'Maar ze zijn nog banger voor me.'

'En voor wie ben jij bang, Kirilenko?'

Kirilenko nam de tijd, trok aan zijn sigaret en hield de rook diep in zijn longen, zodat die de nicotine konden opnemen. Langzaam blies hij de rook weer uit en net voor hij zich omdraaide, zei hij: 'Niet voor jou, Amerikaan, als je dat soms dacht. Zeker niet voor jou.'

'Magnussen of een van zijn mensen is hier heel lang mee bezig geweest,' zei Jack na wat denkwerk. 'Rotsjev moet iets gehad of geweten hebben. Iets wat Magnussen heel graag wilde hebben.'

'Wat hebben ze met hem gedaan?' vroeg Alli.

'Erg genoeg om nachtmerries van te krijgen.' Jack stond op en Annika bekeek op haar beurt het lijk.

'De mensen die dit hebben gedaan, zijn professionals, experts in martelen en het toebrengen van pijn.'

'Is dit de mening van zo'n professional?' vroeg hij.

Ze keek naar hem op. 'Wat zeg je nou? Denk je dat ik een martelexpert ben?'

Opzettelijk negeerde hij dit antwoord. 'Wie het ook waren, ze hebben in elk geval goede internationale connecties om iemand te kunnen laten doodrijden op Capri. Het is een klein eiland met extreem beperkt autoverkeer.'

Alli keek over het vlakke water. 'Toch heeft Annika gelijk. Hier worden we niet veel wijzer. Hier is niets meer voor ons en we kunnen met geen mogelijkheid achterhalen waar Magnussen naartoe is gegaan.'

'Misschien wel.'

Jack nam hen weer mee het heuveltje over naar het kerkhof. Het was inmiddels diep in de middag; de zon, vermoeid van de uitputtende reis door de mist, zonk alsof hij door zorgen naar de aarde werd gedrukt. De langer wordende schaduwen van de zerken lagen als beschuldigende vingers op het gras.

'Alli, zei jij niet dat de ouders van Magnussen op dezelfde dag waren overleden?'

Ze knikte. 'Maar op verschillende plekken.'

Jack bestudeerde hun zerken stuk voor stuk. Met zijn vingertoppen liep hij de contouren van de uitgebeitelde letters na, zodat hij ze vlugger en makkelijker kon lezen. 'Ze stierven op 1 augustus, zeventien jaar geleden. Magnussens vader is hier, op dit landgoed, overleden, maar zijn moeder in Aloesjta.'

'Aloesjta ligt aan de oostkust van de Krim,' zei Annika. 'Er staan alleen maar dure villa's met uitzicht op de Zwarte Zee.'

'Bingo! Dan zit Magnussen daar,' zei Jack.

Annika fronste haar wenkbrauwen. 'Hoezo? Hoe kun jij dat nou weten?'

'Misschien lag zijn moeder daar begraven.'

'Ik zie het verband niet.' Annika schudde haar hoofd. 'Misschien was ze daar op vakantie, misschien was ze bij vrienden op bezoek.'

'In dat geval zouden ze haar hebben teruggebracht en hier begraven hebben,' zei Jack met onweerlegbare logica. Annika kon er niets tegen inbrengen.

'Maar een villa…'

Jacks hersenen werkten sneller dan iemand zich kon voorstellen. 'Kijk nou eens om je heen. Dit gezin was met geld en prestige getrouwd. Die hebben hier nooit het hele jaar gewoond. De zomers zijn hier toch heet en vervelend?'

Twijfelend knikte Annika.

'Waar zouden de Magnussens in de zomer naartoe gaan? Ik durf te wedden dat ze ook een villa in Aloesjta hebben.'

'Dit is absurd. Je bent het orakel van Delphi niet!'

'Op een bepaalde manier is hij dat wel,' zei Alli. 'Jacks hersenen werken anders dan de jouwe of de mijne. Hij ziet dingen die wij niet zien, hij legt verbanden die wij pas veel, heel veel later kunnen leggen.'

Annika keek Alli aan alsof ze vleugels had gekregen of door de bliksem was geraakt. 'Is dit een soort kermisact van jullie tweeën of een absurd goocheltrucje?'

'Waarom denk je dat het een trucje is?' Alli klonk zo verbaasd dat Annika stil bleef staan.

'Als je iets beters weet, moet je het nu vertellen,' zei Jack tegen Annika. Annika keek naar de achterkant van het landhuis in de verte. 'Serieus?' vroeg ze, en ze keek hem weer aan. 'Denk je echt dat Magnussen naar Aloesjta is gegaan?'

'Maar wie was het dan?' vroeg de goudharige Amerikaan. 'Wie was die schutter die vanuit het bos schoot?'

Hij was niet lang, maar toch zeer imposant, zoals alle Amerikaanse agenten die Kirilenko had ontmoet of op observatiefoto's had zien staan. Hij had zoveel zelfvertrouwen dat het bijna arrogantie werd. Kirilenko benijdde hem erom, was er jaloers op. De wereld was van hem, hij bewoog zich erin zoals hij wilde, met een gemak waarvan Kirilenko alleen maar kon dromen. Kirilenko, de brave *apparatsjik*, die met een vuistdikke kabel aan Rusland vastzat. En hij dacht: ik ben zo trouw als een hond en deze Amerikaan is mijn meester. Hij heeft mijn lot in zijn handen – handen die niet tintelen in de kou, die niet rood zijn en vol kloven zitten, die niet te vroeg verouderd zijn. En minachtend, heel kort als een bliksemflits: wat weet hij nou helemaal van het leven? Wat kan hij ervan weten, hij is een Amerikaan.

Voelde Kirilenko minachting voor de Amerikaan of was het medelijden? Hij heette Martin. Harry Martin. Maar of dat zijn echte naam was? Dat zou Kirilenko waarschijnlijk nooit te weten komen.

'Harry Martin.' Zo had de Amerikaan zichzelf voorgesteld toen ze elkaar voor het eerst ontmoetten. 'Uit Latrobe, Pennsylvania.' En toen Kirilenko niet reageerde: 'Je weet wel, waar Arnold Palmer woont. Die ken je toch wel? De legendarische golfer.'

Kirilenko had hem bijna recht in zijn gezicht uitgelachen. Godallemachtig! Terwijl de Russen vochten om te overleven, waren de Amerikanen aan het golfen.

Nu zaten ze naast elkaar op de achterbank van Kirilenko's auto en dronken warme koffie uit een thermoskan die een van Kirilenko's mannen had gebracht.

'Nou, wie was het dan?' herhaalde Harry Martin. 'Heb je een idee?'

Ze leken net twee vrienden die het over iets onbelangrijks als een wedstrijd hadden of over de kansen van hun favoriete voetbalteam.

'Ik speculeer niet, ik hou me bij de feiten,' zei Kirilenko veel minder geïrriteerd dan hij zich voelde. Het had geen zin de Amerikaan tegen zich in het harnas te jagen. Hij had veel te machtige vrienden, die met een telefoontje Kirilenko's carrière konden bedreigen, en ook zijn leven. Die wetenschap alleen al bezorgde hem meer dan genoeg stress. Harry Martin was een mug die hij niet weg kon slaan en hij werd er gek van.

Hij gooide het portier open en stapte naar buiten in de mistige dag. Hij rook verkoolde stof en verbrand plastic. Hij draaide weg van Martin, pakte de mobiel en verzond de foto van Annika Dementieva bij Rotsjevs datsja naar zijn assistent, met speciale instructies. Even later stapte Martin uit de auto en liep zonder iets tegen Kirilenko te zeggen naar het bos achter wat ooit de veranda van het huis was geweest.

'Zijn al je mannen hier weg?' vroeg hij.

Kirilenko stopte de mobiel in zijn zak en liep achter de Amerikaan het bos in. 'En de SBOE ook. We zijn hier met z'n tweeën.'

'Ik wil theorieën,' zei Martin terwijl ze door de dichte dollekervelstruiken liepen. Hij deed de zaklantaarn aan die hij van Kirilenko had gekregen. 'Ik heb íéts nodig.'

Kirilenko slikte zijn emoties in en zei op zijn beste fatalistische toon: 'Iemand heeft Karl Rotsjev overvallen, met geweld neem ik aan, aangezien het lichaam op die matras daar is vastgepind. Dat waren wij niet en ik garandeer je dat het ook niet de SBOE was. Wat betekent dat er nog een partij deelneemt aan deze mysterieuze, naamloze jacht van jou.'

'Een andere partij.' Martin herhaalde deze zin alsof hij hem niet snapte of alsof het iets was wat hij moest regelen. Hij scheen met de zaklantaarn naar beneden, terwijl ze over de zachte bosgrond liepen. 'Dan moeten we die vinden, wie het ook moge zijn. En dan moeten we ze elimineren.'

Kirilenko maakte een keelgeluid. Een soort waarschuwing, primitief en zacht. Niet dat Harry Martin het zou horen of zich er wat van zou aantrekken. 'En hoe stel je je voor dat we dat gaan doen?'

Er sijpelde zwak rood en geel licht door de dichte groene struiken. Martin knielde en streek met zijn vingertoppen lichtjes de naalden van de struiken opzij en wees Kirilenko op een aantal nieuwe voetstappen. Geen ervan was van de laarzen van zijn mannen. 'Een man, een vrouw... en deze.' Twee voetstappen waren duidelijk veel kleiner dan de andere vier. Hij ging weer staan. Ze waren vlak bij de weg. 'We pikken vanaf hier het spoor van de indringers op en volgen het terug naar het begin.'

Hij lijkt zo zeker van zichzelf, dacht Kirilenko bitter, ook al is hij in een land dat hij niet kent, te midden van mensen die niet eens zijn taal spreken. Zo'n Amerikaanse houding.

Ze liepen naar de bomenrand.

'Deze weg gaat maar twee kanten op,' vertelde Kirilenko. 'Een paar kilometer verderop is een afslag die terug naar Kiev voert en verder gaat deze weg rechtstreeks naar Brovary.'

'Wat zit daar?'

Kirilenko haalde zijn schouders op. 'Het is het belangrijkste centrum van de schoenenproductie in Oekraïne.'

'Dan splitsen we ons op. Jij gaat naar Brovary en kijkt of je daar hun spoor weer kunt oppikken. Ik ga met mijn man en twee van jou terug naar Kiev en probeer daar hetzelfde. Die stad ken ik tenminste.'

Kirilenko voelde de opluchting in zijn hele lichaam. Het was een wondertje dat hij van deze gorilla af was.

Martin knikte naar de tweebaansweg voor hen, een gitzwart lint dat in de avondschemering verdween. 'Waar Rotsjev nu ook moge zijn, wees van een ding overtuigd: deze drie mensen zullen ons daar brengen.'

14

Pap…

Er waren mensen, wist Jack, die het woord 'verschijnen' verwarden met geheugen. Sinds Emma aan hem verscheen, met hem sprak, zijn vragen beantwoordde en zelf vragen stelde, waren er mensen – onder wie Sharon – die er absoluut van overtuigd waren dat hij verschijningen en geheugen door elkaar haalde. Dat wat hij abusievelijk hield voor een ontmoeting met zijn overleden kind in werkelijkheid niets anders was dan zijn geheugen dat haar opriep en er zo voor zorgde dat hij haar niet vergat, dat ze bij hem zou zijn tot zijn eigen dood, wanneer dat ook mocht zijn. Dat kon nog jaren duren, of morgen zijn.

Pap…

Jack wist dat die mensen fout zaten. Emma bestond, in elk geval een essentieel deel van haar, waar de dood niet bij kon en wat die ook niet kon veranderen. Ze bestond, omdat hun relatie op de een of andere essentiële manier incompleet was, hun tijd samen, hoe kort ook, was nog niet klaar. Haar wil had het auto-ongeluk overleefd dat haar leven op een wrede, abrupte manier had gestopt. Voor ze het plezier en de pijn van de volwassenheid had mogen voelen.

Pap…

Jack hoorde Emma toen ze weer in het appartement van Igor Kissin waren.

Pap, ik ben hier.

De deur ging open en hij stapte naar binnen. Terwijl de anderen hun dingen gingen doen, ging hij op zoek naar zijn dochter. Zijn overleden dochter.

Nee, pap, hier.

Op dat moment ging zijn mobiel af. Het was Sharon en hij nam op.

'Hallo, Jack,' zei ze op een koele, onnatuurlijke toon. 'Weet je al wanneer je naar huis komt?'

Hij sloot zijn ogen. 'Nee, Sharon, ik heb tegen je gezegd…'

'Dan leg ik de sleutel onder de deurmat.'

Zijn ogen schoten open. 'Wat?'

'Ik ga weg, Jack. Ik ben het spuugzat dat je hier niet bent.'

Meteen begreep hij dat ze terug waren bij hun oude uitgangspunt, het punt waar ze direct na Emma's dood stonden, toen ze het hem bijzonder kwalijk nam dat hij Emma's telefoontje niet had aangenomen, dat hij niet had voorvoeld dat hun dochter in dodelijke nood zat, dat haar auto op het punt stond tegen een boom te rijden. Maanden later had Sharon hem bezworen dat ze over haar woede en verdriet heen was, maar nu merkte hij dat het niet zo was. Misschien had ze de waarheid verteld of de waarheid zoals ze die op dat moment zag, maar ze had zichzelf voor de gek gehouden, had zich voor zichzelf verstopt, wat ieder menselijk wezen van tijd tot tijd deed.

Hij was er niet kwaad om. Hoe zou hij dat kunnen zijn? Maar hij was wel kwaad dat ze nu de waarheid niet vertelde, omdat ze nu wist wat de waarheid was. Het lag niet aan zijn werk of aan het feit dat hij heel ver weg was, ver bij haar vandaan, en het ging er ook niet om dat hij haar niet kon vertellen wanneer hij weer thuis zou zijn. Wat ze bedoelde was: ik kan je niet vergeven dat je er niet was toen Emma je nodig had. Ik kan je niet vergeven dat je haar dood niet hebt kunnen voorkomen.

Hij zei niets door de telefoon, omdat er niets te zeggen was. Zij had een openbaring gehad of misschien had haar moeder die openbaring geforceerd. Maar voor het eerst realiseerde hij zich dat het niet belangrijk was. De waarheid was de waarheid, daar was niet tegen te vechten.

'Vaarwel, Jack.'

Hij zei niets, ook nu niet. Hij klapte de mobiel dicht en keek het appartement rond alsof hij zich moest oriënteren waar hij was of naar een antwoord zocht op wat er net was gebeurd, hoewel hij perfect wist waar hij was en dat hij vanaf nu alleen was.

Aan de verre kant van de bank, onder het schilderij van de Tibetaanse mandala, lag een schaduw, opgerold als een kat, van een diepere substantie. Merkwaardig, omdat Jack zich herinnerde dat hij ooit wat over mandala's had gelezen in het werk van Karl Jung. Wat ook alweer? Jung geloofde dat de mandala, wat in het Sanskriet zowel essentie als voltooiing betekende, de perfecte manifestatie was van het menselijk onderbewustzijn.

Hij liep naar de bank, ging vlak naast de opgerolde schaduw zitten en vroeg zich af of hij daar nu naar keek, naar een manifestatie van zijn onderbewustzijn.

Hallo, pap.

Dat was wat iedereen, behalve Alli, geloofde: dat deze manifestatie van Emma diep uit zijn eigen ik kwam. Maar hij wist dat ze meer was. Dat wist hij net zo zeker als hij wist dat hij nu hier op een bruine, fluwelen bank zat in dit onverwacht gezellige appartement op de vierde verdieping in Kiev.

'Ha, lieverd.' Hij tuurde naar de schaduw. 'Ik kan je niet echt zien.'

Maak je geen zorgen, dat is normaal.

Hij moest zachtjes lachen. 'Hier is niets normaals aan, Emma.'

We zijn allebei buitenstaanders, pap, dus voor ons is dit normaal.

Machteloos schudde hij zijn hoofd. De waarheid was dat hij zo lang een buitenstaander was geweest, dat hij niet wist wat het woord 'normaal' betekende, als hij dat al ooit had geweten.

'Je moeder...'

Weet ik. Je hoeft niet verdrietig te zijn, het was onvermijdelijk.

'Je klinkt zo volwassen.'

Mam en jij, dat heeft nooit gewerkt, niet echt.

'Er is zeker verliefdheid geweest.'

Verliefdheid is niet genoeg. Er was geen solide basis, is er nooit geweest.

Jack keek naar het plafond. 'Nee, ik veronderstel van niet.' De tranen liepen over zijn wangen. Toen voelde hij iets naast zich bewegen, alsof iemand een raam had opengezet. Een koel briesje zoende zijn wang.

Je moet er niet meer over piekeren, pap.

'Over je moeder? Nee, ik...'

Over het auto-ongeluk.

Ook daar had ze gelijk in. Hij veronderstelde dat de dood je een uniek perspectief gaf over wat er eerder was gebeurd, een vorm van alwetendheid, iets wat een onsterfelijke ook had.

'*The Beginning is the End is the Beginnings*, ken je dat nog?'

Hij knikte. 'Natuurlijk. Dat lied van de Smashing Pumpkins heeft vijf sterren op je iPod.'

'*Het is niet meer nodig om te doen alsof, want ik kan opnieuw beginnen.*' Haar stem, verdwaald in tijd en ruimte, klonk als een spookachtige sopraan toen ze de regels zong.

'Wat bedoel je?'

Stel dat mijn dood alleen maar het eind van het begin was?

Jack voelde zijn hart sneller kloppen en keek naar haar, of naar die schaduw waar ze in zat. 'Denk je dat?'

*Ik zeg dat jouw schuldgevoel je levend verteert. Ik zeg dat dat waar jij je
blind op staart, over en voorbij is.*

'Dat moment dat ik je verloor en de maanden daarna waarin dat afgrijselijke verleden oneindig leek te zijn, zich als een virus herhaalde. Maar
later was het alsof het in een nanoseconde was gebeurd, zo vlug dat ik
nooit de kans zou hebben gehad om actie te ondernemen of om de
goede keuzes te maken.'

Daar denk ik niet over na en dat zou jij ook niet moeten doen.

Hij schudde zijn hoofd. 'Ik wilde dat ik het kon begrijpen.'

*Ik weet dat het verwarrend is, pap, maar probeer er zo aan te denken: mis-
schien ben ik hier omdat ik nog altijd ongehoorzaam ben, zelfs in de dood.*
Haar lach overspoelde hem als een zachte golf. *Ik weet het niet. Ik heb
hier net zo weinig ervaring mee als jij. Ik weet dat je antwoorden wilt,
maar ik heb ze niet. Ik heb geen idee waar ik ben of wat ik ben geworden...
hoewel ik waarschijnlijk ben wie ik altijd ben geweest, toch? Ik weet wel dat
het geen zin heeft om erachter te willen komen. Waar het op neerkomt, is
geloof en acceptatie. Geloof dat ik hier echt ben en acceptatie dat er dingen
zijn waar geen antwoord op bestaat.*

'Ik wil niet dat je vervaagt, zoals alles. Emma...' en hij slaakte een kreet,
een wanhopige en – ja, ze had inderdaad gelijk – een schuldige kreet.

'Jack?' Geschrokken draaide hij zijn hoofd om toen hij Alli's stem hoorde. 'Wat doe je?' Toen hij haar aanstaarde, kwam ze naast hem zitten.
'Ze is hier, hè?' Haar stem leek amper haar keel uit te komen. 'Emma is
hier, hè!'

Hij wilde antwoord geven, toen hij Annika naar hen zag kijken vanuit
de deuropening van een van de slaapkamers. Hoe lang stond ze daar al?
Had ze zijn gesprek met Emma gevolgd, tenminste, zijn kant ervan, en
wat zou ze daar dan van vinden?

'Daar hebben we het wel een andere keer over,' zei hij tegen Alli. 'We
zijn allemaal bekaf.'

'Maar...'

'Vragen komen later wel.' Terwijl hij opstond, trok hij haar mee omhoog. 'Nu is het tijd om te gaan slapen.'

Bij de deur van de grote slaapkamer wachtte Jack tot Alli haar kamer in
was gegaan en de deur zacht had gesloten. Vervolgens draaide hij zich

om naar Annika, maar voordat hij wat kon zeggen, zei ze met een brede grijns: 'Kom. Gisteren heb ik je toch niet gebeten?'

Glimlachend zei hij: 'Volgens mij heeft Alli helemaal gelijk over jou.'

'Dat ik een psychobitch ben of dat ik je in mijn bed wil hebben?'

Hij lachte, maar de waarheid was dat hij in deze omgeving en zo dicht bij haar een koude rilling voelde, een erotische lading die hem de adem benam.

Op weg naar het bed liep hij zo dicht langs haar heen dat zijn heup haar raakte. Ze zat met gekruiste onderbenen en polsen op haar knieën. Die polsen waren zo smal, zo dun, leken zo breekbaar. Maar hij wist beter. Onvermijdelijk gingen zijn ogen naar haar benen, lang en krachtig en glanzend in het licht van de bedlampjes, die ze waarschijnlijk had aangedaan toen ze binnenkwam.

'Je weet dat je die obsessie hebt om iedereen te beschermen,' zei ze.

Hij ging op het bed naast het hare zitten. 'Is dat zo erg?'

'Ik zei niet dat het erg was.'

'Waarom vroeg je me of ik kwam?'

'Echt?'

'Echt.'

'Gisteren... onze band...' Even keek ze weg. 'Ik wil niet meer alleen zijn. Ik ben het zat om alleen te zijn.'

'En Ivan dan?'

Bijna snauwerig zei ze: 'Probeer je me te beledigen? Ivan was werk.'

Hij knikte. 'Ik ga niet met je naar bed, als je daarnaar hengelt.'

'Ik hengel goddomme nergens naar. Mijn arm doet pijn en ik moet slapen. Dat moeten we allemaal.'

'Oké.' Hij gaf een klap op zijn bovenbenen, stond op en liep naar de deur. 'Als je me zoekt, lig ik op de bank.'

Net toen hij over de drempel wilde stappen, zei ze: 'Ik weet wie het meisje is.'

Haar timing was perfect. Langzaam draaide hij zich om en keek haar aan.

'Ik weet dat ze de dochter van de president van Amerika is.' Uitdagend hield ze haar hoofd achterover. 'Dacht je dat ik achterlijk was?'

'Je zei dat je niets wist over dingen die niets met je werk te maken hadden.'

Ze haalde haar schouders op. 'Toen kende ik je nog niet goed. Wist niet of ik je kon vertrouwen. Daarom loog ik. De waarheid is dat ik er niet tegen kan als ik genegeerd word. En verder leek het belangrijk voor jou dat je het geheimhield, je veranderde haar haren, haar uiterlijk en zo, en vanaf toen heb ik je geholpen om dat geheim te bewaren. En ik zal het geheimhouden, ook als we gevangen worden genomen, zelfs als de FSB me gaat martelen.'

'Dat geloof ik niet,' zei hij vlak.

Ze haalde weer haar schouders op.

'Waarom zou je dat doen, Alli beschermen, als het zover kwam?'

'Je weet wel waarom. Als ik in haar ogen kijk, als ik naar haar luister, dan zie ik mezelf.'

'Ook als ze je een psychobitch noemt?'

'Dan helemaal, omdat haar hevige emotie haar bedriegt.'

Jack zette een stap terug in de kamer. 'Hoe bedoel je?'

'Die blik in Alli's ogen, de klank van haar stem als de woede haar keel dichtknijpt, als ze overmand wordt door emotie. Ik ken die blik. Die heb ik elke dag gezien toen ik naar mezelf in de spiegel keek. En die klank…' Ze huiverde. 'De persverslagen waren vaag, ook de zogenaamde achtergrondartikelen, maar er is haar iets heel ergs overkomen.'

'Ja,' zei hij terwijl hij naast haar ging zitten. 'Dat klopt.'

'Jij hebt haar gered van degene die haar heeft mishandeld. Dat zie ik ook in haar ogen als ze naar jou kijkt.'

Nu was het zijn beurt om weg te kijken. 'Ze werd ontvoerd, op een stoel vastgebonden en gehersenspoeld, misschien nog meer, dat weet ik niet. Ze wil er met niemand over praten.'

'Ze zal het jou vertellen.' Annika's stem was zo zacht als een streling. Ze legde een hand over de zijne. 'Ze heeft tijd nodig, dat is alles.'

Jack keek haar aan. 'Hoe weet je dat zo zeker?'

'Omdat ze het jou wil vertellen. Moet vertellen. Ik denk dat ze zich langzamerhand realiseert dat ze niet verder komt als ze dat niet doet. Ik geloof dat ze daarom zo wanhopig graag met Milla Tamirova wilde praten.'

Jack fronste zijn wenkbrauwen. 'Hoe bedoel je?'

'Milla Tamirova heeft bepaalde… attributen, laten we het zo noemen, waarvan ik denk dat ze Alli interesseren.'

Jack schrok. 'Wat voor attributen? Waar heb je het verdomme over?'

'Milla Tamirova is een beroepsmeesteres, wat betekent dat ze een kerker in haar appartement heeft.'

Ineens had hij het ijskoud en huiverde. 'Waarom zou ze in hemelsnaam weer terug…?'

'Om zichzelf van de angst te bevrijden, om die te overwinnen. De enige manier om die uit te bannen is hem te ontmythologiseren, hem in het daglicht te zien, om haar te laten begrijpen dat ze pas geen slachtoffer meer zal zijn als ze haar angst de baas is.'

Jack zat voorovergebogen met zijn ellebogen op zijn knieën en zijn handen losjes in elkaar geslagen, alsof hij peinsde of aan het bidden was. Toen keek hij op. 'Ik had er geen flauw idee van. Ik moet naar haar toe.'

Annika's hand drukte op de zijne. Hij voelde haar kracht. 'Laat haar maar even alleen. Laat haar haar innerlijke kracht terugkrijgen. Ze moet nadenken over wat Milla Tamirova haar zal hebben laten zien. Als je je er nu mee bemoeit, drijft ze weg. Zowel van jou als van het harde werk dat voor haar ligt.'

Jack zuchtte diep, bedekte zijn gezicht met zijn handen en liet zich achterover op het bed vallen. Annika keek meelevend en misschien wat spijtig naar hem. 'Ze is voor jou, Jack, in voor- en tegenspoed.'

'Alleen maar in voorspoed,' zei hij. 'Geloof me.'

'Doe ik.' Ze ging ook op bed liggen, maar hield haar linkerarm vrij en voor hij nog iets kon zeggen, lag ze boven op hem. 'Nou, dit is toch niet zo erg?'

Alli lag volledig gekleed op bed. Ze staarde naar het plafond, maar in feite zag ze de martelstoel in de kerker van Milla Tamirova voor zich. In haar geest zat ze in die stoel, voelde ze de boeien hard, aangedraaid en weerzinwekkend tegen de binnenkant van haar polsen. Ze voelde kleine elektrische schokjes door haar lichaam gaan, alsof vonken van een vuur in de buurt op haar sprongen en de bleke, bijna transparante haartjes op haar armen wegbrandden.

Het demonisch knappe gezicht van Morgan Herr – wiens pseudoniemen Ronnie Kray, Charles Whitman en Ian Brady alle drie beruchte seriemoordenaars waren – boog zich naar haar toe en fluisterde in haar oor. Hij zei dingen over haar – intieme dingen waarvan ze zeker wist dat alleen zei ze wist, waaronder gesprekken die ze met Emma had gevoerd en alles waarover ze hadden gediscussieerd in hun slaapkamer op school – alsof hij in haar hoofd had rondgekropen en zich stiekem de details van haar leven had toegeëigend.

Ze huiverde zo diep dat haar lichaam van het bed kwam, alsof ze een elektrische schok kreeg. Ze voelde de vertrouwde, afschuwelijke misselijkheid opkomen en ze vocht tegen zichzelf om te blijven waar ze was, tegen de aandrang om naar de badkamer te rennen, naast de porseleinen wc te knielen en haar maag leeg te kotsen.

Nee, zei ze tegen zichzelf met een opmerkelijk rustige stem, dat is niet meer nodig. Morgan Herr is dood, hij kan je niets meer doen. Wat er nu nog gebeurt, doe je jezelf aan.

En weer, net als in de kerker van Milla Tamirova, voelde ze zich als verlamd, volslagen machteloos, alsof ze weer haar bewuste wil kwijt was.

'Degene die je dit heeft aangedaan, die je heeft misbruikt, zal dan winnen.' Milla Tamirova had geglimlacht en gezegd: 'Maar dat kunnen we niet hebben, hè, kindje?'

Milla Tamirova kende echter niet de andere reden voor haar volslagen machteloosheid, omdat Alli die niet had durven vertellen. Vanwege de drang om zichzelf open te snijden, om het lef te hebben om het geheim naar buiten te laten, beefde ze hevig en brak het koude zweet haar uit. Ze voelde het bed onder zich trillen. Of trilde het bed door haar eigen lichaam?

Je bent een lafaard. Morgan Herrs stem echode in haar hoofd. *Je bent een kleine jankende bitch en wie heeft er voor jouw lafheid betaald? Nou, wie heeft er betaald?*

Pijnlijk snikkend lag ze achterover op haar bed. Ze draaide zich op een zij en trok het dekbed over zich heen. Even later was ze diep in slaap en droomde over de campus met de vele bomen van Langley Fields. De zon scheen in Emma's gezicht, die naast haar fluisterde, dus kon ze haar ogen, die meestal zo transparant als water waren, niet zien. Toen liep Alli in de schaduw van een perenboom en keek ze naar Emma en begon te gillen en te gillen en kon er niet meer mee stoppen.

Jack duwde Annika van zich af. Niet hard, maar wel kordaat, zodat ze het goed zou begrijpen.

Eén helft van hem vond dat hij aan Sharon zou moeten denken, maar Sharon was op elke denkbare manier heel ver weg. Ze was voor hem verloren op de manier waarop hij gevreesd had Emma te verliezen. Hij realiseerde zich nu dat ze vanaf de eerste keer dat hij Sharon had ontmoet, vanaf hun eerste gloeiende samenzijn, op weg waren naar hun breuk. Zoals een lijk dat in de golven zinkt en binnen één seconde niets meer is dan een reflectie, een herinnering aan wat het was of aan wat het had kunnen zijn. Hoe dan ook, het verloor zijn samenhang, als daar tenminste ooit sprake van was geweest, en verdween in de vergetelheid.

Emma was hun enige kans geweest om samen te blijven, maar eigenlijk was dat valse hoop. Even stelde hij zich voor hoe zijn leven zou zijn als Emma niet was doodgegaan en de onontkoombare conclusie was dat wat betreft Sharon en hem er niets anders zou zijn. Vanaf het moment dat Emma was geboren, waren ze het over alles oneens wat op hun dochter betrekking had. Een gevaarlijk lukrake methode om een kind op te voeden, maar ze waren allebei blind voor hun eigen onvolwassen-heid. Het was voor hen het verkeerde moment geweest om ouders te worden en ze hadden het verkeerd aangepakt door hun fundamentele verschillen in de publieke arena te brengen.

Zijn andere helft was hard en hitsig. Hoewel hij zich ertegen verzette, haalde hij kort en oppervlakkig adem, alsof hij bijna aan het eind van een lange, zware race was gekomen. Hij wist dat het denken aan Sharon en hun breuk bedoeld was om hem af te leiden van zijn huidige situatie, maar zijn geest weigerde in het verleden te blijven en kwam elke keer weer terug bij de verleidelijke prikkels die hij met al zijn zintuigen waar-nam.

Hij zoog Annika's geur in zich op, voelde de warmte van haar lichaam, hoorde het zachte zuchten van haar adem als wind door boomkruinen. Hij kon er niets aan doen, maar de smaak die ze op zijn lippen had ach-tergelaten was de eerste hap van een verse perzik.

Hij draaide zijn hoofd en zag dat ze op haar rechterzij lag, met haar rug naar hem toe. Haar lichaam lag een beetje in een bocht, waardoor ze er kwetsbaar uitzag, alsof ze al diep in slaap was. Maar door haar ademha-ling wist hij dat ze wakker was.

Haar shirt was omhooggekropen en hij zag een stuk blote rug. Zijn adem stokte toen hij haar littekens zag. Hoe zwaar was Alli's mishande-ling geweest, hoe diep was haar angst en haar lijden? Hoe diep was Morgan Herr in haar geest doorgedrongen? *De verschrikkingen verdwij-nen zoals dromen wanneer we wakker worden en aan onze dagelijkse bezig-heden beginnen*, had ze gezegd, wat hem verbaasde. Vanaf het moment dat Annika's littekens voor hem lagen, toen het in hem opkwam om ze aan te raken en haar te vragen hoe ze eraan was gekomen, drong het tot hem door dat er ook iets voyeuristisch, iets obsceens zat in het snuffelen in iemands verleden. Toch was dat wel wat de mensen tegenwoordig deden, en hoe gemener dat verleden was, hoe groter de drang om te snuffelen werd, om achter het waarom te komen, terwijl eigenlijk het tegenovergestelde logischer en gepaster was. Maar er was niets logisch aan de reflex om naar een auto-ongeluk te kijken, om gefascineerd te zien hoe de lichamen uit het wrak werden gehaald en te denken: hoe zwaar zijn ze gewond? Zijn ze dood of leven ze nog? Godzijdank zit ik hier gezond en wel, en rij ik langs dit ongeluk, maar rustig aan, kalm, ik wil meer bloed zien.

Zonder zich precies te realiseren wat hij aan het doen was of aan de consequenties te denken, stak hij een arm uit. Toen hij zijn hand op haar heup legde, maakte ze een geluidje dat geen zucht en geen kreun was, maar iets van beide had. Dat geluidje bracht iets op gang, bevrijdde hem van het veiligheidsmechanisme dat alles had uitgeschakeld wat hij had gevoeld vanaf het moment dat hij over de drempel van de slaapkamer was gestapt.

'Vergeet het maar,' zei ze gedempt, door haar kussen of vanachter haar arm. 'Ik wil je nu niet.'

Lachend haalde hij zijn hand weg en deed het bedlampje uit. Ze lagen nu in het halfdonker. Toch had hij het gevoel dat hij in een duisternis was gevallen die zo dik was, dat hij zijn oriëntatie kwijt kon raken, net als wanneer hij op zee was en er nergens land te zien was. Hij vroeg zich af of hij weg zou gaan of aan de andere kant van het bed zou proberen te gaan slapen. Op dat moment draaide ze zich zo lenig als een turnster om, sloeg haar armen om hem heen en drukte haar zachte, halfgeopende lippen op de zijne. Hij voelde haar hijgende adem toen zijn mond de hare sloot.

Hun lichamen bewogen ritmisch in een heen-en-weer gaande beweging die erg op die van de zee leek. Ze waren motoren die op toeren kwamen, ernaar smachtten om bevrijd te worden, verlangend naar de razernij die alleen een voertuig op hoge snelheid en net niet helemaal onder controle kon ontwikkelen, opgeroepen als een geest of djinn, uit schaduwen waar nooit iemand keek.

In haar verloor hij alle gevoel voor tijd en plaats, zich er amper van bewust dat hij door in de vergetelheid te duiken een eind probeerde te maken aan de ontbinding van zijn leven.

15

'De moord op Lloyd Berns was vrijwel zeker het werk van Benson en Thomson.' Dennis Paull, minister van Binnenlandse Veiligheid, leunde gespannen naar voren en probeerde zacht te blijven praten. Hij doelde op twee prominente leden van de vorige regering: Miles Benson, de oorlogsveteraan en vorige directeur van de CIA, en Morgan Thomson, de vorige adviseur Nationale Veiligheid, de laatste van de neoconservatieven die zijn macht had weten te behouden, wat voornamelijk was gelukt door zijn banden met bedrijven die oorlogsmaterieel produceerden.

Op een van die vochtige dagen in Washington, wanneer winter en voorjaar, voor even gelijkwaardig, tot een patstelling kwamen, stonden zeven van de machtigste mannen van de hoofdstad – en dus van Amerika – naast elkaar bij het verse graf van senator Lloyd Berns en volgden de rouwpracht en het gala van diens begrafenis tussen de gevallen helden van het land op Arlington National Cemetery.

Paull stond met president Carson; vicepresident Arlen Crawford, de grote, ruige, gebruinde ex-senator uit Texas; Kinkaid Marshall, het nieuwe hoofd van de NSA; G. Robert Kroftt, directeur van de CIA; Bill Rogers, de adviseur Nationale Veiligheid; en generaal Atcheson Brandt, die de delicate afspraken met de Russische president Joekin voor Carsons historische Amerikaans-Russische veiligheidsakkoord had voorbereid. Deze ontmoeting volgde op de herdenkingsdienst en nadat Berns' familie – vrouw, zus, twee zonen en een dochter – stijf en huilend handenvol aarde op de kist hadden gegooid. Rondom de zeven mannen stonden op discrete afstand een aantal medewerkers van de Geheime Dienst, die allemaal over de zee van zerken, bloemstukken, rouwenden, miniatuur Amerikaanse vlaggetjes en de voor deze gelegenheid ontstoken eeuwige vlam uitkeken.

'Je hebt ons geen bewijzen geleverd, Denny,' zei Marshall. 'Maar zelfs als je die had, wat willen ze dan bereiken met Lloyds dood?'

'Ik heb Ben Hearth al benoemd tot de nieuwe minderheidsleider,' vertelde president Carson, 'en hij maakt het de oppositie lastiger dan Lloyd ooit heeft gedaan. Ik suggereer niet dat Benson en Thomson geen machtige vijanden meer zijn, maar dat motief is waardeloos.' Hij spreidde zijn handen. 'En wat hebben we nog meer?' Even overwoog hij over Jacks missie te vertellen, maar hij verwierp dat idee bijna meteen weer. 'Als we even de zaak van het overlijden van senator Berns buiten beschouwing laten, dan ben ik nog steeds van mening dat onze aandacht vooral dient uit te gaan naar de veranderingen die binnen het Kremlin plaatsvinden, zelfs op dit moment dat we staan te praten.' Dit kwam van CIA-directeur Kroftt, die heel begrijpelijk geschrokken was van de recente ontwikkelingen in Rusland.

Vicepresident Crawford knikte meelevend. 'De zware val van Ruslands op energie gebaseerde economie heeft mensen binnen het Kremlin – zeker president Joekin – nerveus gemaakt over de duur van de invloed van het land.'

'Feit is,' ging Kroftt verder, 'dat Rusland als macht sinds het einde van de Koude Oorlog is teruggevallen. Het besluit van het Westen om Kosovo formeel als een onafhankelijke Servische staat te erkennen, is een teken dat de Russische invloedssfeer krimpt. Vanaf dat moment spint het Kremlin nieuwe webben en het heeft een plan ontwikkeld dat het land weer op zijn oude niveau zal terugbrengen.'

'Sorry, maar ik zou een observatie en een paar onontkoombare feiten willen inbrengen,' zei generaal Brandt. 'De Baltische staten, de Balkan, de Kaukasus, heel Midden-Azië en Midden-Europa maken allemaal hetzelfde door als Rusland.'

Carson zag hoe Lloyds familie langzaam naar de limo's liep die hen hadden gebracht en hoe een klein jongetje zich omdraaide en naar het graf van zijn opa keek. Carson herkende hem, want hij was het enige kleinkind dat de hele dienst met droge ogen had uitgezeten. Maar nu, met zijn rug naar de familie, voelde hij zich vrij om zijn angst en verdriet te laten gaan en huilde openlijk. Misschien dacht hij eraan hoe zijn opa hem meenam naar de dierentuin of naar een film, bedacht hij dat hij zich van zijn opa vol mocht proppen met chocolade en ijs. Wat hij zeer zeker niet wist, was dat zijn geliefde opa een maîtresse achterliet, een mysterieuze jongere vrouw die waarschijnlijk zelf rouwde om zijn overlijden, waar ze dan ook mocht zijn. Nu hij naar het verdriet keek dat uit het kind stroomde, dacht hij aan zijn eigen dochter, die op alle denkbare manieren zo heel ver weg was. Die gedachte stak door zijn hart, maakte dat hij naar dat kind wilde rennen, het in zijn armen wilde nemen en het wilde vertellen dat alles goed kwam.

'Maar,' ging Brandt verder, 'Rusland heeft nog altijd een groot voordeel ten opzichte van de omringende buurlanden, omdat het nog grote voorraden aardgas heeft. Het heeft enorme reserves, zowel in fondsen als in valuta, meer dan al die andere landen bij elkaar. Verder beheert en controleert Rusland het aardgas en voorziet het praktisch heel West-Europa ervan.'

'Helemaal correct,' was Kroftt het met hem eens, 'op dit gebied.' Hij schraapte zijn keel terwijl hij gekopieerde dossiers uitdeelde. 'Maar mijn Rusland-afdeling heeft een witboek opgesteld. De belangrijkste boodschap is: gezien de succesvolle Russische militaire inval in Georgië verwachten we een toename van de Russische macht door een drievoudige strategie, op militair, inlichtingen- en energiegebied. Op termijn houdt dit in dat de periode van de Russische terugval voorbij is. Joekin wil zijn invloedssfeer over de grenzen weer uitbreiden, wil Georgië en Oekraïne weer in zijn macht krijgen, om zijn eerste twee strategische expansiedoelen maar even te noemen.'

'Dit is allemaal puur giswerk en is al eerder in andere bewoordingen door andere leden van de Inlichtingendiensten naar voren gebracht.' Generaal Brandt sloot het dossier dat hij vluchtig had doorgebladerd, en zei tegen Carson: 'Meneer, zoals u weet heb ik veel een-op-eengesprekken met president Joekin gevoerd in de afgelopen acht jaar, en in al die tijd heb ik totaal niets gemerkt van dit oorlogszuchtige scenario.'

'Sorry, generaal,' teemde Crawford, 'maar ik zie niet wat het voor Joekin voor nut zou hebben om u van zijn plannen op de hoogte te brengen. Integendeel, gezien de vijandige reactie van de vorige regering op Ruslands oorlog met Georgië doet hij waarschijnlijk juist moeite om u niets te laten weten.'

'Het zijn juist de schrijnende fouten van de vorige regering ten opzichte van Rusland die ik als een gek probeer recht te trekken,' zei generaal Brandt. 'Wat we nou net niet willen is een terugkeer naar die oude vijandige houding, die leidde tot bittere woordenwisselingen tussen het Witte Huis en het Kremlin.'

'De tijd van het Kremlin is voorbij, wat de reden is dat alles en iedereen die ervan verdacht wordt er tegen te zijn, wordt aangepakt.' De CIA-directeur bladerde door het dossier. 'Zoals jullie allemaal kunnen lezen in de stukken op pagina vijf, maken we ons zeer bezorgd over Oekraïne, omdat het strategisch gezien de hoeksteen is van alle Russische expansie. Oekraïne geeft Rusland toegang tot de Zwarte Zee en van daaruit tot het mediterrane gebied. Zonder Oekraïne is Rusland kwetsbaar in het zuiden en westen. Bovendien is er het grote voordeel van een Russisch sprekende bevolking, en het Oekraïense transportwezen is al zeer verweven met de Russische agrarische, industriële en energiehandel. Daardoor is het absoluut noodzakelijk om dat land in te lijven.'

Kroftt sloeg het dossier dicht. 'Dit klopt allemaal, maar er zit nog een ander aspect aan de Russische plannen met Oekraïne waar we ons zorgen om maken. Net zoals hij met Gazprom heeft gedaan, heeft Joekin de Russische uraniumindustrie genationaliseerd. Net als China, voorziet Rusland geen leefbare toekomst zonder dat atoomenergie de plaats van kolen, olie en zelfs aardgas heeft overgenomen. Het probleem is dat Rusland zelf veel minder uranium heeft dan hun geologen drie jaar geleden hadden voorspeld. Dat betekent dat Joekin zich buiten de huidige Russische grenzen móét wagen om reserves op te bouwen.'

Het hoofd van generaal Brandt schoot omhoog. 'Heb jij iets gehoord wat ik niet heb gehoord, Bob? Want er is geen enkele indicatie dat Oekraïne een belangrijke bron is of kan worden voor uranium.'

Voor het eerst keek de CIA-directeur wat minder zelfverzekerd. 'Dat is precies het raadsel waar we mee worstelen. De generaal heeft gelijk. Tot op heden is er geen grote uraniumvondst gedaan in Oekraïne.'

Generaal Brandt zei beschuldigend: 'Meneer, ik wil niet het harde werken van de CIA aan dit witboek ter discussie stellen, maar er is in de afgelopen acht jaar zoveel schade toegebracht aan de relatie met het Kremlin, dat alleen al het overhalen van president Joekin om in te stemmen met een topontmoeting met u ontelbare uren bloed, zweet en tranen heeft gekost. Ik ben – met alle respect – van mening dat dit niet het moment is voor onbezonnen acties, oorlogsdreiging of beschuldigingen. Meneer, we hebben samen belangrijke vooruitgang geboekt. We hebben een diplomatieke detente met Rusland bereikt. U staat op het punt om een akkoord te ondertekenen dat de oplossing zal brengen voor de wereldomvattende impasse ten aanzien van de dreiging van Iraanse nucleaire wapens en dat de veiligheid van het Amerikaanse volk op een hoger niveau zal brengen.' Hij keek naar de grimmige gezichten om zich heen. 'Willen we echt uw presidentiële erfenis op het spel zetten op basis van één inlichtingenrapport? Trouwens, we zijn ons er toch allemaal pijnlijk van bewust dat onze militaire capaciteit in het buitenland bijna zijn top heeft bereikt.'

'Edward,' zei de vicepresident met zijn bedrieglijk zachte Texaanse tong-val, 'je kunt nu niet van ons standpunt afwijken. De pers zal je afmaken; je eigen partij zal je beschuldigen van draaikonterij over een onderwerp dat in de eerste honderd dagen van je bewind een hoeksteen was.'

Het werd stil. Iedereen keek naar de president, wachtte op een ant-woord. Hij had veel van zijn reputatie op het spel gezet voor deze toe-nadering tot Rusland. Had veel politieke goodwill gestoken in de twee wetsontwerpen die het Congres niet waren gepasseerd. Als het akkoord met Joekin niet werd gesloten, riskeerde hij dat hij voor de rest van zijn regeerperiode politiek gezien monddood was, en kon hij een tweede periode wel vergeten. Ongeacht wat zijn privé-ideeën over dit onder-werp waren, alle aanwezigen wisten dat de president geen keus had.

Carson zocht met zijn ogen weer naar het jongetje, maar dat was weg, zat op de achterbank van een van de anonieme limo's. Huilde hij nog of had hij te midden van zijn familie zijn stoïcijnse gezicht weer opgezet? Alles komt goed, dacht Carson. Toen keerde hij met zijn gedachten weer terug naar hun gespreksonderwerp en zuchtte. 'De generaal heeft gelijk. Voor nu laten we dit onderwerp rusten. Wat we hier hebben be-sproken, blijft onder ons.' En tegen zijn CIA-directeur: 'Bob, ondertus-sen gaan je mensen verder met het witboek. Ik wil details. Als en wan-neer jouw mensen een bewijs opgraven, dan gaan we daarmee verder, maar niet eerder. En Dennis, blijf op alle manieren druk uitoefenen op het onderzoek naar de moord op Lloyd. Als daarbij iets opduikt, wil ik het direct weten. Oké?' Hij knikte. 'Mooi. Heren, bedankt voor jullie waardevolle bijdragen en meningen. Nu is het tijd dat ik naar Moskou terugga. Generaal, je hebt minder dan twee uur om je spullen bij elkaar te zoeken en naar Andrews te gaan. Ik wil dat je erbij bent als ik presi-dent Joekin weer spreek. Dennis, jij blijft bij mij.'

Zodra ze in de presidentiële limo op weg waren naar de luchtmachtbasis Andrews, sloeg Carson met het witboek tegen zijn heup en zei tegen Dennis Paull, zijn jarenlange vertrouweling: 'Om eerlijk te zijn, Dennis, maak ik me zorgen over dit rapport, zeker over Joekins plannen met Oekraïne. Die invasie in Georgië was al erg, maar als hij ook Oekraïne wil binnenvallen, hoe kunnen wij dan blijven nietsdoen?'

'Dat rapport is geheim en net als alle geheime info is het niet heilig,' zei Paull terwijl hij gemakkelijk ging zitten op de pluchen achterbank. 'En na zes jaar constante oorlog zijn onze militairen eraan toe om uit het veld te worden gehaald. De mannen moeten tot rust komen. Maar stel dat de informatie klopt, dan verandert dat toch niets? Je bedoelingen zijn bekend, je positie is duidelijk.' Hij haalde een sigaar uit zijn borstzakje, stak die tussen zijn tanden en ging op zoek naar lucifers of een aansteker. 'Het is niet belangrijk wat voor actie Joekin onderneemt of plant, het is niet belangrijk of je die klootzak aardig vindt of hem haat. Het akkoord moet ondertekend worden, en wel zo snel mogelijk.'

'Dat ben ik met je eens, maar Brandt heeft me gevraagd om snel langs een paar ondergeschikte punten in de onderhandelingen te gaan.'

'Niet op ingaan,' zei Paull vastbesloten. 'Ik moet benadrukken dat zodra het veiligheidsakkoord is ondertekend, Joekins handen gebonden zullen zijn. Hij kan dan niet meer het scenario uitvoeren dat Bob heeft geschetst, niet met ons als bondgenoten. Nee, de beste manier om de Russische expansie tegen te gaan, is jouw belofte zo snel mogelijk inlossen.'

Carson schoof het dossier weg. 'Nog geen negentig dagen in functie en ik heb nu al vuile handen.'

'Politici horen vuile handen te hebben,' vond Paull slim, en hij stak zijn sigaar aan. 'De truc is te regeren zonder je over die vuile handen zorgen te maken.'

'Nee, de truc is dat je ze constant wast.'

Tevreden blies Paull rook uit. 'Lady Macbeth heeft dat zonder veel succes geprobeerd.'

'Lady Macbeth was krankzinnig.'

'Ik vind krankzinnigheid inherent aan politiek, of minstens een onnatuurlijke vaardigheid om te rationaliseren, wat een vorm van krankzinnigheid is.'

'De vaardigheid om te rationaliseren is een eigenschap die alle mensen hebben,' vond Carson.

'Misschien wel,' zei Paull vanachter een geurige rookwolk, 'maar zeker niet op zo'n grote schaal.'

Carson zuchtte. 'Maar goed, het is niet de eerste keer dat ik vuile handen krijg.'

'En we weten allebei dat het niet de laatste keer zal zijn.'

Paull boog naar voren en drukte op een knop zodat het privacyraam op zijn plek gleed, waardoor hun gesprek niet meer kon worden gevolgd door de chauffeur of de escorte van de Geheime Dienst. 'Nu we het erover hebben,' zei hij zachtjes, 'ik wil iedereen in het kabinet laten natrekken.'

De president schoot overeind. 'Verdenk je iemand? Waarvan?'

'Van niets, van alles.' Paull haalde de sigaar tussen zijn tanden uit. 'Ik zal je vertellen hoe de situatie er vanuit mijn gunstige positie uitziet, Edward. Eerlijk gezegd vertrouw ik niemand van je vertrouwelingen. Volgens mij hebben Benson en Thomson stappen ondernomen waardoor ze precies weten wat je plannen zijn voordat je ze uitvoert.'

'Denny, wat je nu beweert…'

'Laat me alsjeblieft uitpraten. Bedenk dat je eerste twee wetsvoorstellen door het Congres zijn afgewezen, een gênante nederlaag voor een nieuwe president. Bedenk dat Lloyd Berns je had verzekerd dat hij genoeg stemmen van de andere kant van het pad zou hebben om die wetten erdoor te krijgen, maar om onverklaarbare redenen had hij ongelijk. Het leek wel alsof iemand met de juiste senatoren had gesproken voordat Berns dat deed, wat alleen kan zijn gebeurd als de oppositie wist welke besluiten het kabinet zou nemen.'

De president ademde geschrokken uit. 'Kom op, Denny. Ik ken je al heel lang, maar dit klinkt absurd. Wat je nu insinueert, is dat een lid van mijn kabinet informatie lekt naar mijn vijanden.'

'Ik insinueer niets. Ik zeg het recht voor zijn raap.'

'En waarop baseer je dat? Vage bewijzen, een paar tegenslagen, die normaal…'

'Met alle respect, Edward, de reeks tegenslagen die we hebben gehad, is nou niet bepaald normaal.'

De president maakte een geërgerd geluid. 'Maar daar kunnen een heleboel verklaringen voor gegeven worden, die stuk voor stuk heel onschuldig kunnen zijn.'

'Onschuld past niet bij politiek, dat weet je net zo goed als ik. En, als ik het mag zeggen, je verkeert niet in de luxepositie om verdenkingen naast je neer te kunnen leggen. Als ik gelijk heb, zijn je vijanden al begonnen om jouw presidentschap te ondermijnen. We moeten je vijanden kortwieken, en dan bedoel ik meteen.'

Carson dacht diep na. Uiteindelijk knikte hij. 'Oké, Denny. Begin er maar mee zodra we op kantoor zijn. Stel een team samen…'

'Nee. Ik ga het alleen doen, onofficieel, buiten kantoor. Ik wil geen enkel spoor achterlaten.'

De president wreef over zijn slapen. 'Je weet dat dit het soort opdracht is dat Jack zou moeten doen.'

'Natuurlijk. Maar jij hebt hem een opdracht gegeven die hier volgens mij parallel aan loopt.'

'Ik vond het verschrikkelijk om tegen hem te moeten liegen.'
'Je hebt niet gelogen. Je hebt wat kennis achtergehouden. En daar heb je verdomd goede redenen voor.'
'Jack is een vriend, Denny. Hij heeft mijn dochter bij me teruggebracht. Ik ben hem meer verschuldigd dan ik hem ooit zal kunnen terugbetalen.'
'Vertrouw dan op zijn kunde.' Paull drukte zijn sigaar uit. 'Op dit moment kunnen we niet meer doen.'

Omstrengeld en omgeven door de zacht ademende nacht, praatten Jack en Annika op de heimelijke toon van geesten.
'Wat denk je dat er aan de andere kant van deze muren gebeurt,' zei Annika. 'In de gang, in de andere appartementen in dit gebouw, buiten op straat, in andere wijken van de stad? Dat is onmogelijk om te weten, net zoals het onmogelijk is om te weten wie er aan ons denkt, denkt aan ons volgen, denkt aan het ontfutselen van de geheimen die we dicht bij ons houden, denkt aan moord en mishandeling.' Ze draaide zich in zijn armen om. 'Wat zijn jouw geheimen, Jack, de geheimen die je het dichtst bij je houdt?'
'Mijn vrouw heeft me verlaten, voor de tweede keer.' Jack zei het zo heftig dat het dreigend klonk. 'Wie weet er nou in vredesnaam welke geheimen er in het menselijk hart zitten?'
Annika wachtte even, mogelijk zodat hij wat rustiger werd, en zei toen: 'Wat was dat allemaal op de bank onder de Tibetaanse mandala?'
Jack sloot even zijn ogen, voelde zijn hart bonken. 'Niets.'
'Dus je praatte met een geest, was dat het?'
'Ik praatte met een geheim.'
'Een geheim dat Alli kent.'
'Zij en ik, ja.'
'Dat bevestigt alleen maar wat ik net zei. We weten zo weinig, nog minder dan we denken, nog minder dan we geloven.' Ze legde een hand op zijn arm en volgde zijn aderen naar beneden, naar de rug van zijn hand. 'Dus je wilt me dat geheim niet vertellen. Maar ik durf te wedden dat het niets te maken heeft met je vrouw, of ex-vrouw, want zij is slechts een woord en woorden vervagen ontzettend snel. Het moet met je dochter te maken hebben, met Emma.' Haar vingers verstrengelden zich met de zijne. 'Was zij dat, op de bank? Is ze daar, nu?'
'Emma is dood. Dat heb ik je verteld.'

'Mmm. Is ze een van de dingen waar we niets over weten?'
'Wat bedoel je?' Hij wist precies wat ze bedoelde, maar Emma was veel te intiem, veel te kostbaar om te delen.
'Ik heb een man gedood, dat weet je, maar ik weet nog altijd niets over de dood. Jij wel?'
'Hoe moet ik dat weten?'
'Tja, hoe? Ik heb me diezelfde vraag zo vaak gesteld sinds ik je op die bank zag zitten, en het antwoord dat ik heb gevonden is: volgens mij weet jij er meer van dan ik. Volgens mij praatte jij met de dood, of met iets als de dood, onder die Tibetaanse mandala.'
'Wat een belachelijk idee.'
Slapjes probeerde hij zich uit haar omstrengeling los te maken, maar ze klom boven op hem, reikte naar beneden en haar vingers omsloten hem.
'We hebben allemaal soms belachelijke ideeën.' Ze streelde hem langzaam, bracht hem in de stemming. 'Zo zijn mensen.'

Djadja Goerdjiev was midden in de nacht koffie aan het zetten, zo sterk dat hij voor de rest van de nacht wakker zou blijven, toen zijn hart door een roffel op de deur een slag oversloeg. Hij zette de plastic schep vol versgemalen koffie neer en liep op zijn sloffen door de keuken en de woonkamer. Er werd weer geroffeld, deze keer dringender, als dat tenminste mogelijk was.
'Wie is daar?' vroeg hij, met zijn wang bijna tegen de deur.
'Doe open,' zei een stem aan de andere kant, 'anders ram ik de deur open.'
Zich mentaal voorbereidend op wat zou komen, draaide Djadja Goerdjiev het slot open. Zodra hij de knop behoedzaam omdraaide, schoot de deur naar binnen open. Als hij niet snel aan de kant was gesprongen, zou de deur het bot boven zijn oogkas hebben verbrijzeld.
Twee mannen schoten naar binnen en een van hen ramde de deur achter hen dicht. Hij was de spierbundel, degene met het Makarov-pistool. De andere man was Kaolin Arsov. Hoofd van de Izmajlovskaja-groeperovka-familie in Moskou. Djadja Goerdjiev verwachtte hem al min of meer vanaf het moment dat Annika en haar nieuwe vrienden bij hem waren weggegaan.
Arsov had de ogen van een roofdier en de huid van een dode vis, alsof hij meer van het donker dan van het zonlicht hield. Misschien was hij allergisch of had hij op een perverse manier een hekel aan natuurlijk licht.

Hij was het soort man dat je liever niet tegenover je had, een man wiens sterke arm je aan jouw kant wilde hebben in, zeg, een messen- of een straatgevecht, zelfs als zijn inschatting twijfelachtig was. Hij zou zijn broer aan de hoogst biedende verkopen – Djadja Gourjiev wist toevallig dat hij dat inderdaad had gedaan – om territorium en prestige te winnen, maar op een ooit gegeven woord kwam hij nooit meer terug, wat in zijn wereld de enige ware en blijvende maatstaf voor een man was.

'Gospodin Goerdjiev, wat een genot om je weer te zien.' Zijn mond lachte, maar zijn ogen bleven zo koud en berekenend als van elk roofdier.

'Ik ben bang dat ik niet hetzelfde kan zeggen.' Djadja Goerdjiev gaf geen krimp, wat het beste was wat hij in deze situatie kon doen. Arsov kon angst en onzekerheid op kilometers afstand ruiken. Zwakte, van welke soort dan ook, was wat hij zocht; hij gebruikte die om zijn prooi mee om de oren te slaan, want voor hem bestond de wereld uit kracht en zwakte, met niets ertussenin. Niet dat Djadja Goerdjiev dacht dat Arsov hem zag als een prooi, maar uiteindelijk was het verschil verwaarloosbaar. Goerdjiev was iemand om te intimideren, iemand om mee te spelen, iemand van wie hij informatie kon loskrijgen. Zo zou Arsov het spelen; mensen als hij brachten geen verrassingen. Ze waren net stalen steunbalken, ze bogen niet en braken niet, vonden zichzelf onoverwinnelijk.

Arsov haalde zijn schouders op terwijl hij door de woonkamer banjerde. Hij pakte hier een beeldje, daar een ingelijste foto en bekeek ze met zijn koude ogen. Hij zette ze expres zomaar ergens weer neer, alsof hij wilde waarschuwen dat hij, Arsov, de macht had om de wereld van Djadja Goerdjiev op zijn kop te zetten. 'Geeft niet. Ik ben hier voor Annika. Waar is ze?'

'Aan de andere kant van de wereld. Ver van jouw klauwen vandaan.'

'En jij hebt haar natuurlijk geholpen om daar te komen.' Arsov onderbrak zijn wandeling en grinnikte, waardoor zijn onnatuurlijk lange, wolfachtige tanden zichtbaar werden. 'Waar dat "daar" ook is.'

'Ik weet niet waar ze is.'

Arsov gaapte. Zijn adem stonk naar wodka, goedkope sigaretten en een maag die daar niet tegen kon. 'Ik geloof je niet.'

'Daar kan ik niets aan doen.'

Arsovs hoofd knikte amper, maar zijn spierbundel spande de haan van de Makarov.

'Dat is niet zo'n goed idee.' Djadja Goerdjiev gaf nog steeds geen krimp. Arsov wenkte met een achteloos gebaar dat amper zichtbaar was naar zijn man, alsof het leven of de dood van Djadja Goerdjiev er weinig toe deed. 'Ik bepaal of het wel of niet een goed idee is, oude man.'

'Hij heeft gelijk, Arsov, het is geen goed idee.' De man die dit had gezegd verscheen zo stil als een engel, of een demon, uit de keuken. Hij had brede schouders en slanke heupen. Met een bril met een stalen montuur leek hij net op een professor of een accountant. Toch had hij iets over zich waardoor de toeschouwer op zijn hoede was en pas op de plaats maakte, alsof hij ineens door een stroom lucht werd geraakt. Een ijzige kou dreef de kamer in, alsof de man alle zuurstof uit de lucht had gehaald.

Arsovs wenkbrauwen gingen onaangenaam verrast omhoog. 'Ik had er geen idee van dat jij hier kon zijn.'

Oriel Jovovitsj Batsjoek spreidde zijn armen. 'En toch ben ik hier.' Zijn hagedissenogen keken naar de spierbundel. 'Doe dat idiote ding weg voor je jezelf verwondt.'

De man mompelde iets en keek naar zijn baas voor orders.

'Wat zei je?' vroeg Batsjoek.

'Ik zei dat ik geen orders van je aanneem.'

En toen gebeurde er van alles tegelijkertijd. De spierbundel bracht de Makarov omhoog, Arsov begon iets te zeggen en Batsjoek stak zijn linkerarm omhoog alsof hij het verkeer wilde regelen of naar een vriend aan de overkant van de straat wilde zwaaien. Er schoot iets kleins uit de ruimte tussen zijn manchet en zijn pols, het zeilde door de lucht en begroef zichzelf midden in de keel van de spierbundel. De man liet het pistool vallen en greep met tien trillende vingers naar zijn keel. Hij snakte naar adem en zijn lippen werden blauw. Er verscheen wit schuim rond zijn halfgeopende mond en hij zakte in elkaar.

'En van wie neem je nu wel orders aan?' zei Batsjoek, eerder medelijdend dan ironisch. Vervolgens keek hij glimlachend naar Arsov, zonder iets van emotie te tonen, en zei: 'Nou, Arsov, wat zei je ook alweer?'

'Ik heb een legitieme klacht,' zei Arsov, die als gehypnotiseerd naar zijn eigen man keek, nu niet veel meer dan een stuk vlees dat vergiftigd was door een dartpijl, gedrenkt in blauwzuur. 'Annika Dementieva moet boeten voor de moord die ze heeft gepleegd.'

'Je laat Annika aan mij over.'

Arsov keek Batsjoek eindelijk in de ogen. 'U hebt me zelf gegarandeerd absoluut niet te zullen ingrijpen.'

'Ik zei dat ik de zaak zou regelen.' De vicepremier schraapte zijn keel. 'Er zal niet meer worden ingegrepen in de handel van de Izmajlovskaja.'

Arsov knikte. Toen hij over zijn dode bodyguard wilde stappen, zei Batsjoek: 'Jij hebt hem hier gebracht, je neemt hem ook weer mee.'

Grommend sleepte de maffiabaas het lijk naar de voordeur en maakte die open. Toen hij het lijk over de drempel wilde trekken, zei Batsjoek: 'Een klacht is geen excuus voor grofheid. Je bent nu in de grote wereld, Arsov, vergeet dat niet.'

Achter de twee mannen sloeg de deur dicht. In drie grote passen was Batsjoek de kamer door, deed de deur op slot en draaide zich weer om naar zijn gastheer. 'Het schorem dat tegenwoordig over straat loopt.' Hij klakte hoofdschuddend met zijn tong. 'Misschien moet ik over een weekje maar eens een verdelger langs sturen.'

'Dat is niet nodig, Oriel Jovovitsj.' Djadja Goerdjiev ging naar de keuken om verder te gaan met koffiezetten.

'Toch zou het handig kunnen zijn,' zei de vicepremier, die tegen de deurpost hing.

'Ik heb het liever niet.' Djadja Goerdjiev zette de koffiepot op de gaspit en pakte twee glazen die zo groot waren als bierpullen. 'Maar je doet toch wat je wilt.'

'Dat is het voorrecht van de vicepremier.'

'Ik heb het over lang voordat je dat was.' Djadja Goerdjiev keek Batsjoek nu recht aan. 'Ik heb het over de jongeman die ik kende, de jongeman die...'

'Stop! Geen woord meer!' Batsjoek stak een hand omhoog, een agressief gebaar dat net zo goed tegen zichzelf als tegen de oude man gericht kon zijn.

Djadja Goerdjiev glimlachte als een vader om een stout kind. 'Het doet mijn hart goed om te weten dat nog niet al het gevoel uit je is geperst door Joekin en zijn moordbende.'

Batsjoek wachtte tot hij een dampend glas hete koffie in zijn handen had en hij een slok had genomen. 'Je wist dat deze mensen zouden komen, hè?'

'Ik wist dat het zou kunnen, ja.' Djadja Goerdjiev pakte zijn koffieglas, liep naar de woonkamer en ging in zijn favoriete stoel zitten. Batsjoek deed suiker in zijn koffie en liep al roerend met een zilveren lepeltje achter hem aan. In de woonkamer bleef hij staan, alsof hij Goerdjiev wilde herinneren aan zijn hoge positie. Maar vrij snel ging hij schuin op de bank zitten, tegenover de oude man, en zei: 'Weet je waarom Arsov belangstelling voor je kleindochter heeft?'

Heel even verstijfde Djadja Goerdjiev en keek bang. Snel vermande hij zich. 'Nee, en het interesseert me ook niet.'

'Je vertrouwt haar te veel.'

Djadja Goerdjiev gaf geen antwoord. Hij vroeg zich af of dit een waarschuwing was of een jaloerse opmerking. Het zou een van beide kunnen zijn of zelfs allebei. Het was onmogelijk om Batsjoek te peilen, dat had hij al vaak bewezen. Djadja Goerdjiev dacht aan een video die hij ooit had gezien van een olifantensafari in Rajasthan, in Noordwest-India. Voor de mensen op de olifant was niets anders te zien dan een zee van hoog gras, tot er met de snelheid van een hartklopping ineens een tijger verscheen. Die rende recht op de olifant af en sprong in een verbijsterende aanval naar de kop van de olifant en takelde de *kornak* ernstig toe. Tijgers horen helemaal geen olifanten aan te vallen, maar in tegenstelling tot andere katachtigen zijn tijgers even onvoorspelbaar als dodelijk. Djadja Goerdjiev vond Batsjoek erg lijken op deze tijger.

'Oriel Jovovitsj, alsjeblieft. Vertrouwen is absoluut: of je vertrouwt iemand of je vertrouwt iemand niet. Er is geen tussenweg.'

Batsjoek nam een slok koffie en dacht hierover na. 'Ik vertrouw niemand, waarom zou ik? Mensen maken er een sport van om tegen me te liegen. Soms denk ik dat er geld is uitgeloofd om mij iets wijs te maken.'

Djadja Goerdjiev wist dat het absurd was, maar hij wist ook dat dit de enige plek was waar Batsjoek veilig stoom kon afblazen bij iemand die luisterde. Dat hing direct samen met vertrouwen, dat in het huidige Rusland voor iedere apparatsjik een belangrijke rol speelde.

'Het lijkt wel alsof elke dag nieuwe mensen zich inschrijven voor die wedstrijd.' Batsjoek trok een gezicht. 'En je weet dat het onmogelijk is om ze allemaal te doden of om ieders ballen te roosteren.'

'Wat een andere ongeschreven sport van het Kremlin is.'

Batsjoek kon erom lachen. Eigenlijk glimlachte hij, maar voor hem was dat hetzelfde. 'De tijd heeft jouw zwaard niet bot gemaakt. Je kleindochter heeft ongetwijfeld haar scherpe tong van jou geërfd.'

'Ik heb haar gegeven wat ik kon.'

Oppervlakkig gezien was dit een eenvoudige, duidelijke uitspraak, maar bij deze mannen was niets eenvoudig, alles had onderliggende betekenislagen die de kern van hun vriendschap raakten, als je het vriendschap mocht noemen. Het was tegelijkertijd minder en veel meer, waarschijnlijk bestond er geen adequaat woord voor wat ze voor elkaar betekenden en voor hoe verweven hun verledens waren. Een paar maanden geleden had Annika een woord gebruikt, wellicht Amerikaanse *slang* of Engelse, dat in Djadja Goerdjievs hoofd was blijven hangen. Over een kameraad van haar had ze gezegd: 'Wat we eigenlijk van elkaar zijn, is *frenemies*.' Toen hij haar ernaar vroeg, had ze het woord uitgelegd. Het was een samentrekking van *friendly enemies*, bevriende vijanden, maar ze had ook toegegeven dat de relatie eigenlijk veel complexer was en dat dat gebruikelijk was bij frenemies.

Waren Batsjoek en hij frenemies? Mentaal haalde hij zijn schouders op. Dat was niet belangrijk. Waarom wilden mensen altijd ergens een naam op plakken, wilden ze altijd sorteren, catalogiseren en alles in vakjes stoppen? Zelfs dingen als relaties die in wezen zo complex waren dat ze niet te catalogiseren waren. Ze hielden van elkaar, bewonderden elkaar, vertrouwden elkaar zelfs, maar er zou altijd wrijving tussen hen zijn, altijd bitterheid, en van de kant van Djadja Goerdjiev altijd een diepe teleurstelling, waarvan de oorzaak niet weggenomen of vergeven kon worden. Toch zaten ze hier als twee oude vrienden elkaar geheimen te vertellen die ze nooit iemand anders zouden vertellen. Het was hun gedeelde geheim, hun schaamte, hun jaloezie en hun koelheid, die hen hechter verbond dan een vader en zijn zoon, dan broers. Er hing slecht bloed tussen hen, maar ook liefde – curieus, raadselachtig en onmogelijk bij andere wezens dan een mens.

'Daar valt weinig tegen in te brengen.' Batsjoek zei het op een toon die impliceerde dat er andere zaken van Djadja Goerdjiev waren waar wel wat tegen in te brengen was.

Terwijl Djadja Goerdjiev zijn koffie dronk, glimlachte hij alsof hij geheime kennis bezat, wat Batsjoek kwaad maakte en hem tevens zijn plek wees. 'Nu moet je me maar eens vertellen waarom je bent gekomen. Ik heb een paar feiten nodig om de armada van insinuaties die je hebt gelanceerd te neutraliseren.'

Batsjoek zette zijn kopje neer, stond op, ging in de deuropening staan, stak zijn handen in zijn zakken en keek fronsend naar een veeg bloed die Arsov had achtergelaten.

'Kaolin Arsov kun je geen vijand noemen,' zei hij tegen zijn glimmend gepoetste, dure Engelse schoenen. 'De Izmajlovskaja-groeperovka tegen je in het harnas jagen is hetzelfde als rampen over je afroepen.'

'Dat is Trinadtsat-praat.' Goerdjiev schudde zijn hoofd. 'Om zo te denken. Zulke waarschuwingen waren zelfs twee jaar geleden niet nodig.'

'De wereld is veranderd, verandert elke dag,' zei Batsjoek. 'Als je geen spade in je handen hebt, dan kun je beter weggaan.'

Djadja Goerdjiev keek de jongere man recht aan. 'Trinadtsat is jouw werk. Ik heb je gewaarschuwd dat het je ondergang zou worden. In bed kruipen met de groeperovka was een ernstige fout…'

'Daar was niets tegen te doen,' onderbrak Batsjoek hem.

'… en nu, zoals je inmiddels zelf hebt gemerkt, kan het niet meer ongedaan worden gemaakt. Je zult de Izmajlovskaja moeten uitroeien en zelfs Joekins maag is daar te zwak voor.'

'De situatie is op de spits gedreven, er moet met de strengst mogelijke maatregelen op gereageerd worden.'

'En nu komen we bij je wens.'

Batsjoek zuchtte en terwijl hij een hak van een schoen op de veeg bloed zette, keek hij Djadja Goerdjiev aan. 'De waarheid is dat ik de realiteit elke seconde van elke dag recht in het gezicht kijk. De waarheid is dat de groeperovka – en dan vooral de Izmajlovskaja – de macht en de toegang hebben tot wegen die cruciaal zijn voor het succes van Trinadtsat. Hij stak een vinger op. 'En vergis je niet, het is noodzakelijk voor Joekin dat Trinadtsat een succes wordt. Daar is zijn hele visie van Ruslands toekomst op gebaseerd.'

Djadja Goerdjiev keek hem onderzoekend aan, want hij wist dat ze nu bij de ware reden van dit bezoek waren gekomen. Oriel Jovovitsj Batsjoek was nu heel ver van het Kremlin vandaan, hij was niet helemaal hiernaartoe gekomen om zijn frustraties te ventileren of advies te vragen. In elk geval niet deze keer.

Batsjoek kwam een stap naar voren en legde zijn hand op de deurknop. Over zijn schouder zei hij: 'Het is je kleindochter.'

'Ach ja, natuurlijk, uiteindelijk is het altijd Annika. En weet je waarom? De mensen willen niet zien wat het beste voor ze is, niet zien wat er bestaat. Jij doet niets anders dan doen alsof, tegen jezelf en tegen mij. Jij probeert dingen uit het verleden om te vormen naar je eigen smaak, terwijl we allebei heel goed weten dat wat er gebeurd is – die verschrikkelijke dingen die nooit meer gezegd mogen worden – onveranderbaar zijn, niet om te vormen zijn en ook niet gewist kunnen worden, hoe hard of hoe vaak je het ook probeert.'

Batsjoeks ogen flitsten van woede, niemand anders op aarde durfde zo tegen hem te praten. Toen hij er zeker van was dat Djadja Goerdjiev klaar was, ging hij verder met zijn eigen gedachtegang om de oude man te laten merken hoe weinig belang hij hechtte aan diens woorden: 'Ze saboteert het werk. Ik weet niet wat ze van plan is, en jij volgens mij ook niet. Niet dat het er wat toe doet, ik weet dat je het me niet zou vertellen als je het wel wist. Maar ik weet ook dat ze niet zo stom is om het je te vertellen.'

'Ze is helemaal niet stom,' vond Djadja Goerdjiev nodig te zeggen. 'Integendeel.'

'Inderdaad, integendeel.' Batsjoek deed de deur open en de lege gang lag voor hem. Ook daarin lag een veeg bloed, maar deze was veel te groot om met zijn hak te bedekken. Zelfs met zijn hele schoen zou het niet lukken. 'En dat is precies het probleem. Ze is veel te slim voor jouw gezondheid.'

'Míjn gezondheid?'

'Ja,' gaf Batsjoek toe, en hij stapte de lege gang in. 'En voor die van haarzelf.'

16

Jack werd wakker met de geur van Annika op zich. Het was alsof hij in een andere wereld was, alsof hij gisteravond een schaal perziken had leeggegeten en daar nu naar rook. Hij deed zijn ogen open en had spijt, spijt die een vieze smaak in zijn mond achterliet. Niet dat hij het niet fijn had gevonden, want dat had hij wel, intens fijn; maar waar hij nu aan dacht, waren de consequenties, want de ervaring had hem geleerd dat er altijd consequenties waren als je seks met een ander had gehad, ongeacht wat je partner daarvoor had beweerd. Als je emoties had, dan werden die altijd opgewekt door een of ander soort intimiteit. Hij kende massa's mannen die het niet had kunnen schelen met wie ze sliepen, en die waren allemaal gescheiden of hadden een liefdeloos huwelijk. En ze kwamen nog steeds in dezelfde kroegen waar ze vroeger altijd scoorden. Maar nu voelden ze zich oud en keken alleen nog maar naar de hitsige datingplek waar ze niets meer te zoeken hadden, die ze niet meer begrepen.

Naast hem lag Annika vast in slaap. Haar diepe littekens rezen en daalden op het ritme van haar langzame, ruisende ademhaling. Ze draaide zich naar hem om. Haar hoofd lag nog steeds verzonken in het kussen. Even keek hij alleen maar naar haar, alsof ze in haar slaap hem iets over zichzelf zou vertellen. Ze bleef echter een raadsel, zoals eigenlijk alle vrouwen een raadsel bleven, en hij vroeg zich af of hij haar nu beter kende dan hij Sharon kende. Oppervlakkig beschouwd was het absurd om een vrouw die hij net had ontmoet te vergelijken met de vrouw met wie hij 23 jaar had samengewoond. Maar de waarheid staarde hem aan vanaf Annika's rustige gezicht, waar niets van af te lezen was. Oké, misschien lag er een flauwe glimlach op, alsof haar droom echter was dan de wereld waarin ze leefde, dan Jack zelf. Hij vroeg zich daardoor af of het wel mogelijk was om iemand anders te kennen. Waren er niet altijd verrassingen, die als uirokken konden worden afgepeld, waarna er een andere persoonlijkheid tevoorschijn kwam, iemand die we amper kenden of die we jarenlang geprobeerd hadden niet te begrijpen, omdat we het liefst een zelfgeconstrueerde werkelijkheid hadden die de dingen weerspiegelde die we nodig hadden?

Dat was wat hij met Sharon had gedaan, en nu die werkelijkheid die hij had geconstrueerd was gebarsten en ingestort, wist hij dat Emma gelijk had: ze hadden nooit een kans gehad. En terugkijkend was het schrijnend om te zien hoe de ene misstap tot de andere had geleid en tot nog een andere en zo maar door, een massa kleine misstappen die tot een ongeleefd leven hadden geleid. Hij vond het raar, eigenlijk zelfs lachwekkend, dat hij haar ooit in zijn armen had gehouden, dat ze lieve dingen tegen elkaar hadden gefluisterd, dat ze in elke denkbare situatie 'Ik hou van je' hadden gezegd. Dat de tijd zelf was ingestort. Het was het tegengestelde van door een huis lopen waar je ooit had gewoond of in een kamer staan die je ooit als je broekzak kende en dat er niets was veranderd. Nu waren dat huis, die kamer, die vrouw allemaal veranderd, hij kende ze niet meer, alsof hij naar het leven van een andere man keek. Hij sloot zijn ogen en wilde al die wrange herinneringen en grimmige evaluaties uitbannen die door zijn hoofd schoten als onkruid na een felle regenbui.

Hij sloeg de dekens opzij en rolde behoedzaam uit bed om haar niet wakker te maken. Hij schoot in zijn kleren, deed de deur open en liep naar de woonkamer, waar Alli klaarwakker opgekruld op de chocoladebruine bank zat, onder de mandala. Ze had een halfvolle kop warme thee vast, die ze hem gaf toen hij naast haar zat.

'Leuk gehad?' informeerde ze toen hij een slok nam.

Jack probeerde haar toon in te schatten. Was ze boos, ironisch, vond ze het maar niets of deed ze net alsof ze heel volwassen was? Hij merkte dat het hem niets uitmaakte. Nu hij naast haar zat, realiseerde hij zich hoe absurd zijn korte angstaanval was geweest; hij zou nooit zijn zoals zijn vroegere kennissen, niet zolang hij Alli had. *Ze is voor jou, Jack, in voor- en tegenspoed*, had Annika gisteren gezegd.

'En jij?'

Ze pakte de kop thee weer aan. 'Ik hoefde mijn oor niet eens tegen de muur te leggen.' Toen hij haar aankeek, zei ze guitig: 'Ik heb alles kunnen horen.'

Hij werd vuurrood. 'Sorry.'

'Dat hoeft niet.' Ze lachte. 'Maar ik weet nu wat jullie samen hebben gedaan.' Ze boog naar hem toe en snoof. 'Trouwens, je stinkt als een krolse kat.'

'Charmant.'

Uiterlijk onbewogen haalde ze haar schouders op. 'Hé, we zijn allemaal dieren als het erop aankomt.'

'Dus je vindt het niet erg?'

'Zou dat wat uitmaken?'

Heel even aarzelde hij. 'Ja, ik geloof van wel.'

Ze keek verbaasd, of misschien was geamuseerd een beter woord. 'Dank je.'

Jack pakte de kop thee weer over. Hij had behoefte aan zowel de warmte als de theïne.

Ze zag hoe hij de laatste thee opdronk en zei: 'En nu wil ik alles horen over het bezoekje van Emma.'

Alli was de enige die geloofde dat Emma was wedergekeerd of nooit weg was gegaan. Hij had het opgegeven om erachter te komen welke van de twee het was. Het was een opluchting om over deze kant van zijn leven te kunnen praten, een kant die zowel eng was als fijn.

'En daarna ga jij me alles vertellen, oké?'

Ze keek hem vragend aan. 'Waarover?'

'Dat weet je heel goed. Over wat er met je gebeurd is toen je bij Morgan Herr was.'

Toen ze de naam van haar ontvoerder hoorde, veranderde haar gezicht subtiel. Misschien was hij de enige die het kon zien en even voelde hij spijt, omdat hij haar niet van zich wilde vervreemden. Maar hij vertrouwde Annika, vertrouwde wat ze hem gisteren had verteld: *ze wil het je vertellen.*

Alli hield haar hoofd schuin. Een slecht voorteken, wist hij. 'Stel je nu een quid pro quo voor?'

'Ik vraag...'

'Als een politicus? Ben je dat geworden?'

'Laat maar zitten.' Hij sloot zijn ogen. 'Ik wil het al niet meer weten.'

'En waarom niet?' Ineens klonk haar stem dieper en donkerder, verdrietig. 'Waarom wil je het niet weten?'

'Het is te laat. Het is voorbij. In het verleden zitten alleen maar tranen.'

Ze maakte een klein geluidje, waardoor hij naar haar keek. Hij zag dat ze huilde, de tranen stroomden uit haar ogen, over haar wangen.

'Haal haar niet bij me weg. Ik mis haar nu al zo erg.'

'Ik haal helemaal niets bij je weg.' En hij trok haar in zijn armen. 'Emma al helemaal niet.'

Maar ze bedoelde niet alleen Emma, dat wist hij zeker. Ze zei ook: haal niet de kans weg om het je te vertellen. Dus nu wist hij absoluut zeker dat Annika gelijk had gehad. Hij herhaalde woord voor woord – een eitje voor zijn dyslectische hersenen – zijn gesprek met Emma, en toen hij klaar was, zei ze: 'Is het waar wat ze zei over Sharon en jou?'

Hij knikte. 'We hielden onszelf voor de gek. Er is niets meer, omdat er vanaf het begin al niets was, alleen maar seks.'

'"Dingen vallen uit elkaar, de kern kan ze niet bijeenhouden",' zei Alli. Ze citeerde Yeats, een van de dichters die ze door Emma had leren waarderen. 'Emma zei altijd dat alles wat bestond het zaad van zijn eigen ondergang in zich had.'

Weer dacht Jack aan ontbinding, aan hoe het een buitenstaander zijn, het verbergen in de schaduw, het observeren zonder dat je zelf wordt geobserveerd, zijn eigen vorm van ontbinding was, lang voor de dood.

'Zei Emma dat of Morgan Herr?'

'Ik weet niet waarom je dat wilt weten, maar ze hebben het allebei gezegd.'

Jack voelde een rilling langs zijn ruggengraat trekken, alsof Herr over zijn graf liep. 'Heeft Emma haar filosofie van hem?'

Alli schudde haar hoofd. 'Nee, maar op een bepaalde manier waren ze allebei nihilisten. Ik geloof niet dat Emma ooit de zin van het leven heeft gezien en ik weet dat hij die ook niet zag.'

'Heeft hij dat gezegd?'

'Niet met zoveel woorden.' Ze kon hem niet aankijken. 'Dat hoefde hij niet.'

'Ik zal nog wat thee zetten,' zei hij vriendelijk.

'Nee. Blijf hier, laat me niet alleen.'

Hij ging weer op de bank zitten. Het liep tegen negen uur en hij wist dat ze verder moesten, want hoe langer ze in Kiev bleven, hoe kouder Magnussens spoor zou worden. Aan de andere kant wilde hij niets doen wat de ragfijne draad met Alli's verleden die ze net was begonnen te spinnen, zou doen breken. En Annika kon alle slaap die ze kon krijgen heel goed gebruiken, met haar gewonde arm.

'Ik ga nergens naartoe,' zei hij zowel tegen zichzelf als tegen haar.

Ze glimlachte, maar het was een dun, breekbaar lachje, wat hem prikkelde. Wat zou er komen? vroeg hij zich af. Wat broeide er in haar sinds ze ontvoerd was?

'Emma kende hem al eeuwen voor ik hem leerde kennen.'

Dat wist Jack, net als hij wist dat ze het over Morgan Herr had, wiens naam ze niet over haar lippen kon krijgen.

'Emma zag iets in hem – ze heeft me nooit verteld wat – maar ik stel me voor dat ze het samen hadden over hoe de dingen uit elkaar vielen, hoe de kern het niet bij elkaar kon houden, hoe de chaos alles en iedereen in zijn ban had.'

Jack wilde wat zeggen, maar beet op zijn lippen, probeerde zijn abrupt koud geworden ledematen te verwarmen.

'Hij was charismatisch, vooral meiden voelden zich tot hem aangetrokken – dat weet je. Maar met Emma was het anders. Ze verloor zichzelf nooit in hem, adoreerde hem niet en liet zich niet door zijn charmante uiterlijk van de wijs brengen. Ze wist wat hij was, ik weet bijna zeker dat dit de reden was dat ze met hem optrok. Hij was een buitenstaander, op een hoogte die zij nooit zou bereiken. Emma zou een ander mens nooit iets aandoen, maar volgens mij wilde ze weten waarom hij dat wél deed.'

Jack luisterde heel geconcentreerd, ook al had Alli het over zijn dochter en niet over zichzelf. Of toch wel? Hij wist dat wat er ook met haar was gebeurd in die week dat ze in Morgan Herrs macht was, een diep effect op haar had gehad, haar mogelijk veranderd had, misschien voor altijd. Wat het ook was waar ze de afgelopen maanden mee geworsteld had, ze probeerde het te begrijpen of te bezien zoals het werkelijk was.

'Ik… ik heb je nooit de waarheid verteld over die tijd voor de inauguratie.' Alli keek naar haar handen. 'Hij had me dat verboden.'

Jack kon het niet binnenhouden en zei: 'Natuurlijk verbood hij je dat, dat hoorde bij die hersenspoeling.'

Ze schudde haar hoofd, traag maar beslist. 'Het was niet alleen die hersenspoeling… ik bedoel, daar herinner ik me niets van. Ik wílde doen wat hij me had gezegd. Ik wílde die antrax dragen, ik wílde al die mensen pijn doen. Ik haatte mijn ouders zo erg om al die jaren dat ze niet…' Abrupt viel ze stil. Jack nam haar weer in zijn armen, voelde haar lichaam schokken.

'Ik was zwak. Emma zou nooit zo stom zijn geweest om te doen wat hij wilde; ze wist dat hij onder dat charmante uiterlijk een verschrikkelijk monster was. Ik wist niets, hij had me toen hij in mijn hoofd zat, wist aan welke touwtjes hij moest trekken, op welke knoppen hij moest drukken. Hij kende mijn zwakke punten, wat makkelijk was omdat ik – in tegenstelling tot Emma – geen innerlijke kracht had. En ook dat wist hij.' Ze snikte onbedaarlijk. 'Hoe vecht je tegen iemand die je beter kent dan je jezelf kent?'

'Geen idee,' zei Jack zachtjes. 'Ik denk niet dat iemand...'

'O, maar Emma kon het wel. Dat is het punt. Ik ben het product van privileges: alles wat ik wilde, kreeg ik van mijn ouders – alles, het maakte niet uit hoe duur het was. En wat deed dat bij mij? Het maakte me zwak, dat zei hij tegen me. "Je bent zo zwak als de onderbuik van een pissebed, je zwelgt in geld, prestige, privileges, en wat heb je ervoor gedaan? Ik word kotsmisselijk van je. Maar je kunt het veranderen, je kunt zo sterk als spijkers worden, hard als een rots. Als je maar wilt. Net als je beste vriendin, net als Emma."'

Ze klemde zich aan hem vast alsof hij haar reddingslijn was, alsof hij het enige was waardoor ze niet in haar emoties verdronk. 'En ik wilde zijn zoals Emma, zo heel ontzettend graag. Dat wist hij, net zoals hij alles van me wist. Hij wist hoe jaloers ik op Emma was; hij wist ook dat, hoeveel ik ook van haar hield, ik jaloers was op wat ze had: geen geld, geen prestige, geen privileges. Die waren net zo nep, net zo onbruikbaar als ik. Zij was sterk, zij was hard, zij kon alles worden wat ze wilde en het kwam bij haar allemaal van binnenuit. Ze was alles wat ik droomde te zijn en ik was niets, helemaal niets.'

'Wat is hier aan de hand?'

Jack hield Alli dichter tegen zich aan, alsof hij haar moest beschermen tegen Annika's vraag. 'Niets,' zei hij. 'Ze is hier, terug aan deze kant, ze heeft heimwee, dat is alles.'

'Is dat alles?'

Hij hoorde haar scepsis en zei strenger dan zijn bedoeling was: 'Het is genoeg, meer dan genoeg.'

'Natuurlijk.'

Annika draaide zich om en liep door de gang naar de badkamer. Door de gesloten deur heen kon hij amper het geluid van stromend water horen boven de snikken van Alli uit.

'Het komt goed,' zei hij. 'Alles komt goed.'

'Dat hoop ik. Je hebt geen idee...'

Maar dat had hij wel, want het was ook wat hij wilde. Emma's dood was een nachtmerrie geweest, en daarna Alli's ontvoering, weer een nachtmerrie. Waar zou dit eindigen, wanneer zou dit eindigen? Als alles naar de verdommenis ging, waarom eindigde het dan niet, waarom leden Alli en hij dan zo?

Heel bewust duwde hij haar weg en hield haar net zo lang op armlengte vast tot ze hem aankeek. 'Je moet ophouden met jezelf martelen. Het is je schuldgevoel dat nu spreekt. Je bent dapper, slim en vindingrijk. Misschien was Emma de katalysator, maar die dingen kwamen uit jou, niet uit iemand anders, ze zijn van jou.'

Alli's ogen, nog groot en rood van het huilen, keken hem recht aan, en er trok een vage glimlach over haar gezicht. 'Schuld is niet alles wat ons bindt, hè, Jack? Ik vind het verschrikkelijk te moeten denken...'

'Nee. Natuurlijk is dat het niet alleen.'

'Dat denkt Annika. Dat weet ik zeker.'

'Zit dat je dwars?'

Ze probeerde te lachen en veegde haar tranen weg. 'Ik wilde dat het niet zo was.'

'Ze is de psychobitch, weet je nog?'

Nu lachte ze echt. 'Dat is ze niet. Dat weet je heel goed.'

Jack was verbaasd. 'Waarom ben je van gedachten veranderd?'

'Weet ik niet. Ik...'

'Nu is het mooi geweest, stop met huilen verdomme!' Voor de tweede keer onderbrak Annika hen. Ze kwam uit de badkamer met haar hoofd schuin en droogde haar haren af met een handdoek. 'Zo'n poel van ellende: straks denken de mensen nog dat je een Russin bent. Kom op, waar wachten we nog op?'

Jack en Alli sprongen op alsof ze gestoken waren. Toen Alli langs Annika naar de badkamer liep, zei Jack: 'We moeten naar Aloesjta zien te komen. Met de auto lijkt me het veiligst.'

'En het langzaamst.' Ze liet de handdoek op de bank vallen, op de plek waar net Alli had gezeten en daarvoor Emma. Ze wachtte af of hij zou protesteren of commentaar zou leveren. Toen hij niets zei, ging ze verder: 'Het kost veel te veel tijd om naar de kust te rijden. Trouwens, er staan vaste controleposten tussen hier en de Krim om op smokkel te controleren. Gelukkig hebben we jouw privévliegtuig.'

'Het is niet mijn privévliegtuig, maar ik snap wat je bedoelt.'

Terwijl Alli langs hem heen liep om zich aan te kleden, pakte hij zijn mobiel en toetste het nummer van de piloot in.

'Geef me veertig minuten, dan kunnen we weg,' zei de piloot, 'maar ik moet een vliegplan indienen. Waar gaan we naartoe?'

'Naar het vliegveld het dichtst bij Aloesjta. Op de Krim. Aan de Zwarte Zeekust.'

'Ik ga meteen aan de slag,' zei de piloot, en hij verbrak de verbinding. Veertig minuten later stonden ze met z'n drieën op de luchthaven Zjoeljany.

'Luchthaven Simferopol.'
'Waar?' Kirilenko drukte zijn mobiel zo hard tegen zijn oor dat het kraakbeen zeer deed. 'Waar is dat, verdomme?'
'De Krim.' De stem van zijn assistent klonk hard door de ether, schel en onheilspellend, als een spijker die door een blikje wordt geslagen. 'Ze dook op op Zjoeljany's bewakingscamera's toen ze door de vipterminal liep.'
'De vipterminal?' Kirilenko, die terugreed van de klopjacht in Brovary, probeerde de informatie te verwerken die hij veel te vlug had gekregen. 'Vertel me eerst eens: was Annika Dementieva alleen?'
'Ze was met een man en een meisje.'
Kirilenko pakte Limonevs mobiel en keek weer naar de vage foto van de mensen voor Rotsjevs datsja. Hij zag weer de drie sets voetstappen in het bos: die van de man, de vrouw en het meisje. Yes, yes, dacht hij opgewonden, hij had wat. 'Heb je foto's van de camerabeelden?'
'Natuurlijk. Ze liggen op uw bureau.'
'Hoe wist je dat Annika Dementieva en haar vrienden in die vipterminal waren?'
'Die informatie ligt hier pal onder mijn neus.' Er werden duidelijk hoorbaar papieren verschoven. 'Ze zijn in een privévliegtuig gestapt dat op weg is, zoals ik al zei, naar Simferopol.'
Kirilenko fronste zijn voorhoofd. Er klopte iets niet. 'Sinds wanneer heeft een voortvluchtige de beschikking over een privévliegtuig?'
'Geen idee.'
'Goddomme, ga dat dan uitzoeken!'
'Dat heb ik al geprobeerd. Maar het vliegtuig is Amerikaans en staat onder volledige diplomatieke bescherming. Ik kan er niets over vinden, behalve de eerstvolgende bestemming, en als je de goede contacten hebt, is dat algemeen bekend nieuws.'
Zijn assistent probeerde natuurlijk punten terug te winnen die hij had verloren bij zijn baas, maar Kirilenko merkte het amper. Het koude zweet was hem uitgebroken. Dit moest Harry Martins werk zijn, dacht hij in paniek. Die klootzak speelt een spelletje met me, die wist allang van Annika's banden met Karl Rotsjev, of vermoedde dat die er waren.

En toen ik hem meenam naar Rotsjevs datsja, wist hij het zeker. Daarom stuurde hij me naar die idiote stad, Brovary, terwijl hij meteen terugging naar Kiev. Het was een zoethoudertje om me bezig te houden, zodat hij Annika als een vis kon binnenhalen. Hij veegde het zweet uit zijn ogen. Christus, dacht hij, wat zijn die Amerikanen van plan?

Hij was zo druk aan het denken, dat hij bijna miste wat zijn assistent zei: 'Zoals ik al zei, de luchthaven Simferopol ligt op de Krim, ongeveer halverwege Balaklava en Aloesjta.'

Zijn paniek veranderde in woede omdat hij door de Amerikanen – nota bene! – werd gemanipuleerd, en daarna richtte zijn woede zich alleen op Harry Martin. Hierdoor kreeg hij zichzelf weer onder controle. Als dit de manier was waarop Martin het wilde spelen, zei hij grimmig tegen zichzelf, dan kon hij het krijgen.

'Ik zit op bijna twintig minuten van Kiev,' zei Kirilenko, en hij nam de afslag naar het vliegveld. 'Ik wil op de volgende vlucht van Zjoeljany naar Simferopol zitten.'

'Twee stoelen, neem ik aan. Een voor u en een voor Harry Martin,' zei zijn assistent.

'Eén stoel.' Kirilenko trapte het gaspedaal in. 'Als Martin naar me vraagt, zit ik nog steeds in Brovary, waar ik hard aan het werk ben. Als er ook maar één woord over waar ik naartoe ga bij de Amerikanen belandt, schiet ik je hoogstpersoonlijk door je hoofd.'

17

Harry Martin, die midden in een drukke straat in Kiev aan het bellen was, hield niet van zijn werk; hij had er een bloedhekel aan. De waarheid was dat hij doodziek was van al het dubbelspel, de misleidende informatie, mystificaties en regelrechte leugens die hem zo makkelijk afgingen. Want dat verafschuwde hij nog het allermeest: dat al dat gedraai en gelieg zijn tweede natuur was geworden, geïntegreerd was als de lijnen van zijn vingerafdrukken en het patroon van zijn DNA. Hij kende geen andere manier van leven meer, als dit tenminste leven was, waar hij de laatste tijd ernstig aan twijfelde. En, zo dacht hij, dat was precies het punt wat de grote Shakespeare beschreef: het enige waar een mens bang voor moest zijn, was twijfel. Zijn mentoren hadden hem verteld dat op het moment dat je twijfel in je hoofd toelaat – twijfel aan je kunde, aan de mensen om je heen, aan dat duistere en grafachtige beroep van je – je zo goed als dood was. Dat het dan tijd werd om eruit te stappen, nu je nog op twee benen rondliep in plaats van stijf als een plank in een doodskist te liggen. Door twijfel aarzel je, twijfel vertroebelt je inschattingsvermogen en stompt je instincten af, wat veel erger is, omdat – echt waar – als het erop aankwam, alleen je instincten je in leven hielden. Instincten en tot op zekere hoogte ervaring.
Hij voelde zich net zo vervreemd van de mensen om hem heen als van de schaduwen op de voorpuien van de gebouwen en wachtte tot de elektronische verbindingen waren gemaakt, een voor een, als tuimelaars van een slot of kluis die op hun plaats vallen. Hij wist dat zijn telefoontje door een ingewikkeld netwerk werd geleid en omgeleid. Zo wilde zijn baas de beveiliging hebben, dit was hoe het werd gedaan. Binnen het systeem stelde niemand daar ooit vragen over en Martin al helemaal niet. Toch velde twijfel weinig van zijn soort mensen. Vaker – als het niet door een kogel of ouderdom gebeurde – kwam de knock-out na jarenlange stress via een slechte spijsvertering, kanker of, het allerergste, een spastische darm. Hij bedacht dat niets je sneller uit het veld kreeg dan dat je onverwacht en regelmatig naar de porseleinen pot moest rennen.

Martin had nog geen last van deze kwalen. Niet dat hij geen last had van stress, zelfs de meest onmenselijke agent kende de bijtende magie ervan, maar hij hield de stress onder controle door zijn woede. Hoe meer stress, hoe kwader hij was. Woede hield hem scherp, hield hem dicht bij zijn instincten. En nog belangrijker: het hield de twijfel weg.

'Ja?'

Eindelijk bereikte de stem van zijn baas via zijn mobiel zijn oor. 'Kunt u praten?'

'Wat heb je voor me?' vroeg generaal Atcheson Brandt.

'Er is nog een partij in het spel.'

'Wat bedoel je precies?'

Martin wist door die woorden dat hij de volledige aandacht van de generaal had, als een bloedhond die bloed ruikt. 'Er was iemand anders bij Rotsjevs datsja, iemand die niet van Kirilenko en niet van de SBOE is.'

'Ik mag hopen dat je een beetje specifieker kunt zijn,' zei Brandt met alle scherpte die hij had.

Martin begon te lopen, meer om zijn zenuwachtige energie kwijt te raken dan om ergens naartoe te gaan. Zijn falen om Annika Dementieva te lokaliseren stond heel laag op zijn bespreeklijst met de generaal.

'Er zat een sluipschutter in het bos,' vertelde hij. 'Die schoot op een van de mensen die in de datsja waren…' Hij stopte, maar wist dat hij een fout had gemaakt.

'Je hebt ze laten lopen?' Brandts stem was net gedonder, dat met een enorme snelheid in de richting van Martin kwam. 'En hoe is dat dan gebeurd?'

Op dit moment haatte Martin zijn werk met een woede waarvan zijn hart ging bonken. 'Er was brand, verwarring, het werd een grote chaos en toen we…'

'Heel handig, dat vuur, vind je niet? Heel slim.'

Martin leunde vermoeid tegen de etalageruit van een herenkledingzaak en merkte dat hij naar een Italiaanse kasjmieren sweater keek die hij prachtig vond, maar zich niet kon veroorloven. Hij moest zijn hart tot bedaren brengen, moest leren niet zoveel te haten, maar het was te laat, het gif zat al in zijn bloed en zijn beenmerg.

'Ja, meneer. Ze gebruikten de brand om te ontsnappen.'

'Ze, je hebt het steeds over "ze".' Brandts stem zoemde in zijn oor als een gevangen wesp. 'Wie zijn precies die "ze"? Behalve dan natuurlijk Annika Dementieva.'

En dat was het kardinale punt, dacht Martin zuur: hij wist het niet, en wat erger was, hij kon de generaal niet vertellen dat hij het niet wist. Het was duidelijk dat hij van onderwerp moest veranderen, in de aanval moest gaan, de druk van zich af moest halen, de vragen van de generaal moest ontwijken door zelf vragen te stellen die de generaal moest beantwoorden.
'Ik hoop in vredesnaam dat u niets voor me hebt achtergehouden…'
'Wat achtergehouden? Waar heb je het over?'
'… want hier in het veld, waar zware beslissingen, verschrikkelijke beslissingen, leven-en-doodbeslissingen in een fractie van een seconde moeten worden genomen, kan het fataal zijn als we niet het volledige speelveld kennen.'
'Luister…'
'Als u iets weet – wat dan ook – over deze partij, die, zo moeten we aannemen, achter hetzelfde aan zit als u, dan moet ik dat absoluut nu weten, niet morgen, niet overmorgen.'
'Ik verdom het om me te laten onderbreken!' De generaal klonk razend en Martin wist dat hij blij mocht zijn dat hij nu niet in dezelfde kamer als zijn baas zat. Er ging een verhaal de ronde over Brandt: als ouderejaars op de Academie gooide hij ooit een rivaal uit een raam op de tweede verdieping. Die brak zijn been. Ieder ander zou geschorst zijn, maar Brandt was zo briljant en zijn familie had zulke goede connecties, dat er geen disciplinaire maatregelen volgden en er geen civiele zaak kwam. Hoewel dit verhaal heel goed verzonnen kon zijn, voer de generaal er wel bij en gaf het hem een mythische glans.
'Laat het heel erg duidelijk zijn dat als ik iets zou weten over een rivaliserende partij in het veld, ik het je had laten weten,' brieste de generaal, en zo vulde hij de vervelende stilte die tussen hen hing. 'Ik weet verdomme niet wat er allemaal aan de hand is, maar laat ik je één ding vertellen: ik ga daar verdomme achter komen.'
Starend naar de kasjmieren sweater met de V-hals, dubbele stiksels en een prachtige zijdeachtige structuur, ontdekte hij dat hij de generaal niet geloofde. In de verste verte niet. Integendeel, hij voelde tot in zijn botten, in hun vergiftigde merg, dat de generaal loog dat hij barstte. Natuurlijk wist hij alles over die 'andere partij', dat wist hij al vanaf het begin van deze ellendige missie. En op ditzelfde moment wist Martin dat deze missie zijn dood zou worden. Erger – veel erger wat hem betrof – was dat hij eindelijk met een godvergeten helderheid de onderliggende reden zag waarom hij zo'n bloedhekel had aan zijn baan.

De generaal leek op Martins vader, zoveel dat hij absoluut niet begreep waarom hij dat niet eerder had gezien.

'In het verlengde daarvan,' ging de generaal verder, 'worden je instructies ten opzichte van Annika Dementieva veranderd. Haar opsporen en gevangennemen is niet langer voldoende. Ik wil haar dood. Zo snel mogelijk.'

Met zijn voorhoofd tegen de koele winkelruit klapte hij zijn mobiel dicht en dacht: het komt door die verdomde kasjmieren sweater. Die deed hem verschrikkelijk denken aan die welke zijn vader altijd thuis droeg. Daar verruilde hij zijn colbert voor de sweater, maar hij deed nooit zijn stropdas af, niet voor het diner, niet daarna. Martin wist nog dat hij zich had afgevraagd of zijn vader ook sliep met die das, maar de volgende ochtend was hij uit de ouderlijke slaapkamer gekomen met een schoon wit of blauw overhemd met een andere das, die perfect tegen zijn adamsappel zat.

Ik wil die kasjmieren sweater vanwege die van mijn vader, dacht Martin. Hij draaide zich van de winkelruit af, rende ineens naar de goot en tussen twee geparkeerde auto's gooide hij zijn ontbijt eruit. Dat was hem niet meer overkomen sinds zijn vijftiende. Destijds was hij veel te laat het huis in geslopen, maar zijn vader had hem in de onverlichte gang opgewacht en hem zo hard met zijn knokkels in zijn gezicht geslagen, dat het bloed uit zijn neus over zijn wangen spoot. Zijn vader had zich op zijn hielen omgekeerd, was zonder een woord te zeggen de trap op gelopen en had de deur van zijn slaapkamer achter zich dicht gedaan. Martin had zich op zijn knieën gehesen en was gedachteloos de volgende twintig minuten druk bezig geweest met het wegvegen van bloed en braaksel van de houten vloer. Hij poetste en wreef net zo lang tot het hout weer glom in het donker. Met elke stap die hij omhoog zette groeide zijn angst om zijn vader tegen te komen en toen hij op de eerste verdieping stond, trilden zijn handen en weigerden zijn knieën hem verder te dragen. Daar zakte hij in elkaar, rolde op een zij, kroop in elkaar als een gewonde rups, viel in een onrustige slaap en droomde dat hij wegrende voor jongens met grijnzende hondengezichten in militaire uniformen.

Ineens kwam hij overeind, wankelde weg van de plek van zijn onuitsprekelijke vernedering en verschool zich in een theehuis wat verderop, waar hij op een stoel bij het raam ging zitten en somber keek naar de zich haastende massa dik ingepakte Oekraïners met rode gezichten. In zijn hoofd zag hij de generaal, of eigenlijk zijn vader – ze waren nu inwisselbaar. Toen hij zijn vader begroef, had hij gedacht dat dat het einde van zijn ellende zou zijn, van zijn lijden, van zijn afhankelijkheid. Maar nee, hij had een baan gekozen, of misschien had de baan hem gekozen, die een afspiegeling was van de relatie die hijzelf verwerpelijk vond, maar waar hij toch niet buiten kon. En nu, op middelbare leeftijd, was hij eigenlijk nog steeds diezelfde adolescent aan wie hij zo'n hekel had, omdat die zo wanhopig de goedkeuring zocht van een man die hij verachtte. Hoe doet de menselijke geest dat? vroeg hij zich af. Hoe kan die gedijen op tegenstellingen, op antagonisten, op lijnrecht tegenover elkaar staande werkelijkheden?

En vervolgens, omdat hij nog steeds die kasjmieren sweater niet uit zijn hoofd kon zetten, dacht hij aan Sherrie, omdat die – en dit was het echt eigenaardige deel – het 's winters prettig vond om in het appartement rond te lopen in een oversized kasjmieren herensweater met een V-hals. Alleen die sweater, verder niets. Haar lange, bleke benen kwamen eronderuit en als ze zich omdraaide, zag je een glimp van haar lekkere kont. Ze vond het leuk om hem op die manier te pesten en het zou wel een vorm van wraak zijn, want toen hij op een avond thuiskwam van overzee – uit München of Istanbul, hij wist het niet meer – was ze weg: Sherrie, haar koffer en haar kasjmieren sweater; de laden in de slaapkamer, de plank in de badkamer en de helft van zijn kast die hij voor haar had ontruimd, waren leeg. Hij had haar tig keer gebeld en was 's nachts naar haar appartement gegaan. Als een stalker had hij naar licht gezocht, naar haar silhouet tegen de neergelaten jaloezieën. Niets bewoog, er bleef niets van over en uiteindelijk was hij haar vergeten.

Maar hij was haar niet vergeten, want nu was ze hier, althans de herinnering aan haar, terwijl hij somber naar deze drukke straat in Kiev keek. Ze achtervolgde hem alsof ze hem nu net pas had verlaten, of gisteren, in plaats van drie jaar geleden. Hij wenste dat ze hier bij hem was, nu, hoewel hij geen idee had wat hij dan tegen haar zou zeggen. Niet dat het er wat toe deed: hij was alleen. Er was hier geen Sherrie of een van de andere meisjes voor of na haar, wier gezichten in elkaar overgingen, net als hun namen. Ze waren allemaal weg, ze waren er eigenlijk nooit geweest, hij had ze niet toegelaten.

De serveerster nam zijn bestelling op en kwam bijna meteen terug met een kannetje room en kleine potjes suiker en honing. Ze glimlachte naar hem, maar hij glimlachte niet terug.

Zijn ogen waren roodomrand van bloeddorst, zijn hart was een zwart geworden sintel die niet meer durfde te hopen op herstel of genezing. Hij wilde ook geen van beide; hij wilde alleen maar iemand vermoorden, zijn handen in het bloed dopen, in het bloed van Annika Dementieva.

'Joekin zal tastbare concessies willen,' zei generaal Brandt toen president Carson en hij landden op de luchthaven Sjeremetjevo. 'Zo gaat dat hier, het zijn Russen, praten betekent niets, nog minder dan niets. De mensen hier – ook Joekin – zeggen dingen die ze niet menen. De lucht moet gonzen, wat voor gons dan ook, hoe minder oprecht hoe beter.'
'Dat weet ik,' zei Edward Carson. 'Leugens benevelen het verstand en wat de Russen betreft, hoe benevelder hoe beter.' Hij had een keurig donkergrijs pak aan met een rode das en een geëmailleerde clip van de Amerikaanse vlag op een revers. Brandt had besloten om Rusland in militair uniform te betreden, compleet met zijn borst vol medailles. Russen hadden ontzag voor uniformen, hadden ze altijd gehad. Ze leken op de ergste bullebakken van de straat, vielen agressief mensen lastig om compensatie te vinden voor hun onzekerheid. Ze wisten beter dan wie dan ook dat de westerse machten hen onbeschaafd vonden, alsof ze apen waren die speelden dat ze mensen waren.
Inmiddels afgeremd tot minieme grondsnelheid, draaide de Air Force One van de landingsbaan af en taxiede naar de vip-terminal.
'We hebben de concessies in volgorde van belangrijkheid in de uiteindelijke versie van het akkoord gezet,' ging Carson verder. 'De belangrijkste is de herziening van onze antiraketinstallaties rondom Rusland.'
'De conservatieven zullen daar moord en brand om schreeuwen,' zei de generaal.
'Die hebben het recht om te klagen verspeeld toen ze de dingen drie slagen in de rondte hebben versjteerd terwijl ze de macht hadden. Trouwens, generaal, jij en ik weten allebei dat de technologie voor het antiraketsysteem nog niet klaar is. Als we dat vandaag of volgende week of over zes maanden zouden moeten uitvoeren, zou dat een lachertje zijn.'
'Het is echt genoeg voor president Joekin.'
'Omdat het als een lus om Rusland ligt.'
De generaal knikte. 'Ik heb op ABS en CNN verklaard dat ons voorgestelde antiraketsysteem de belangrijkste reden is voor Joekins recente inval in Georgië.'

Carson stak een vinger omhoog. 'Eén ding moet ik wel duidelijk maken. Joekin kan geen eenzijdige steun van ons verwachten. Ik ga niet op mijn knieën naar hem toe.'

'Absoluut niet. Dat zou hem een voordeel verlenen dat hij nooit meer zal afgeven. Maar dat zal niet gebeuren, want nu wil hij iets van ons dat wij alleen hem kunnen geven.'

'Ik hoop bij God dat je gelijk hebt. Alles hangt af van de ondertekening van dit veiligheidsakkoord.'

Brandt ging achteroverzitten, zeer zelfverzekerd over het plan dat hij de president een paar dagen na zijn intrede in de Oval Office had beschreven. Het was cruciaal, zo had hij uitgelegd, om de Russen in te lijven bij de kruistocht om nucleaire wapens uit de handen van de Iraniërs te houden. Ze wisten via inlichtingenwerk en geheime diplomatieke bronnen precies welke raketonderdelen Rusland aan Iran verkocht. Niets van wat de vorige regering had gedaan, had enig effect gehad op Joekins handelsverdragen met Iran, iets wat Brandt met onfeilbare precisie had voorspeld. Maar Carson was anders; hij had naar rede geluisterd, had ingestemd toen Brandt een alternatief plan had voorgelegd om Joekin van de gevaarlijke Iraanse dreiging los te weken.

Als de diplomatieke toenadering de basismethode was, dan was het veiligheidsakkoord de hoeksteen van het succes ervan. Daarom liep Brandt in zijn hoofd nog een keer het vervelende telefoontje van Harry Martin na. Natuurlijk wist hij van die andere partij in het veld, daarom was het Martins missie om Annika Dementieva de pas af te snijden. Annika was de sleutel tot alles. Dat Martin haar nog niet had kunnen vinden, was op zich al verontrustend, maar dat hij gemerkt had dat er nog een andere partij meedeed, betekende dat de plannen al veel verder waren dan hij wist of had moeten geloven. En daar konden de volgende conclusies uit getrokken worden: of de andere partij had ineens veel meer macht gekregen, of de bronnen waarop hij vertrouwde hadden dat punt onderschat. Geen van beide mogelijkheden was een prettige, zeker niet nu de ondertekening van het akkoord voor de deur stond.

'Momentje, meneer,' zei Brandt. Hij maakte zijn veiligheidsgordel los en stond op. 'Ik moet even bellen.'

Hij liep door het gangpad en toetste een nummer in dat veel te geheim was om onder een sneltoets of in het telefoonboek van zijn mobiel op te slaan. Het was een nummer dat hij uit zijn hoofd had geleerd op het moment dat hij het gekregen had.

Terwijl de mobiel overging, bedacht hij wat een hekel hij eraan had om met Russen te maken te hebben. Ze waren onbetrouwbaar, de lange schaduw van Jozef Stalin reikte tot in het heden. Ze waren allemaal Stalins studenten, dacht de generaal, of ze zich daar nou wel of niet van bewust waren. Diens boosaardige dubbele en driedubbele aanpak werd het politieke handelsmerk – en niet te vergeten de modus operandi van de KGB – in zo'n grote dikke steen gebeiteld dat het onmogelijk was om die te omzeilen, laat staan te vernietigen.

Brandt zelf was een geheime student van Stalin, van diens geschiedenis van bloed, gebroken botten en gebroken beloften, dat alles om zichzelf voor te bereiden om de Russische Beer te lijf te gaan. Het uiteenvallen van de USSR had hem niet voor de gek gehouden zoals zoveel anderen. Ruslands macht mocht dan gebroken zijn, hij wist dat het tijdelijk was; de ijzeren ruggengraat, ondersteund door de vampierachtige schaduw van Stalin, was nog altijd ongebroken.

'Ik heb drie minuten.'

De stem in Brandts oor irriteerde hem mateloos, maar hij slikte zijn woede in, omdat hij wist dat hij inderdaad maar drie minuten had. 'Mijn man in het veld heeft me zojuist verteld dat de oppositie terreinwinst boekt.'

'Zelfs als dat het geval mocht zijn,' zei Oriel Jovovitsj Batsjoek, 'dan zijn die mensen geen partij voor Trinadtsat. Ze hebben noch de mankracht noch de middelen om de situatie uit te buiten.'

Batsjoek ontkende het niet! Met zijn vingertoppen masseerde Brandt zijn voorhoofd en hij schermde zijn ogen af met de palm van zijn hand, zodat niemand aan boord van de Air Force One toevallig de opwinding op zijn gezicht zou zien. 'Het lijkt me dat we met de mogelijkheid rekening moeten houden dat de situatie op de grond op dit moment al herschreven wordt, nu, terwijl wij met elkaar praten.'

'Een probleempje, meer is het niet,' zei de vicepremier. 'We hebben nog steeds een groot voordeel en daar gaat het om.'

Batsjoek had heel veel ijzers in het vuur, dat was onomstreden, maar waar ze op mikten was zo complex dat niemand succes kon garanderen. De erkenning van deze realiteit was de belangrijkste reden dat Batsjoek en hij dit riskante bondgenootschap en nog riskantere plan hadden gesmeed, waarvoor ze allebei hun macht en invloed – alles wat ze hadden – bij hun respectievelijke presidenten op het spel zetten. En Brandt had nog een reden: geld. Dat had hij nooit gehad, terwijl hij door zijn poli-

169

tieke manoeuvres en zijn ervaring veel moest optrekken met mensen die het wel hadden, en hij was stinkend jaloers. Hij wilde zijn deel van de vetpot en God mocht de mensen bijstaan die hem in de weg liepen.

'Om ons succes te verzekeren,' zei hij, en hij benadrukte elk woord, 'heb ik onmiddellijke opdracht gegeven tot liquidatie van Annika Dementieva.' Hij verwachtte een reactie, misschien wel een woedende, van Batsjoek, maar het bleef stil. 'Ik weet zeker dat zij dat probleempje, zoals u het noemt, heeft veroorzaakt. Er moet wat aan gedaan worden, zelfs aan een probleempje.'

'Ik kan het niet tegenspreken,' zei Batsjoek. 'Wie heeft de opdracht gekregen?'

'Harry Martin. Hij is de sluipmoordenaar ter plaatse.'

'Waar is hij nu? Op Zjoeljany, neem ik aan?'

'Als hij op het vliegveld van Kiev was,' zei de generaal, zich opwindend over de neerbuigende toon van Batsjoek, 'had hij me dat wel verteld.'

'Hmm. Interessant.'

Nu was de generaal echt kwaad. 'Hoezo?'

'Rhon Fjodovitsj Kirilenko, de FSB-agent die jouw Martin wordt verondersteld te schaduwen…'

'Ik weet goddomme wie Kirilenko is,' viel de generaal hem in de rede, en hij begon ondanks zichzelf zijn geduld te verliezen.

'Kirilenko's naam staat op de vluchtlijst van een toestel dat over drieënveertig minuten van Zjoeljany vertrekt naar Simferol op de Krim.' Batsjoek schraapte zijn keel om te benadrukken wat hij verder ging zeggen: 'Ofwel jouw Martin is incompetent, óf hij heeft besloten om van twee walletjes te eten.'

'Ik ken Harry. Geen van de twee klopt.'

'Dan moet je zelf maar bedenken Wat er aan de hand is.'

Hierna belde de generaal meteen naar Martin en vertelde hem waar Kirilenko uithing. Op het moment dat hij verbazing in Martins stem hoorde, besloot hij zo snel mogelijk een nieuwe man in het veld te brengen. Dat deed hij meteen nadat zijn gesprek met Martin afgelopen was. Hij ging van zijn ene been op het andere staan, zijn lichaam protesteerde en kraakte in het perfect geperste uniform met de prachtige uitstalling van medailles en ordetekenen.

'Generaal, het is tijd.'

De stem van de president, luid en helder als altijd, dwong hem met zijn gebruikelijke vlotte loopje terug te keren naar Carson, die bij de deur

wachtte tot die opening, terwijl het contingent Geheime Dienstmedewerkers als vliegen om hem heen gonsde.

'Je ziet er bleek uit, Archie,' zei de president zacht. 'Is er iets? Iets wat ik
moet weten?'

'Nee, meneer.' Brandt vermande zich. 'Natuurlijk niet.'

'Want we staan zo in de vuurlinie, we staan op het punt de strijd aan te
gaan en, om met Sonny Corleone te spreken, ik wil niet uit het vliegtuig
stappen met alleen mijn lul in mijn hand.'

De generaal knikte. 'Begrepen, meneer. Ik dek u in de rug, uw geschut
is geladen, de munitie is droog en we wachten op uw orders.'

'Zo mag ik het horen,' zei de president glimlachend.

De steward draaide aan het deurrad en de deur ging naar binnen open.
De voorste van de agenten ging boven aan de trap staan, de anderen
checkten de onmiddellijke omgeving. Heel even spraken ze met hun
tegenhangers van de Russische Veiligheidsdienst en een van hen draaide
zich om en knikte zijn opperbevelhebber kort en geruststellend toe.

'Oké, generaal,' zei de president. 'Daar gaan we.'

De laatste tijd sliep Dennis Paull nooit en hij bleef ook nooit lang op
dezelfde plek. Alsof hij de kwelgeest die hem op het spoor was constant
een stap voor wilde blijven. Die kwelgeest – of demon of geest of hoe je
hem ook wilde noemen – had een naam: Nina, de vrouw met wie hij
een affaire had gehad en die bijna Edward Carson vermoord had tijdens
zijn inauguratie. Alleen doordat Jack McClure op tijd had ingegrepen,
leefde de president nog. Daar was Paull hem eeuwig dankbaar voor. Als
Jack nou ook nog die demon of geest of kwelgeest kon laten verdwijnen
die in Paulls wakkere leven spookte... maar Jack was slechts een mens,
geen tovenaar.

Paull, die tijdelijk kantoor hield in de Residence Inn aan de grens van
Washington, gebruikte zijn nachten om alles wat er te vinden was over
Edward Carsons vertrouwelingen boven water te krijgen. Hij zat achter
een gammel bureautje voor zijn opgepepte laptop en bekeek een scherm
vol informatie van weer een andere overheidsdatabase die hij had gehackt. Gegevens van het openbare en privéleven van vicepresident
Crawford, Kinkaid Marshall, G. Robert Kroftt en William Rogers dreven over zijn scherm als boodschappen uit een fosforescerend universum. Hij was vooral geïnteresseerd in Arlen Crawford. Net als John
Kennedy en Lyndon Johnson voor hem, had Carson een gedwongen

huwelijk met deze ijzervreter en conservatief Crawford om Texas en de andere staten in het oude Zuiden binnenboord te houden. De twee mannen hadden nooit goed met elkaar kunnen opschieten. Hoewel hun publieke gezichten een en al glimlach waren, verliep achter gesloten deuren hun politiek vol wrijving en soms zelfs met geruzie. En hoewel Crawford lang niet zo slecht was als sommigen van zijn onverzoenlijke partijleden, mocht Paull hem niet en hij vertrouwde diens achterkamertjesstijl zeer zeker niet. Wie wist met wat voor verraderlijke partijen Crawford het bed deelde.

Vanaf het moment dat hij hier was gekomen, iets na zessen 's avonds, was Paull hiermee bezig geweest. Het was nu halftwaalf. Op het bureau stond ook een geopende kartonnen doos met nog twee stukken pepperonipizza van Papa John's erin. Hij stond op, liep naar de badkamer en waste de olijfolie van zijn handen. Toen liep hij naar het raam en keek tussen de lamellen door naar de vage koplampen op de snelweg. Door het constante gebrom van het verkeer vond hij dat het leek alsof hij in een bijenkorf zat, gepaste muziek voor zijn werkplek.

Ineens huiverde hij, omdat hij – toen hij naar het spiegelbeeld van de kamer in de ruit keek – dacht dat hij Nina zag, of eigenlijk haar schaduw, die van rechts naar links liep. Zich omdraaiend keek hij de halfdonkere kamer door, die alleen werd verlicht door de lamp op zijn bureau, die scheen op zijn werkplek met zijn laptop en de pizzadoos, bloederig van de tomatensaus.

Hij wilde in de lege ruimte lachen om zijn eigen gekke angsten, maar iets hield hem tegen, een voorgevoel misschien, iets wat hij niet kon plaatsen. Het voelde voor hem als een eind in plaats van een begin, wat het wel was: de installatie van de nieuwe regering. De wereld leek van hem weg te glijden, alsof die van een tafelrand de donkerte inrolde.

Natuurlijk was hij woedend op zichzelf omdat hij zich zo liet misleiden door Nina, maar dat was het verleden en daar hoorde het ook. Toch was hij nog steeds woedend, misschien zelfs nog woedender omdat hij haar niet kon vergeten, omdat hij haar miste. Ze was niet gewoon een nieuwe wip geweest, was niet gewoon weer een andere sexy vrouw. Toen ze hem bedroog, had ze iets in hem kapotgemaakt waarvan hij nu wist dat hij dat nooit meer terug zou krijgen. Na haar overspel voelde hij zich klein, en niet zozeer gek of vernederd. Ze had iets essentieels van hem afgenomen.

Weer naar het raam gekeerd, keek hij naar een wereld die voorbijjoeg, zich niet interesseerde voor zijn pijn. Hij was alleen en dat zou hij ook zijn vlak voor het moment dat de dood hem zou komen halen. Hierdoor moest hij aan zijn vader denken, die eenzaam stierf omdat Paull hard aan het studeren was voor zijn eindexamen. Hij wilde dat zijn vader er nu was, omdat hij de enige was die Paull durfde te vertrouwen. Zelfs Edward Carson, zijn beste vriend, wist niet alles wat Paulls vader had geweten. De man had medelijden genoeg gehad om Paull zijn zonden en fouten te vergeven, hoe erg die ook mochten zijn. 'Waarom zou ik je niet vergeven,' had hij ooit gezegd. 'Je bent mijn zoon.' En daarna: 'Je moeder is weg en vergeten. Jij bent alles wat ik heb, ik moet je wel vergeven.' Toch stierf hij alleen, dacht Paull, zoals we allemaal doen, of we nou vergeven of niet, of we mensen dicht bij ons houden of hen wegduwen, net zoals Paull zijn eigen vrouw, die de laatste, afgrijselijke fase van alzheimer had, in een inrichting had laten opsluiten. Hij ging er steeds minder naartoe; ze herkende hem niet meer, maar dat was niet belangrijk. Hij had een verplichting, toch, hij had een belofte afgelegd: in voor- en tegenspoed. Maar hij trok van haar weg, zowel fysiek als emotioneel. Ze was net een schilderij of iemand die constant sliep en over een leven droomde dat hij niet kon begrijpen. Droomde een radijsje of een kool? Ze reageerde nooit op de muziek die hij opzette tijdens zijn bezoeken, totaal niet – bijvoorbeeld Al Hibbles die *After the Lights Go Down Low* zong of de Everly Brothers met *All I Have to Do Is Dream*, liedjes die ze geweldig hadden gevonden en waarop ze in hun jeugd hadden gedanst. Daar had hij aan gedacht, een rustige troost, toen hij zes maanden geleden een van de grote kussens had gepakt en op haar gezicht had willen leggen. Haar gezicht dat tijdens haar ziekte rond en glimmend was geworden als een metalen bol. Ze zou niet weten wat er gebeurde, wat hij deed, en als ze het wel wist, zou ze hem zeker dankbaar zijn. Wat voor leven had ze nou nog? Zelfs koeien hadden het beter, maar misschien radijsjes niet. Hij stond op het punt het te doen, zijn vingers hadden het kussen vast, zijn geest was er klaar voor, het kussen begon te dalen, toen de muziek begon: Roy Hamiltons *Don't Let Go*. Het leek heiligschennis om een moord te plegen – ook een moord uit liefde – tijdens dat liedje (*I'm so happy I got you here / Don't let go, don't let go*) en iets in hem veranderde, alles veranderde. Dus draaide hij zich om, legde het kussen terug op de plek waar het had gelegen en zonder nog een keer naar zijn vrouw of de radijs te kijken, was hij weggegaan en nooit meer teruggekomen.

Hij draaide zich weer om, weg van de koplampen, ging achter het gammele bureau zitten en liet de eindeloze regels informatie over zijn scherm scrollen.

Waarom zou hij Nina niet vergeven? Ze was alles wat hij had.

Maar Nina kon niet meer vergeven worden. Jack had haar in haar hart geschoten voor ze de kans had gekregen om iedereen op die inauguratie te vergiftigen met het flesje antrax dat Morgan Herr haar had gegeven. En dat was Paulls grote dilemma terwijl hij de tot dan toe onschadelijke berg elektronische data over zijn laptopscherm liet scrollen: hij stond eeuwig bij Jack McClure in het krijt omdat die Edward Carson had gered, maar hij haatte Jack omdat hij Nina had vermoord.

Rhon Fjodovitsj Kirilenko had net genoeg tijd om langs zijn kantoor te gaan en de foto's op te halen die zijn assistent van de bewakingscamera's op de luchthaven Zjoeljany had gemaakt, voordat hij naar de wachtende FSB-auto rende die hem met hoge snelheid naar het vliegveld zou brengen voor zijn vlucht naar Simferopol.

Terwijl de chauffeur zijn weg zocht door de verstopte verkeersaders van Kiev, bestudeerde hij de drie foto's. De eerste was van die drie mensen: Annika Dementieva herkende hij nu duidelijk. De man achter haar, met zijn gezicht half in het donker, kwam hem vaag bekend voor. Kirilenko probeerde een paar minuten tevergeefs om hem te plaatsen voor hij verderging. De tweede foto was van een jonge vrouw die op niemand leek die Kirilenko kende. Deze foto bekeek hij veel abstracter, hij kon zich totaal niet voorstellen wat ze bij die twee volwassenen deed. Voor zover hij wist, en die kennis was encyclopedisch, had Annika Dementieva geen zussen, en het meisje was veel te oud om haar dochter te kunnen zijn. Dus wie was ze, in vredesnaam? Hij zuchtte gefrustreerd en pakte de derde en laatste foto. Daar stond de man duidelijk op. Bijna meteen kreeg hij een schok. Hij kende die man, die werkte voor de president van Amerika. Wat deed hij goddomme bij Annika Dementieva? Kirilenko keek uit het raampje, maar zag niets, alleen zijn eigen verwarde gedachten. Hij wist dat het zijn plicht was om zijn meerdere van deze schokkende ontwikkeling op de hoogte te brengen, maar iets – koppigheid, woede, het gevoel dat er met hem gespeeld werd en dat hij verraden werd – hield hem tegen. Hij was het spuugzat om gemanipuleerd te worden. Het was al erg genoeg dat hij door de Amerikanen werd genaaid, maar dat was nou eenmaal een gegeven. Door zijn eigen mensen genaaid worden, die moesten weten dat ze hem in een internationaal mijnengebied gooiden, was echter meer dan hij aankon. Toch was er nog iets – iets wat dieper zat – wat zijn hoofd bezighield. Hij had eindelijk informatie die zijn superieuren niet hadden, nu had het lot hem een beetje macht gegeven en daar wilde hij niet zo snel afstand van doen. Hij schoof de foto's aan de kant en besloot zijn mond te houden tot hij wist wat er allemaal gaande was.

Het was jammer voor Kirilenko dat hij niet de enige was die kopieën had van de foto's die zijn assistent had genomen van de bewakingsbeelden op het vliegveld. Twintig minuten voor zijn komst stond Oriel Jovovitsj Batsjoek voor Kirilenko's assistent en werd mondeling van de laatste ontwikkelingen op de hoogte gebracht door een jongeman die hij absurd makkelijk had kunnen intimideren, terwijl zijn hoofd nog half bij het verontrustende gesprek met Goerdjiev was.
Wat betreft Annika was er geen sprake van marchanderen, geen eind, geen uitweg voor hen beiden. Ongeacht hoe hard ze het ook probeerden te veranderen: hun rollen stonden vast, er was geen weg terug, geen alternatief. Maar het weten van wat er was gebeurd, van wat nooit meer veranderd kon worden, was verschrikkelijk. In zijn hoofd weefde een spin zijn kwaadaardige web. En dat gebeurde vanwege één simpel feit dat hij nog nooit aan iemand had verteld, maar waarvan hij vermoedde dat Goerdjiev het wist: zelfs als hij de macht had om het verleden te veranderen, dan nog zou hij het niet doen. Hij deed wat hij moest doen, iets wat iemand als Goerdjiev nooit zou kunnen begrijpen, laat staan kon vergeven. Batsjoek was een man die het zich niet kon veroorloven om achteraf te twijfelen, in plaats daarvan rekende hij erop dat anderen het niet wilden weten, dat ze de waarheid niet wilden zien over henzelf of over degenen wier vriendschap politiek of financieel belangrijk was voor hun carrière. Hij rekende erop dat mensen bang waren voor veroordelingen, voor het hebben van foute meningen, dat mensen liever hun ogen sloten en zich door hem lieten leiden. Goerdjiev had dat een keer gedaan – één keer maar – tot zijn oneindige spijt, iets wat Batsjoek elke keer dat ze elkaar zagen van zijn gezicht kon lezen.
Een stilte maakte duidelijk dat Kirilenko's assistent klaar was met zijn verhaal. Met een knik beval Batsjoek dat hij kopieën van de foto's moest maken. Zonder een woord te zeggen pakte hij die aan, draaide zich om en ging weg.

Hij hield zijn mobiel al tegen zijn oor toen hij in de lift stapte en af-
daalde naar de enorme, intimiderende lobby van het FSB-gebouw en in
de blubber op het Rode Plein stapte.

Generaal Brandt, zittend aan een glimmend marmeren tafel naast president Carson en tegenover president Joekin, ontving Batsjoeks telefoontje op een hoogst vervelend moment. Maar toen hij zag wie de
beller was, excuseerde hij zich, liep de kamer uit en ver de gang in om
buiten gehoorsafstand te komen van de Geheime Dienstagenten van
beide landen die de deur als sfinxen bewaakten.
'Er is een nieuwe ontwikkeling,' viel Batsjoek met de deur in huis. 'Annika Dementieva is niet meer alleen. Ik kijk op dit moment naar een
foto van haar die met een van de geslotencircuitcamera's op de luchthaven Zjoeljany is gemaakt. Ze staat er met twee anderen op, een ervan is
de Amerikaan Jack McClure.'
'De Jack McClure van president Carson?' vroeg de generaal, en hij had
onmiddellijk spijt van de onnozelheid van die vraag. Natuurlijk was het
Edwards Jack McClure. 'Dat snap ik niet.'
'Carson speelt een spelletje met je. Heeft een verborgen agenda, waar hij
je niets over vertelt, wat betekent dat hij je niet meer vertrouwt.'
Onwillekeurig keek de generaal over zijn schouder naar de stille body-
guards en de gesloten deur van de onderhandelingskamer, waar Carson
op dat moment de strijd aanging met Joekin. 'Maar dat is onmogelijk.'
'Niets is onmogelijk,' zei Batsjoek met onverholen woede. 'Duidelijk.
Dit is voor jou, generaal. McClure is jouw rotzooi, ik stel voor dat je die
zo snel mogelijk opruimt.'
'Ik kan me niet voorstellen wat voor spelletje Carson speelt door Mc-
Clure in het veld te brengen, en dan ook nog met Annika Dementieva.'
'Het doet er niet toe wat ze van plan zijn. McClure moet weg, uitgewist,
dood. Begrijp je me?'
'Helemaal.' De generaal was te verbluft om boos te worden dat Batsjoek
de touwtjes in handen nam. Het was een zootje, hij had Carson vertrouwd en daardoor was de boel volledig uit de hand gelopen. Ze gingen er allemaal aan als McClure zou blijven leven, daar was hij van
overtuigd. Hij vermande zich. 'Maakt u zich geen zorgen. McClure zal
geen nieuwe zonsopkomst meer zien, dat beloof ik.'

18

'Wie heeft er honger?' vroeg Jack toen ze in de rumoerige aankomsthal van de luchthaven Simferopol stonden.

'Ik,' zei Alli meteen. 'Ik sterf van de honger.'

'Mooi. Ik ook.' Jack nam hen mee naar een cafetaria, waar het eten eruitzag alsof het van verleden week was. Toch laadden ze hun bladen vol, betaalden voor het eten en drinken en namen hun bladen mee naar het enige lege tafeltje bij de uitgang. Een waardeloze plek voor een rustige maaltijd, maar ideaal om naar de passagiers te kijken die zich naar hun vluchten haastten.

Ze wierpen zich op leerachtige *pierogi,* koolrolletjes en scherpe *kovbasa* en spoelden die weg met glazen kersenrode Krimwijn. Onder het eten hield Jack de constante mensenstroom in de gaten. Tegenover hem hield Annika hem in de gaten. Hij wist wat ze dacht: als ze zo'n honger hadden, waarom gingen ze dan niet Aloesjta in, waar ze konden kiezen uit restaurants die veel beter eten hadden dan ze nu naar binnen werkten? Ze zei niets, wachtte vast tot hij het zou uitleggen.

'Karl Rotsjev, de laatste persoon bij wie Berns langsging voor hij van Kiev naar Capri vertrok, werd gemarteld en vermoord op Magnussens landgoed,' zei Jack.

Annika haalde haar schouders op. 'Dat lijkt duidelijk. Rotsjev en zijn maîtresse werden allebei vermoord met een soelitsa, het ouderwetse splijtende kozakkenwapen. Magnussen verzamelt antieke Russische wapens, ook soelitsa's. Magnussen had net een vervanging voor zijn soelitsa besteld. Ergo, hij vermoordde Rotsjev en zijn maîtresse. Heel simpel.'

'Zo simpel is het helemaal niet,' corrigeerde Jack haar. 'Heeft degene die Rotsjev en zijn maîtresse vermoordde ook senator Berns op Capri vermoord of bevel gegeven voor diens moord? En als dat zo is, dan hebben we te maken met een samenzwering van internationale proporties en ongekende dimensies. Sommige dingen die we weten zijn feiten, andere dingen zijn vermoedens of deducties, hoe je er ook tegenaan kijkt. Maar op dit moment moeten we, voordat we verdergaan met ons onderzoek, vaststellen wat feiten zijn en welke vermoedens producten van fantasie en verzinsels blijken te zijn en daardoor tot niets leiden of, nog erger, tot een verkeerde, foute conclusie.'

Annika keek hem somber aan. 'En hoe dacht je daarachter te komen? Wil je het soms aan Magnussen gaan vragen?' Ze lachte een schamper lachje.

Ze zaten hier nu al langer dan een uur en de volgende vlucht uit Kiev was geland. De passagiers haastten zich door de gang. Jacks oog viel op een grote man met rode handen, die stilstond om een sigaret aan te steken met de haast van een verslaafde. Zijn haar zat net zo verward als zijn goedkope, glimmende pak verkreukeld was. Alles aan hem riep 'Russische bureaucratie', maar dan zonder de bijbehorende afgestomptheid. Nee, deze man straalde iets giftigs uit; de geuren van angst en dood werden een lijmachtige substantie die in zijn nekplooien kroop en zijn wangen liet glimmen als was.

Jack, die deze vaagheden in minder dan een seconde in zich had opgenomen en had geanalyseerd, gaf haar een raadselachtig antwoord: 'Weten jullie wie dat is?'

Annika verplaatste haar blik en zei waarschuwend tegen Alli: 'In godsnaam, niet kijken.'

Met een pruilmond gehoorzaamde Alli.

'Daar staat een man die net is geland, uit Kiev,' legde Jack zachtjes uit. 'Het lijkt wel alsof hij iemand probeert te vinden door aan het luchthavenpersoneel foto's of tekeningen te laten zien.'

'Christus, ik ken hem.' Annika beet bezorgd op haar onderlip en draaide zich weer om. 'Dat is Rhon Fjodovitsj Kirilenko. Een FSB-rechercheur Moordzaken. Die man is een fucking bloedhond. Wat doet hij hier?'

'Ik denk dat hij ons zoekt,' zei Jack.

'Maar waarom? De Izmajlovskaja zit achter ons aan. We hebben Ivan Goerov en Milan Spiakov vermoord, twee leden van de groeperovkafamilie.'

'Tenzij Kirilenko Trinadtsat is. Jij vertelde dat Trinadtsat bestond uit leden van de Izmajlovskaja en de FSB.'

'Niet per se de FSB,' corrigeerde Annika. 'Batsjoeks mensen kunnen FSB zijn, maar kunnen ook net zo goed apparatsjiks uit het Kremlin zijn, staatssecretarissen, ministers, geheim agenten. God weet waar hij ze allemaal vandaan haalt.'

'Dat sluit je vriend Kirilenko niet uit.'

'Hij is mijn vriend niet,' zei Annika scherp. 'Ik haat die vent.'

'Ik neem aan dat het een lang verhaal is.' Jack knikte. 'Kijk, hij gaat naar de luchthavenkantoren.'

'Wat moet hij daar nou?' vroeg Annika.

'Dat gaan we uitzoeken.'

Jack stond op en de vrouwen ook. Ze zorgden ervoor tussen de mensen te blijven terwijl ze Kirilenko volgden en zagen hem een gang met aan weerskanten deuren in lopen. Ze wachtten even, zagen hem halverwege een deur aan de linkerkant opendoen en toen hij naar binnen ging, renden zij naar die deur.

'Dit is de controlekamer van de bewakingscamera's,' zei Annika.

'En wat houdt dat in?' vroeg Alli.

'Dat betekent dat hij naar de bewakingsbeelden van de aankomsten en het vertrek gaat kijken,' zei Annika.

'Ik durf te wedden dat hij foto's van ons heeft.' Jack wreef nadenkend over zijn kaak. 'Dat moet met camera's op de luchthaven Zjoeljany in Kiev zijn gebeurd.'

Annika stapte onwillekeurig achteruit. 'Wat betekent dat hij me heeft herkend en foto's van jullie heeft.'

'Alli is vermomd. Maar denk je dat hij weet wie ik ben?'

'Misschien. Maar als hij het niet weet, komt hij daar snel achter.'

Jack keek naar de gesloten deur. 'Dan moeten we voorkomen dat hij daar achter komt.'

Dennis Paull zat inmiddels negen uur achter zijn computer en scrolde van de ene vertrouwelijke database naar de andere, op zoek naar een zwakke plek in de rode, witte en blauwe pantsers van de kabinetsleden. Hij had een volle blaas en het leek alsof de vetarme mozzarella die hij had gegeten zich als een jeu-de-boulesbal in zijn maag had verzameld. Hij duwde zich van het scherm weg, stond op en ging naar de badkamer om te plassen.

Toen hij terugkwam bij zijn gevechtsbasis, zag hij dat er nieuwe informatie op zijn scherm stond. Hij had die net met zijn cursor gekopieerd toen ze verdween. Hij veranderde van scherm en opende een nieuw Word-document, waarin hij de gegevens die hij uit de database had gekopieerd deponeerde, tenminste, dat hoopte en bad hij. Even later verschenen er twee regels vercijferde woorden op een verder witte achtergrond, gevolgd door een echeloncode waarvan Paull wist dat die van generaal Atcheson Brandt was.

Hij staarde naar het koeterwaals en probeerde het cijferpatroon te plaatsen. Hij kende het ergens van. Ineens wist hij het: het was een speciale nsa-cijfercode die alleen voor geheime interdepartementale communicaties via mobielen werd gebruikt.

Hij ging naar een ander Firefox-tabblad, logde in op de site van het ministerie van Binnenlandse Veiligheid, gebruikte zijn eigen ID-code en kreeg toegang tot de algoritmedatabase van zijn ministerie. Toen hij daar was, voerde hij de twee regels vercijferde tekst in in de algoritme-machine, drukte de Enter-knop in en wachtte achteroverhangend tot de database het algoritme had gevonden dat de boodschap die Brandt net had verstuurd zou kunnen ontcijferen.

Al wachtend dacht hij aan de keuzes die hij in zijn leven had gemaakt, aan de mensen met wie hij bevriend was, die hij vertrouwde, van wie hij afhankelijk was. Hoewel hij wist dat ze hem op een gegeven moment, als de kans zich voordeed, zouden verraden of zouden aanklagen als dat hun eigen carrière ten goede kwam. Edward Carson was misschien een uitzondering, maar verder was hij omringd door haaien die maar al te graag een homp uit hem wilden trekken op het moment dat ze bloed in het water roken, en in sommige gevallen al daarvoor. En toch was hij verdergegaan, had deze banden hechter gesmeed en had zich zelfs, als de situatie daarom vroeg, bij die mensen in het krijt gewerkt. Hij had zich-zelf gedwongen niet te zien wat hij niet wilde zien, want anders had hij niet gedaan wat hij had moeten doen om zijn huidige machtspositie binnen de huidige regering te bereiken.

Was er nog iets wat mensen als generaal Brandt niet zouden doen om macht te krijgen? zo stelde hij zichzelf deze retorische vraag. Was er werkelijk geen enkele grens die deze mensen – hijzelf ook – niet zouden overschrijden om meer macht te krijgen?

Een tel later had hij zijn antwoord. De twee regels koeterwaals waren ver-vangen door de ontcijferde tekst: *Xex Annika Dementieva en Jack McClure.* Jezus, dacht hij en hij streek met een trillende hand door zijn haar. Jezus christus. Eerst dacht hij dat het een vergissing moest zijn, misschien had hij de vercijferde tekst verkeerd ingevoerd, dus stuurde hij die nog een keer door de algoritmemachine van het ministerie en lette er zorgvuldig op dat hij elke letter goed intikte. Dezelfde boodschap raakte hem mid-den in zijn maag.

Het kon niet zo zijn, maar hier stond het, zwart op wit, pal voor zijn neus. EX betekende dat generaal Brandt bevel had gegeven tot eliminatie van de twee personen. De X ervoor betekende: gebruik alle beschikbare methoden die je hebt.

'Kirilenko moet in dat team hebben gezeten dat ons omsingeld had bij Rotsjevs datsja,' zei Annika.
'Wat een giller,' zei Alli. 'Hij moet denken dat we Rotsjevs maîtresse hebben vermoord. Daarom zit hij achter ons aan.'
Jack en Annika keken haar aan. 'Het is geen giller,' zeiden ze bijna tegelijkertijd.
Ze stonden nog steeds aan het begin van de gang die naar de luchthavenkantoren leidde. Jack keek of hij veiligheidspersoneel zag dat ook hier patrouilleerde, terwijl Annika de deur van de controlekamer in de gaten hield waardoor Kirilenko nog geen vijf minuten geleden was verdwenen.
'Hij is zeker weten naar ons op zoek,' zei Annika. 'En we worden, zoals Alli al zei, verdacht van drie moorden.' Ze schudde haar hoofd. 'Het kan niet anders, we moeten er een einde aan maken.'
'Wat?' Jack draaide zich om. 'Ben je gek geworden? We kunnen geen FSB-officier aanvallen.'
'Ik zei niet aanvallen.' Annika's smaragdgroene ogen stonden staalhard. 'Ik zei: er een einde aan maken.'
'Zoals vermoorden?' vroeg Alli.
'Ja, lieverd. We moeten hem vermoorden om onszelf te redden.'
'Dat gaat niet gebeuren,' zei Jack.
'Dan zijn we verdoemd.' Annika wees met haar kin naar de deur. 'Tenzij we hem twee meter onder de grond stoppen, voorspel ik je dat die klootzak niet ophoudt voordat hij of ons heeft vermoord of ons geboeid naar Moskou heeft gesleept.'
Alli zei doodsbang: 'Jack…'
'Als het niet voor ons is, dan voor de veiligheid van het meisje,' drukte Annika door. 'Er zijn heel veel redenen waarom we niet mogen toestaan dat haar iets overkomt.'
Jack schudde zijn hoofd. Hij wist dat ze gelijk had, maar wilde nog niet toegeven. 'Er moet een andere manier zijn.'
'Ik zeg je net dat die er niet is, en we moeten het nu doen, nu we nog een kans hebben,' drong Annika aan.

Als om haar ongerustheid te onderstrepen ging de deur van de contro-lekamer open. Ze doken in de schaduw weg toen Kirilenko verscheen. Zijn gezicht stond zeer zelfvoldaan, wat Annika alles vertelde wat ze moest weten.

Zonder iets tegen de andere twee te zeggen sprintte ze uit de schaduw en trapte hem hard in zijn nieren terwijl hij zijn mobiel pakte. Ze sloeg een gebogen arm om zijn keel en met een verbazingwekkende kracht trok ze hem naar achteren, zodat hij viel.

Generaal Atcheson Brandt was wel de laatste die Dennis Paull had verdacht van verraad, tijdens de negen uur ogentranend werk was het niet eens in hem opgekomen om Brandt of diens leven onder de loep te nemen.

Paull had uiteindelijk zijn kamer verlaten, die stonk naar menselijk zweet en die aparte geur van verhitte elektronica. Het was halfdrie in de ochtend en hij liep door de gang van de Residence Inn, op zoek naar de sigarettenautomaat die hij had gezien toen hij incheckte. In deze tijd van het algehele rookverbod was die moeilijk te vinden, zo'n ouder-wetse automaat. Toch stond er hier een, op een bruin tapijt dat onder de vlekken zat die zelfs een stoombehandeling er niet uit zou krijgen.

Hij had twintig jaar lang niet gerookt, maar de ongelooflijke ontwik-kelingen van het afgelopen halfuur hadden zijn oude verslaving in alle hevigheid teruggebracht. Hij had geprobeerd ertegen te vechten, maar tevergeefs. Het was net als met de meeste ondeugden: zaten ze eenmaal in je hoofd, dan had ontkennen geen zin.

Hij riste het pakje open, brak de filter van een sigaret af en stak hem aan met een lucifer uit een doosje dat attent bij het sigarettenpakje zat. Met de sleutelkaart van zijn kamer kon hij ook de zijdeur naar de parkeer-plaats openmaken en zo stond hij in de koude buitenlucht. Ergens in de tijd dat hij werkte had het geregend en het cement was nat en glad; de auto's glommen in de veiligheidsverlichting. Het lawaai van het verkeer op de snelweg was hier amper te horen, slechts af en toe reed er een auto voorbij op weg naar of terug van geheimzinnige boodschappen. Hij vroeg zich af wat mensen op dit uur van de nacht deden. Maar wat het ook mocht zijn, ze torsten vast niet het gewicht van de hele wereld op hun schouders, zoals hij.

De rook, diep in zijn longen, kalmeerde hem of gaf hem in elk geval de illusie dat hij nog tijd had om een besluit te nemen. De nacht was rus-tig, er bewoog niets of niemand in het Residence Inn, maar als hij langs de voorpui omhoogkeek, zag hij in diverse kamers licht branden, een teken dat het spook van de slapeloosheid ook hier rondwaarde.

Hij rookte de sigaret helemaal op, zonder een besluit te hebben kunnen nemen. Zijn mond voelde droog aan, maar hij brak de filter van een nieuwe sigaret af, stopte die tussen zijn gebarsten lippen en stak hem aan. Met de informatie die hij nu had over generaal Brandt, kon hij verschillende kanten op. Hij kon de president op de hoogte brengen, maar dat zou hem alleen maar afleiden van het moeizame onderhandelingsproces met president Joekin. Hij kon Jack bellen en hem waarschuwen, maar dan zou hij moeten uitleggen hoe hij wist van het verraad van de generaal. McClure was een goede vriend van Edward Carson; ze kenden elkaar al eeuwen voordat Paull zelf Carson leerde kennen. Daarom mocht hij verwachten dat Jack de president zo spoedig mogelijk op de hoogte zou brengen, ook al zou Paull hem smeken om Carson niet te storen tot het cruciale akkoord was ondertekend.

Terwijl Paull heen en weer ijsbeerde en het kouder en kouder kreeg, realiseerde hij zich dat hij een serieus moreel dilemma had. Hoe kon hij toestaan dat Jack niet op de hoogte werd gebracht van het liquidatiebevel? Hoe kon hij toestaan dat het Amerikaans-Russische akkoord niet door zou gaan? Hij was er zeker van dat generaal Brandt krankzinnig was. Die was ervan overtuigd dat zijn eigen belang het allerbelangrijkste was en dat als iemand dat bedreigde, die vermoord moest worden. Hij kon Edward bellen en hem vertellen wat hij had ontdekt, maar hij had geen harde bewijzen en het telefoontje zou alleen de toch al troebele wateren verder vervuilen.

Hij verpulverde de tweede peuk onder zijn hiel en grabbelde al weer in het pakje. Hij rookte sigaretten alsof het tictacjes waren. Ach, waarom ook niet, gezien de duivelse situatie waar hij nu voor stond. Dat Jack op de een of andere manier een duidelijk en onmiddellijk gevaar voor Brandt was, daarover maakte hij zich niet al te veel zorgen. Wel over hoe Jack het eigenbelang van de generaal bedreigde.

Wat was de generaal in vredesnaam van plan? En toen herinnerde hij zich een deel van het gesprek dat hij met Edward Carson had gevoerd in de presidentiële limo na de begrafenis van Lloyd Berns. De president had geklaagd dat Brandt hem zo pushte om het akkoord te ondertekenen. Waarom deed hij dat? vroeg Paull zich af. Uiteraard was de generaal een van de eerste aanhangers van de huidige toenadering tot Rusland. In feite leunde Carson zwaar op de raad van de generaal over waarom en hoe hij Rusland het beste kon benaderen. Maar Brandt was te slim om de president te adviseren de kleine details die Carson niet bevielen weg te laten, zeker met de Russen.

Toch kwam zijn ongedurige geest steeds terug bij de allerbelangrijkste vraag van dat moment, want hij moest echt een beslissing nemen. Jack wel of niet waarschuwen was die vraag. En het antwoord hing samen met moraal en eigenbelang, het één was scherp omlijnd, het ander was veel vager, voor meerdere uitleg vatbaar. Hij was geen Edward, wiens constante sentimentele gevoelens voor zijn gezin en vrienden zowel een zwakte als een oogklep voor de hardere aspecten van de realiteit waren. Paull kende de waarheid die de president weigerde te zien. Moraal was een verraderlijk onderwerp, zeker aangezien er tegenwoordig bergen informatie, feiten en elektronische data voorhanden waren, die een gigantisch aantal redenen konden verschaffen om wel of niet ergens voor te kiezen. Er waren altijd verzachtende omstandigheden, altijd verborgen verklaringen die opdoken als lijken bij de eerste lentedooi in rivieren. Tegenwoordig waren er heel veel manieren om een keuze begrijpelijk, geloofwaardig, acceptabel en overtuigend te maken.

En dit alles leidde hem naar één onontkoombare conclusie: hij moest generaal Brandts liquidatiebevel zelf onderzoeken, zonder iemand op de hoogte te brengen. Niet de president, niet Jack. Zijn eigenbelang stond voorop en dat moest zo blijven. Hij had nu geen andere mogelijkheid, geen enkele.

'We hebben Rotsjevs maîtresse niet vermoord,' zei Jack, zwaaiend met de kopieën van de bewakingsbeelden die hij had gevonden. 'Ze was al dood toen we haar vonden.'

Kirilenko, ontwapend en op een stoel vastgebonden met elektriciteitsdraad dat Annika in een voorraadkast in de buurt had gevonden, zei niets. Ze zaten tegen hun zin, maar er was niets beters, in een leeg kantoor dat Jack had gevonden, omdat ze een bewusteloos lichaam hadden dat op een rustige plek moest bijkomen, wat Kirilenko deed toen Annika hem hard in zijn gezicht sloeg. Hij had nu een dieprode vlek, een soort erfelijke wijnvlek. Het was een standaardkantoor met een bureau, een tafel en een paar houten stoelen. Tegen de muur stond een dossierkast. Er hingen dichtgetrokken, ouderwetse jaloezieën voor het enige raam.

'In de datsja hoopten we Karl Rotsjev te vinden,' ging Jack verder. 'We wilden met hem praten, dat is alles.'

Kirilenko, die bleef zwijgen, negeerde Jack en Alli volledig en keek alleen onheilspellend naar Annika, die met over elkaar geslagen armen nonchalant tegen een muur leunde en terugkeek als een havik die naar een slang kijkt.

'Toen we hem daar niet vonden, besloten we weg te gaan en vervolgens renden we bijna regelrecht in de armen van uw mensen.'

Kirilenko bleef naar Annika kijken, maar met een lachje dat Jack vertelde dat hij veel meer wist en dat die informatie voor hen cruciaal was. Annika dacht blijkbaar hetzelfde, want ze maakte zich van de muur los en sloeg Kirilenko recht in zijn gezicht. Bloed spatte op zijn revers en op zijn schoot.

'Dat is genoeg,' zei Jack, en hij greep haar rechterarm vast, waarmee ze opnieuw wilde uithalen.

'Iemand moet die grijns van zijn lelijke gezicht slaan.'

'En die iemand ben jij, hè?' zei Kirilenko, en hij spuugde een dikke klodder roze speeksel op de kale, cementen vloer. 'Wild, opvliegend, woedend – oftewel de klassieke dolleman – alle rapporten over jou hadden gelijk.'

Annika trok zich los van Jack en bracht haar hoofd vlak bij het zijne. 'Als je daarmee bedoelt dat ik niet in de hand kan worden gehouden, dan heb je helemaal gelijk.'

Alli ging tussen hen in staan en dwong Annika naar haar te kijken en niet meer naar Kirilenko, om zo rustiger te worden. Na een tijdje legde Annika een hand tegen haar wang en knikte om haar te bedanken.

Voor het eerst keek Kirilenko naar Jack. 'Wat ik niet begrijp is waarom jullie bij dit uiterst gevaarlijke wezen zijn. Ze is een moordenares.'

'We zijn hier allemaal moordenaars, Kirilenko,' zei Annika.

'Dat meisje ook?'

Jack ging naast Annika staan. 'Laat haar erbuiten.'

'Te laat. Voor mij is ze net zo schuldig als jullie.' Hij trok zijn hoofd weg van Annika's ontblote tanden. 'Ze gaat dezelfde uiterste prijs betalen die jullie tweeën ook gaan betalen. Dat is een belofte.'

Annika stapte met haar handen op haar heupen achteruit. 'Zie je wel, wat zei ik je? Er is maar één manier om zo'n man aan te pakken.'

'Ja, natuurlijk, vermoord me maar. Dat is de enige manier om te voorkomen dat ik je gevangenneem of je dood voor je misdaden.'

'We hebben geen misdaden begaan,' zei Jack.

'Dat zeggen ze allemaal.' Kirilenko schudde zijn hoofd. 'Eén keer, één keer maar, zou ik me graag laten verrassen, maar nee, jullie moordenaars zijn al net zo zielig als kraaien.'

'Er moet een andere manier zijn,' zei Jack, die dit negeerde. 'We moeten die alleen even vinden.'

'Succes,' zei Annika. 'Ik weet niet hoe het met jou zit, maar ik ben hier weg voor de veiligheidsmensen alle lege kamers gaan checken.'

Jack pakte haar bij haar middel en sleepte haar bijna naar de verste hoek.

'Laten we ophouden met deze krankzinnigheid,' zei Kirilenko zacht op samenzweerderstoon tegen Alli. 'Maak me los, dan zorg ik ervoor dat je niet wordt gearresteerd of gevangengenomen.'

'Jij bent degene die vastzit,' zei Alli, 'en jij bent het die probeert te onderhandelen.'

Ze deed een stap in de richting van Kirilenko, die als een aap naar haar grinnikte. Hij leek ervan overtuigd dat hij haar goed had ingeschat. 'Ik zal niet voor eeuwig vastzitten en als ik...'

'Je denkt dat ik de zwakke schakel ben, hè, dat je me bang kunt maken, maar ik ben niet bang voor je.'

'Alli,' zei Jack scherp, 'wil je alsjeblieft bij de deur gaan staan en luisteren of je iemand hoort aankomen.'

'Dat zou je wel moeten zijn.' Kirilenko klapte zijn tanden op elkaar als een chimpansee of een krokodil. 'Als je niet naar me luistert, dan zweer ik dat ik je kop eraf bijt.'

'Alli...' zei Jack waarschuwend.

Alli keek op Kirilenko neer, spuugde in zijn gezicht, draaide zich om, liep het kleine kantoortje door en ging braaf bij de deur staan luisteren.

'Daar vroeg je om,' zei Jack spottend tegen de Rus. Daarna draaide hij zich weer om naar Annika en zei zacht: 'Je gaat hem niet vermoorden. Daar is geen sprake van. Trouwens, hij weet iets.'

'Stel dat hij gewoon doet alsof hij iets weet.'

'Stel dat hij dat niet doet.'

Maar Jack was afgeleid. Hij zag dat Alli tijdens hun gesprek van de deur naar Kirilenko liep. Annika zag Jacks reactie en draaide zich om om te kijken wat er gebeurde. 'Wat doet ze, verdomme,' zei ze zacht.

'Alli, ga bij hem weg,' zei Jack scherp, en hij liep snel naar haar toe. Maar voor hij bij haar was, bewoog ze de mobiel voor Kirilenko's gezicht heen en weer die ze had opgeraapt in de gang toen de anderen zijn lichaam naar binnen sleepten.

'Jíj zou bang moeten zijn,' zei ze. 'Ik heb jouw leven in mijn handen.'
Jack trok haar terug. 'Waar ben je in vredesnaam mee bezig?'
'Je mist dit,' zei ze tegen Jack, en ze stak hem de mobiel toe.
'Ze heeft ballen,' zei Annika lachend, 'dat moet ik haar nageven.'
Jack zag Kirilenko's gezicht betrekken en vroeg zich af of Alli iets had.
Hij wilde de mobiel aanpakken, toen hij zich bedacht. 'Bekijk hem zelf
maar. Dat recht heb je wel verdiend.'
Alli aarzelde en keek alsof ze hem niet kon geloven. Toen ze zag dat hij
het meende, klapte ze de mobiel open. Een paar minuten lang scrolde
ze langs allerlei menu's, tot ze iets interessants tegenkwam. Ze liet het
scherm aan Jack en Annika zien met de foto van hen drieën toen ze uit
Rotsjevs datsja kwamen.
'Mijn gezicht is het enige wat identificeerbaar is,' zei Annika terwijl ze
geconcentreerd naar het beeld keek.
Alli zoomde in op een gedeelte van de foto. 'Kijk eens naar wat je in je
hand hebt.'
'De soelitsa,' zei Annika hijgend.
'Wat is goddomme een soelitsa?' Hij had nog steeds zijn eigen bloed en
Alli's spuug op zijn wang. 'Waarmee heb je Ilenja Makova vermoord?'
'Ah, nu weten we in elk geval hoe ze heette,' zei Jack, en hij pakte de
mobiel van Alli over.
'Ik heb haar niet vermoord. Geen van ons heeft haar vermoord,' zei An-
nika. 'Zoals Jack al zei: we vonden haar met dit ding, dit antieke kozak-
kenwapen, in haar lijf…'
'Ik geloof je niet, Annika Dementieva.'
'… zo diep, dat ze aan de matras was gespietst.'
Kirilenko schudde zijn hoofd. 'Ik ken je.'
'Jij kent me helemaal niet.'
'Ik ken mensen zoals jij. Ik weet dat je haar hebt vermoord.'
Jack liep langs een razende Annika en zei tegen de Rus: 'Luister goed
naar me, want ik ga dit maar één keer zeggen. Annika wil je doden en
ik begin haar gelijk te geven.' Hij trok aan Kirilenko's lelijke das, zodat
de knoop in zijn adamsappel drukte. 'Maar tegen beter weten in ga ik je
toch nog deze kans geven. Vertel ons wat je weet.'
'En dan?' vroeg Kirilenko. 'Ze gaat me hoe dan ook toch vermoorden.
Dat zie ik in haar ogen.'
'Ze gaat je niet vermoorden als je mijn vragen beantwoordt.'
Kirilenko lachte. 'Alsof jij haar kunt tegenhouden.'

'Ja,' zei Jack zacht en langzaam. 'Dat kan ik.'
De Rus keek met zijn vermoeide blik naar Jack. 'Fuck jou, *Americanski*. Fuck jou en jou hele decadente, fucking land.'

Net als zijn vele nachtelijke bezoekers had Djadja Goerdjiev onrustig geslapen tot diep in de ochtend. Hij had gedroomd dat het dagenlang, mogelijk wekenlang, regende en dat er allemaal scheuren verschenen in het slechte plafond en rond de goedkope aluminium raamkozijnen van zijn appartement. Daardoor kwam er op verschillende plekken zoveel water naar binnen dat het onmogelijk was om alles op te vangen en droog te houden. Zodra hij een kier had gedicht, kwamen er twee voor terug.
Doodmoe werd hij wakker. Terwijl hij naar het gecraqueleerde plafond keek, wist hij wat hij moest doen. Hij kroop zijn bed uit, liep naar de badkamer en plaste met moeite. Daarna schoor hij zijn wangen roze met een eenvoudig scheerapparaat, kamde zorgvuldig zijn haar, trok een westersachtig pak aan, deed een stropdas om en at zijn gebruikelijke ontbijt van zwarte koffie, toast, boter en sinaasappelmarmelade uit Sevilla. Hij kauwde langzaam en bedachtzaam. Hij voelde zich een boomwortel, de jaren drukten zwaar op hem als de roestkleurige herfstbladeren. Hij waste de borden en het bestek af, zette ze op het afdruiprek en droogde zijn handen af aan een keukendoek.
Uit de kast naast de voordeur pakte hij wat hij nodig had, onder meer zijn lamswollen jas en de zachte kasjmieren sjaal met Burberry-motief die hij zo om zijn hals sloeg dat zijn keel goed beschermd was tegen de harde aprilwind. Hij trok zijn jas aan, deed de deur open en liep door de gang. Hij zag dat de bloedvlek – inmiddels een donkere, bijna paarse vlek – er nog steeds zat. Alles werd minder, dacht hij, alles viel uit elkaar, werd ziek, kwijnde weg en stierf.
Hij stond alleen in de lift, maar de charmante weduwe Tanova kwam vanaf de straat met armen vol groenten binnenlopen. Glimlachend hield hij de liftdeur voor haar open. Ze glimlachte terug, bedankte hem en vroeg of hij 's middags een kop thee met zelfgebakken cake kwam drinken. Een uitnodiging die hij graag accepteerde. De weduwe Tanova was bijna even oud als hij en begreep het leven, wat belangrijk was en wat met rust gelaten moest worden. Ze was iemand met wie hij kon praten, die hij vertrouwde, met wie hij kon klagen en met wie hij kon rouwen om de verliezen die ze hadden geleden. En ze had lange benen

– stengels, zoals ze in oude Amerikaanse zwart-witfilms werden genoemd die hij nog steeds geweldig vond.

Hij wachtte tot de lift met zijn knappe inhoud naar boven ging, liep daarna door de verlaten lobby, trok de zware voordeur open en stapte op de stoep van gelige stenen. Hij ademde de koude lucht diep in zijn longen en keek links en rechts de straat in. Er waren geen voetgangers en er reden slechts een paar auto's. Maar de auto die hij al verwachtte was er ook. Hij zag hem meteen: een glimmende, zwarte Mercedes – in hun mateloze arrogantie vonden deze mensen discretie, waakzaamheid, overleg of zelfs tact niet nodig. Afgelopen nacht was daar een perfect voorbeeld van. Er zaten twee mannen voorin, flamboyant, zoals ieder lid van de Izmajlovskaja leerde te zijn. Het leek wel een verdomde cultus, dacht Djadja Goerdjiev.

Nadat hij nog even om zich heen had gekeken, liep hij aan de overkant van de straat van de auto weg, stak daarna over en liep terug. Toen hij weer bij de auto was, stond hij stil en tikte tegen het raampje van de chauffeur. Geschrokken liet die in een reflex het raampje zakken. Nog voor het helemaal beneden was, had Djadja Goerdjiev zijn Glock al getrokken. Hij pompte twee kogels in de man op de stoel naast die van de chauffeur, omdat die naar zijn pistool tastte, en schoot daarna de chauffeur tussen zijn ogen.

Meteen liet hij de Glock in een diepe zak van zijn jas glijden en slenterde kwiek en zorgeloos weg, alsof er bij elke stap een paar jaar van hem af viel, tot hij bij de hoek weer de sterke jongeman van vroeger was geworden. Toen hij de hoek om liep, begon hij *Dva Goesja* te fluiten, het oude volksliedje dat zijn moeder vroeger altijd voor hem zong.

Annika haalde Kirilenko's pistool tevoorschijn, dat hij als FSB-medewerker onder alle omstandigheden bij zich mocht dragen. Ze richtte het op hem en trok de hamer naar achteren. Op dat moment begon de mobiel in Jacks hand te trillen.

'Wie je ook belt, hij zal even moeten wachten,' zei Jack. 'Misschien wel voor altijd.'

'Het is zijn mobiel niet,' zei Alli. 'Dat heb ik gecontroleerd.'

'Wiens telefoon is het dan?' vroeg Jack.

Alli pakte de mobiel van hem over en drukte op een paar knoppen om de simkaartinformatie te krijgen. 'Van een man die Limonev heet.'

Annika deed een stap naar voren. 'Mondan Limonev?'

Alli keek naar haar. 'Ken je hem?'

Ze knikte. 'Ik heb over hem gehoord. Er wordt beweerd dat hij een huurmoordenaar van de FSB is.'

'Een verachtelijke leugen, in de wereld gebracht door anarchistische vijanden van de FSB,' zei Kirilenko zuur.

Maar Jack, die naar zijn gezicht keek, zag een ander antwoord, dat de Rus niet onder woorden wilde brengen, of misschien was hij tijdens de uitoefening van zijn beroep gaan geloven in de leugens die hij elke dag vertelde.

Annika ging naast Jack staan. 'Er wordt ook beweerd dat Limonev lid van Trinadtsat is.'

Kirilenko's bovenlip krulde verachtelijk omhoog. 'Nou, dat is gewoon absurd, vooral omdat Trinadtsat volgens mij niet bestaat.'

Limonevs mobiel had een sms ontvangen, geen gesprek. 'Nou nou,' zei Jack, die moeizaam de twee woorden in het cyrillisch las, 'dit is een interessante ontwikkeling.'

Hij liet het Annika lezen, die lachend zei: 'Jezus, deze mensen eten elkaar op.'

'Ik zal het je laten lezen,' zei Jack tegen Kirilenko.

De Rus zei onbewogen: 'Geen interesse.'

'O nee? Maar die zou je wel moeten hebben. Het bewijst dat Annika gelijk had.'

Jack hield het scherm voor Kirilenko's gezicht, die het dertig seconden voor elkaar kreeg om niet te kijken. Daarna gleden zijn ogen naar het scherm en lazen de sms, die uit twee woorden bestond:

vermoord kirilenko.

19

In het spoor van Kirilenko arriveerde Mondan Limonev op de Krim. Hij had hier vier jaar gewoond, een tijd dat hij gelukkig was, zorgeloos, of wat voor zorgeloos doorging bij een man met zijn duistere beroep. Zes opdrachten, allemaal moorden op Russische oligarchen die hun land waren ontvlucht toen het tij zich tegen hen keerde. Limonev was een uniek geval onder de FSB-sluipschutters, omdat hij per opdracht werd betaald. Hij vroeg ontzettend veel, maar Joekin en Batsjoek waren meer dan bereid om staatsgeld op te hoesten voor het exclusieve recht op zijn diensten. Ze wisten dat op het moment dat hij een opdracht aannam, het doelwit zo goed als dood was.

Kirilenko was geen uitzondering. Met zijn FSB-elitepapieren ging Limonev snel langs het luchthavenpersoneel in de aankomsthal. Een van hen had Kirilenko de controlekamer van de bewakingscamers's zien binnengaan. Kirilenko was daar al weg toen Limonev er kwam, maar met zijn gebruikelijke grondigheid controleerde Limonev de hele gang. Wat verderop zag hij bij de muur iets op de grond liggen. Het bleek een klein luciferdoosje te zijn. Hij had Kirilenko talloze keren lucifers uit dit doosje zien aansteken. Hij trok zijn handwapen en zette behoedzaam de ene voet voor de andere. Bij elke deur stond hij stil en legde zijn oor ertegen. Die ijver werd beloond toen hij achter de vijfde deur Kirilenko's stem hoorde. Hij had zijn hand al op de deurknop om die om te draaien, toen hij andere, onbekende stemmen hoorde. Hij luisterde aandachtig en besloot dat deze mensen, wie het ook mochten zijn, Kirilenko overmeesterd hadden – een hele prestatie. Maar hij was alleen in Kirilenko geïnteresseerd.

Op het moment dat Kirilenko's hersenen de betekenis van de sms-boodschap doorgaven, brak het koude zweet hem uit. 'Shit, dit geloof ik niet. Het kan niet, het kan gewoon niet waar zijn.' Hij keek Jack aan. 'Dit is een truc.'

'Hoe moet het een truc zijn?' vroeg die bijna vriendelijk.

Kirilenko wees met zijn kin naar Alli. 'Het meisje. Dat heeft iets gedaan toen ze de mobiel had, heeft die boodschap geregeld.'

'Doe niet zo idioot.' Jack schudde zijn hoofd. 'Hoe kan zij – of wie dan ook van ons – iets weten over Mondan Limonev, wie hij is of dat hij in jouw team bij de datsja zat?'

Kirilenko keek naar Alli alsof hij haar nu pas voor het eerst zag. Vervolgens werden zijn ogen wazig, toen hij het uitzichtloze van zijn situatie begreep. Ten slotte knikte hij. 'Verdomme,' zei hij tegen Jack, 'wat wil je weten?'

'Wat weet je van Trinadtsat?'

'Wat?'

'Je hebt me wel gehoord. Ben jij lid van Dertien?'

Kirilenko week achteruit voor zover zijn boeien dat toelieten. 'Daar weet ik helemaal niets van. Ik zorg dat ik niet opval en doe geen rare dingen. Ik ben rechercheur, geen apparatsjik. Ik werk in het veld, klein grut.'

Omdat hij niet wist of de Rus de waarheid sprak, probeerde Jack een andere tactiek. 'Ik kan begrijpen waarom de Izmajlovskaja achter Annika aan zit, maar jij en je mensen wachtten ons op bij Rotsjevs datsja.'

'Mijn mensen. Je zult jóúw mensen bedoelen.' Kirilenko knikte. 'Ja, dat klopt. Amerikanen. De Amerikanen zitten achter Annika Dementieva aan.'

'Wat een gelul,' zei Jack. 'Welke Amerikanen?'

'Ik snak naar een sigaret,' zei Kirilenko. 'Er zit een pakje...'

'Ik weet waar dat pakje is,' zei Alli, en ze viste het uit zijn zak. Jack duwde een sigaret tussen Kirilenko's lippen en Annika stak hem aan met haar aansteker. Kirilenko inhaleerde diep en blies langzaam de rook weer uit. 'Harry Martin, ken je die?'

'Harry Martin klinkt als een nepnaam.'

Kirilenko knikte. 'Dat denk ik ook. Maar deze man – hoe hij ook moge heten – is niet nep. Hij is een spion, dat weet ik wel zeker. Ik moest hem helpen.'

'Waarmee? Waarom is hij hier?'

'Dat weet ik niet, want hij heeft het me niet verteld. Ik nam hem mee naar Rotsjevs datsja omdat hij daarnaartoe wilde. De rest weten jullie.'

'Doe maar alsof ik niets weet,' zei Jack. 'Wat weet je nog meer over Harry Martin?'

'Wat losse dingetjes die ik heb opgevangen van zijn mobiele gesprekken, waarschijnlijk met zijn baas.' Kirilenko inhaleerde de rook weer diep in zijn longen. Toen hij weer wat zei, dreef de rook uit zijn mond en neusgaten alsof hij een draak was. 'Ik heb een woord gehoord, aura. Ik heb geen idee wat het betekent, maar weet vrij zeker dat waar hij ook achteraan zit, hij met die daar moet praten.' Hij wees met zijn kin naar Annika.

Jack keek even naar haar, maar Annika schudde haar hoofd. 'Ik heb nog nooit van aura gehoord.'

Jack keerde weer terug naar Kirilenko. 'Als jij aan Harry Martin werd toegewezen, waar is die nu dan?'

'Die heb ik gedumpt nadat ik die foto had gezien en Annika Dementieva herkende.' De prikkende rook kronkelde omhoog, waardoor hij zijn linkeroog moest dichtknijpen. 'Ik ben het spuugzat om door iedereen te worden rondgecommandeerd, ook door mijn superieuren.'

'Moet je daarom dood?'

Kirilenko blies nog wat rook uit en huiverde. 'Ik heb verdomme geen idee waarom er een liquidatiebevel op me is gezet of wie dat heeft gedaan. Zoals ik al zei: ik zorg dat ik niet opval en doe geen rare dingen.'

'Maar dat is blijkbaar niet genoeg. Onderweg ben je serieus in de problemen geraakt,' zei Annika droog.

'Misschien is het omdat je Harry Martin hebt gedumpt,' dacht Jack.

'Alles liep nog beroerder toen ik aan hem werd toegewezen,' zei Kirilenko knorrig.

'Van wie kreeg je die opdracht?' wilde Jack weten. 'Aan wie moet je rapporteren?'

'Die was het niet, althans het begint niet bij hem, hoewel mijn baas afdelingshoofd is. Toen hij me naar zijn kantoor liet komen, zei hij dat hij ook alleen maar de opdracht had gekregen. Hij keek niet blij.'

'Wie?' vroeg Annika. 'Wie zou hem zijn marsorders geven?'

Kirilenko haalde zijn schouders op, maar kromp ineen van de pijn die dat veroorzaakte. 'Je kent de FSB, het is een verdomd muizennest met bureaucraten boven afdelingsniveau. Er snakken zoveel jaloerse apparatsjiks naar macht, dat het moeilijk is om te weten waar iedereen staat.'

Annika pakte haar mobiel. 'Wat is de naam van je baas?'

Toen Kirilenko het verteld had, drukte ze een sneltoets in en begon in de mobiel te praten.

'Moeten we hem niet losmaken?' vroeg Alli.

Limonev liep snel terug door de gang, door de aankomsthal en door de glazen deuren. Hij negeerde de wachtende rij taxi's en verdween snel om de hoek van het gebouw. Vanuit de aankomsthal had hij een raam gezien dat van de kamer was waar Kirilenko werd vastgehouden. Op zoek naar de eenvoudigste ontsnappingsroute, keek hij naar de meest westelijke startbaan, een helling en het daarachter liggende veld, met daar weer achter de parkeerplaats. Hij ging naar de parkeerplaats en klom op het dak van een auto om goed uitzicht te hebben. Vervolgens pakte hij de mobiel die hij van de SBOE ter vervanging van zijn afgegeven exemplaar had gekregen, belde daarmee de Veiligheidsdienst van de luchthaven en meldde een ruzie in een van de kantoren. Onmiddellijk hierna maakte hij de koffer open die hij bij zich had, zette de Dragoenov in elkaar en sloeg het magazijn met de tien kogels op zijn plek. Toen ging hij languit op zijn kleine, maar perfecte uitkijkpost boven de grond liggen, legde zijn rechteroog tegen de 4x PSO-1-telescoop en wachtte op wat er ging gebeuren.

Jack, die luisterde naar wat Annika vertelde, miste eerst haar opmerking. Mensen praten op verschillende manieren tegen andere mensen. Zijn hersenen waren een bewaarplaats van die verschillende intonaties. Daarom wist hij dat Annika met Djadja Goerdjiev praatte en hem naar de baas van Kirilenko vroeg.
Alli stond al achter de stoel waarop Kirilenko zat vastgebonden tegen de tijd dat hij zijn aandacht op haar richtte.
'Wat doe je?'
'Ik maak hem los. Volgens mij moeten we dat doen.'
'Jij hebt anders in zijn gezicht gespuugd.'
'Ik vond het niet prettig wat hij zei, maar dat wil niet zeggen dat ik de man zelf haat.'
Annika klapte haar mobiel dicht. 'Binnen een paar uur weet ik wie jou aan die Amerikaanse spion heeft gekoppeld,' beloofde ze. Toen zag ze dat Alli het elektriciteitssnoer om Kirilenko's polsen aan het losmaken was. 'Dat is een fout die we allemaal gaan bezuren.'
'Dat denk ik niet,' zei Kirilenko.
'Wat een verrassing!' Annika had nog steeds zijn pistool in haar hand, maar het was niet meer op hem gericht.
'Hoor eens, in het licht van alles wat er gebeurd is, wil ik een voorstel doen.'

Annika snoof. 'En dat komt van een zogenaamd niet corrupt te krijgen FSB-agent Moordzaken?'

'Laten we maar eens horen wat hij te zeggen heeft.' Alli gooide het snoer in een hoek.

Jack wilde reageren, maar zag ineens het beeld voor zich van Alli die vastgebonden zat in een stoel, en onmiddellijk daarna herinnerde hij zich Annika's uitleg waarom Alli naar het appartement, of de kerker zoals Annika het noemde, van Milla Tamirova had willen gaan. Kirilenko zat op de stoel waaraan ze hem hadden vastgebonden. Jack wist dat Alli er niets aan kon doen, maar dat ze zijn positie met de hare vergeleek. En wie was hij om haar te zeggen dat ze dat niet moest doen.

Kirilenko maakte geen agressieve beweging en probeerde ook niet op te staan. Hij masseerde alleen maar zijn polsen om de bloedsomloop in zijn handen vol kloven weer op gang te brengen. Daarna tilde hij zijn hoofd op, keek Annika recht aan en zei: 'Mijn voorstel is het volgende: jij vermoordt Mondan Limonev en ik zorg voor Harry Martin, de Amerikaan die achter jou aan zit.'

'Wacht even,' zei Jack. 'Ik geloof dat ik die film heb gezien.'

'*Strangers on a Train*. Klopt, die heb ik ook gezien.' Kirilenko stopte zijn massage en stak dankbaar weer een sigaret tussen zijn lippen. Hij leunde voorover terwijl Annika hem vuur gaf. 'Maar ik maak geen grapje.'

'Jij bent toch die beroemde rechercheur die meedogenloos moordenaars opspoort,' zei Annika met begrijpelijke scepsis.

'Ja, ja, natuurlijk kom je daarmee. Dat zou ik in jouw plaats ook doen.' Kirilenko blies met een diepe zucht rook uit. 'In het afgelopen halfuur is het me duidelijk geworden dat jij en ik heel slim bespeeld zijn. Ik mag dan niet weten wat er allemaal gebeurt, maar ik geloof nu dat je Ilenja Makova niet hebt vermoord.'

'We proberen uit te zoeken wie het heeft gedaan,' vertelde Jack. 'En het spoor leidde ons hiernaartoe.'

'Ook dat geloof ik.'

Annika bleef sceptisch. 'Waarom ben jij in vredesnaam zo snel van mening veranderd? Jij staat bekend als de grote kruisvaarder tegen moord en verkrachting; jouw overtuigingen en jouw gevoel voor goed en kwaad moeten onwrikbaar zijn.'

'Het klopt dat ik criminelen haat en dat mijn woede over het nemen van een leven absoluut is, maar het maken van fouten haat ik nog erger. Daarom heb ik in mijn tweeëntwintig jaar als mensenjager nog nooit de verkeerde misdadiger opgepakt. Als het over mijn bazen gaat, mag ik dan doof en dom zijn, maar ik ben niet blind. Ik ben me ervan bewust dat een aantal van hun activiteiten crimineel is. Niet opvallen, geen rare dingen; dat is nodig om hun systeem te overleven.' Hij plukte een sliertje tabak van zijn lip, keek er even naar en schoot het toen weg. 'Maar ik neem aan dat voor elk systeem geldt: hoe groter het systeem, hoe groter de noodzaak om de illegale dingen die om je heen gebeuren te negeren en hoe belangrijker het is dat je je mond dichthoudt.'

'Illegale dingen!' Hij had duidelijk een gevoelige snaar geraakt, Annika was razend.

'Hoor eens, ik zit niet in het directoraat, dat zijn dagen en nachten gebruikt om valse aanklachten tegen werknemers van legale bedrijven en oligarchen te verzinnen op bevel van Joekin en Batsjoek. Ik gooi geen onschuldige mensen in de gevangenis, waar ik ze de rest van hun leven laat verrotten. Ik terroriseer hun vrouwen en maîtresses niet. Ik zet niet mijn pistool tegen hun achterhoofd en haal niet de trekker over.'

'Maar je doet er ook niets tegen.'

'Mijn god, wees een beetje realistisch. Wat kan ik doen?'

'Vertel me dan maar waarom zíj het doen.'

'Net als iedereen wil je antwoorden, wil je weten waarom mensen slechte dingen doen. Maar het slechte kan niet ontleed worden, omdat het in feite veel te simpel, veel te stom is. En waarom zou je het willen begrijpen, waarom zou je het willen ontleden? Begrijp je dan niet dat als je daar je energie in steekt, je het macht geeft, een bedoeling, een rechtvaardiging die het eigenlijk niet heeft?' Hij rookte zonder iets te zeggen, leek in gedachten verzonken, tot hij weer opkeek en zei: 'Wat mezelf betreft, eigenbelang is het beste motief, toch, en laten we het maar toegeven: tegenwoordig kun je niet meer leven zonder een of andere vorm van motivering.' Hij keek om beurten naar hen. 'Dus om een lang verhaal kort te maken, ik ben anders dan mijn collega's omdat ik heb geleerd me aan te passen als ik merk dat ik fout zit. Gezien het riool waarin ik werk, zou ik anders niet met mezelf kunnen leven.'

Nu hij dit had uitgelegd, keek hij naar Annika. 'Mijn voorstel?'

Jack zei tegen haar: 'Je gaat toch niet serieus overwegen om...'

'Er zit een logica in,' zei Annika. 'Een symmetrie die ik ontzettend aantrekkelijk vind.'

'Annika, echt...'

'Weet jij dan een andere manier waarop we lang genoeg in leven blijven om uit te zoeken wie Rotsjev heeft vermoord?'

'Wacht.' Nu pas stond Kirilenko op, maar zijn lichaamstaal was niet dreigend. 'Is Karl Rotsjev dood?'

Jack legde uit hoe ze via het antieke moordwapen bij het landgoed van Magnussen waren beland en hoe ze Rotsjev hadden gevonden, die duidelijk was gemarteld voordat hij met de tweeling soelitsa was vermoord. Kirilenko wilde wat gaan zeggen, toen ze op de gang een scherp geluid hoorden. Meteen hierna vloog de deur naar binnen toe open.

Toen Harry Martin op Simferopol landde was hij woedend. Tijdens de vlucht vanaf Kiev was hij inwendig al boos geweest en die boosheid was tegen de tijd dat hij in de aankomsthal stond, uitgegroeid tot razende woede. Het enige waaraan hij nog kon denken, was een kogel in het achterhoofd van Kirilenko pompen. Het was Kirilenko die hem de verkeerde kant op had gestuurd, hem had gedumpt en hem bij generaal Brandt vernederd had. Nu begreep hij waarom Kirilenko zo vlug had ingestemd om te splitsen toen hij dat nota bene zelf voorstelde, omdat hij dacht dat als hij naar Kiev terugging en de Rus de bosjes in zou sturen, hij de kans kreeg om Annika Dementieva zelf te vinden.

Hij bekeek de passagiers die door de aankomsthal krioelden zo aandachtig alsof hij zijn eigen verleden bekeek, zocht die ene persoon op wie hij zich fixeerde, zodat hij de herinnering aan wat gebeurd was kon wissen.

Er waren zoveel dingen in het verleden van Martin die verwijderd of uitgedreven moesten worden, de woordkeus hing ervan af of je praktisch of metafysisch was ingesteld, maar hij had al lang geleden vastgesteld dat het uiteindelijk allemaal op hetzelfde neerkwam. Het verleden was een groot moeras en stonk naar fouten, verraad, leugens en misleiding. Als hij het voor het zeggen had, dan vernietigde hij het verleden met alles en iedereen erin. Zou dat niet heerlijk zijn? dacht hij terwijl zijn ogen op zoek waren naar Kirilenko.

Misschien waren ze allebei verdwenen – Kirilenko en Annika Dementieva – en zou hij geen van beiden ooit vinden. Dan zou hij weg kunnen gaan en nooit meer terugkomen. Maar hij betwijfelde of het zou gebeuren, omdat hij alles wist van verdwijnen. Harry Martin was een legende, een fictie, zoals een kort verhaal of een novelle. En wat kostte het enorm veel moeite om die in stand te houden! Hem creëren was een eitje geweest, een goocheltruc onderbouwd met documenten die het ministerie van Legenden had gefabriceerd, net zoals lucht in een vliegtuig of in een koelkast. Ingepakt, kunstmatig, hergebruikt, hermetisch afgesloten. Hij was een geest, net zoals het monster van Frankenstein opgebouwd uit het verleden van mensen die allang dood waren. Daar haalden de legendemakers hun ideeën vandaan. God wist dat ze die niet zelf hadden. Maar met elke leugen die hij vertelde, werd Harry Martin ingewikkelder vol te houden. Het korte verhaal werd een roman met een warnet van verzinsels die ontzettend zorgvuldig bewaakt moesten worden, zodat ze elkaar niet gingen tegenspreken.

Inmiddels had hij de hele aankomsthal bekeken, iedere aanwezige gezien, maar geen Kirilenko. Hij keek nog een keer de hal door. Toen hij naar de gang keek die naar de luchthavenkantoren leidde, zag hij een veiligheidsbeambte uit een deur komen die op twee derde van de gang zat. Iets in de gezichtsuitdrukking van de man – verrassing, misschien schrik – waarschuwde Martin voordat de man in elkaar zakte. Terwijl die man naar binnen werd getrokken, rende Martin al de gang in. Hij trok zijn keramische pistool uit de leren holster op zijn rug en haalde de veiligheidspal eraf. Vlak voordat de deur dichtging, stond hij ervoor, duwde zijn dichtstbijzijnde schouder tussen de deur en de deurpost en ramde met zijn rug tegen de deur, zodat die wijdopen schoot.

Hij had net genoeg tijd om aan de periferie van zijn blikveld Kirilenko en andere mensen te zien. Toen vuurde hij blindelings. Hij fixeerde zich op Kirilenko, die achter een tafel was gedoken. Hij richtte en was de trekker aan het overhalen, toen hij een oorverdovend geluid hoorde.

Keihard achteruitgeblazen door de kogel die zijn schedel binnenkwam, was Harry Martin al dood voordat hij de grond raakte.

20

'Ik hoop dat je brandt in de hel,' zei Kirilenko, en hij spuugde op het lijk van Harry Martin.

Jack liep onmiddellijk diens jaszakken na. Hij vond zijn mobiel, een rolletje bankbiljetten, twee creditcards, een internationaal rijbewijs en nog wat kleine dingetjes. 'Ik heb niets gevonden wat erop zou wijzen dat hij Harry Martin niet is.'

'Hier geen verrassingen,' meldde Annika, die het uniform van de veiligheidsman naliep. 'Maar kijk eens wat ik heb gevonden.' Ze hield een paar autosleutels omhoog.

Op dat moment werd er op de deur geroffeld en klonken er opgewonden, steeds banger wordende stemmen. Jack pakte de stoel waar Kirilenko op had gezeten en klemde de rug ervan onder de deurknop. Tegelijkertijd trok Annika de jaloezieën voor het raam omhoog en ontdekte dat er gewapend glas achter zat. Het geroffel op de deur werd harder en ze hoorden iemand om hulp of om rugdekking roepen. Annika pakte een andere stoel en sloeg ermee tegen het glas, daarna sloeg ze met de stoel net zo lang tegen de muur tot er een poot losliet. Die pakte ze en ze hakte ermee op het gewapende glas in, net zo lang tot ze een gat had dat groot genoeg was om hen door te laten.

Achter hen hoorden ze een schot en het deurslot explodeerde. Nu stond alleen nog de stoel onder de deurknop tussen hen en de agenten in de gang. En die stoel leek het te gaan begeven onder de druk die van de andere kant van de deur kwam.

'Kom!' riep Annika, en ze hielp Alli door het gat dat ze had gemaakt. Jack ging daarna, vervolgens Kirilenko en ten slotte klom Annika naar buiten. Omdat ze geen andere optie hadden, renden ze van het gebouw weg, recht op een van de startbanen af. Een vliegtuig draaide net van de taxibaan de startbaan op. Ze hoorden de motoren gieren om snelheid te maken om de startbaan op te schieten en op te stijgen.

Achter hen was het kantoortje dat ze hadden verlaten inmiddels vol met gillende en roepende mensen. Er werd op hen geschoten en ze renden zigzaggend over de startbaan. Het vliegtuig rolde al over het platform, steeds sneller door de kracht van de vier grote motoren.

Boven het groeiende gebulder uit hoorden ze vaag een politiesirene en toen Jack even achteromkeek zag hij de politieauto zelf. Ze waren nu zo dicht bij het aanstormende vliegtuig dat ze bijna stikten van de uitlaatgassen. Jack trok Alli dicht tegen zich aan, weg van de motor aan de buitenkant onder de linkervleugel. Ze bogen bijna dubbel terwijl ze onhandig over het trillende macadam renden, het aanstormende vliegtuig leek zo groot als een flatgebouw.

De politieauto reed op volle snelheid recht op hen af. Jack begreep dat hun enige kans was om het vliegtuig tussen hen en hun achtervolgers te manoeuvreren en ging voorop. De vectoren vormden hun driedimensionale patronen in zijn hoofd en veranderden als hun positie ten opzichte van het vliegtuig veranderde. Hij zag een weg die hen in veiligheid zou kunnen brengen. Hij hield Alli's hand stevig vast en bleef over het platform rennen, ook al leek het vliegtuig gevaarlijk hun kant op te komen. Het was nu zo dichtbij dat ze de lucht praktisch niet meer konden zien, alsof er een wervelstorm of een tornado op komst was: de donkere en toch heldere lucht, en vlak boven hun hoofden kreeg de striemende wind de kracht van een maaiende zeis.

Met gebogen hoofd en op hun knieën als vluchtelingen hielden ze elkaar vast toen de storm over hen raasde, de enorme buik van het vliegtuig over hen heen scheerde en vier gigantische wielen hen aan twee kanten omsloten voordat ze ratelend verdwenen. En toen waren ze ineens vrij en renden naar de andere kant van het platform, bijna stikkend van de vliegtuiguitlaatgassen, met tranende ogen, gloeiende neuzen en kloppende, droge kelen.

Het vliegtuig begon vanaf de westelijke startbaan op te stijgen. Achter een verre grasrand leidde een helling naar een grasveld, waarachter een parkeerplaats lag met daarop een apart gedeelte voor auto's van werknemers. Ze staken die rand over en tuimelden de helling af toen het vliegtuig loskwam van het platform. De politieauto, die had moeten stoppen voor het vliegtuig, stond nu bij de startbaan. De helling was te steil voor de auto, die bij de grasrand stopte. Er sprongen drie geüniformeerde agenten uit, die naar de helling renden. Half glijdend, half struikelend namen ze de helling. Een van hen struikelde helemaal, verloor zijn pistool en moest terug om het te pakken. Daarna wilde hij weer verder rennen, maar omdat hij zich schaamde dat hij was achtergebleven, stond hij weer stil, plantte zijn voeten schouderbreed stevig op de grond, hield de kolf van zijn Makarov in één hand, richtte op de vluchtende figuurtjes en schoot en schoot en schoot tot zijn pistool leeg was.

Djadja Goerdjiev zat in een klem. Nog geen vijf minuten nadat hij het telefoontje van Annika had gekregen en vervolgens zelf had gebeld, ontdekte hij dat hij door twee mannen werd geschaduwd. Een man voor hem, een man achter hem. Zo zat een klem in elkaar. Het was een observatiemethode die gebruikt werd als de vaardigheden van het doelwit beter waren dan die van de achtervolgers.
Hij was misschien zes of zeven straten van zijn appartement vandaan, waarvoor hij net die twee Izmajlovskaja-schutters had doodgeschoten. Arsov zou dat niet leuk vinden, maar het laatste waarmee Goerdjiev zich nu bezighield, was Arsovs humeur. Deze twee mannen die hem in een klem hadden, kon hij niet op dezelfde manier aanpakken, omdat ze geen groeperovka-gorilla's waren. Het waren overheidsmannen, Kremlinmannen, Trinadtsat, en stonden daarom direct onder commando van Batsjoek. Hij wist dat ze Trinadtsat waren omdat ze hun handelsmerk droegen: zwartleren trenchcoats. Op het moment dat Batsjoek naar Annika had gevraagd, op het moment dat bleek dat hij daar helemaal voor uit Moskou was gekomen, had Djadja Goerdjiev geweten dat ze verschrikkelijk in de problemen zat. Batsjoek vroeg niet vaak naar haar – hij wist wel beter – de laatste keer was een paar jaar geleden. Misschien had hij interesse vanwege haar twee reisgenoten, maar Goerdjiev twijfelde daaraan. Batsjoek had interesse voor haar en voor niemand anders.
Hij liep met zijn klem door de winderige straten van Kiev en wenste dat hij wist wat Annika van plan was. Maar Batsjoek had op één punt gelijk: ze was veel te slim om hem haar plannen te vertellen. Ze zou hem nooit blootstellen aan de gevaren die haarzelf bedreigden. Hij wenste ook dat hij haar ervan kon weerhouden om dergelijke risico's te nemen, maar hij wist dat hem dat nooit zou lukken. Annika was een extremist; dat wist hij al vanaf haar geboorte. Zo was ze en niets, geen ervaring of iets anders, kon dat veranderen. Maar er was ook een andere reden waarom hij nooit geprobeerd had haar uit het leven te halen dat ze had gekozen: stiekem was hij trots op haar, trots dat ze geen angst kende, taai was en slim. Hij had het haar allemaal geleerd, dat was waar, maar zij had zelf veel bijgedragen: je kon iemand niet leren om slim te zijn, alleen hoe je nog slimmer kon zijn. En wat betreft het

geen angst hebben: hij was ervan overtuigd dat het erfelijk bepaald was. Terwijl hij normaal liep, bleef hij de klem in de gaten houden. Hij gebruikte daar elk spiegelend oppervlak voor dat hij tegenkwam: winkel- en autoruiten en zijspiegeltjes van geparkeerde auto's. Zijn twee schaduwen varieerden hun afstand, soms lieten ze mensen tussen hen en hun prooi lopen om zo min mogelijk op te vallen. Op dit moment kon hij hen niet afschudden, daar had hij geen tijd voor. Trouwens, ze mochten best weten waar hij naartoe ging, misschien zouden ze erom kunnen lachen.

Het bordeel lag op de westoever, in het Petsjerskdistrict. Het was een prachtig gerestaureerd vooroorlogs gebouw met een geweldig uitzicht op de rivier die dwars door de stad liep. Hij had met een kleine lift naar boven kunnen gaan, maar hij nam de brede trap die omhoogdraaide en een gladde, handgedraaide, houten leuning had die prettig en solide aanvoelde onder zijn vingers. Toen hij op de vierde verdieping was, was hij amper buiten adem, maar deden zijn benen pijn. Hij had zich in geen jaren zo goed gevoeld.

Het jonge meisje nam zijn jas aan en hing die op. Ekaterina, in een van haar meest provocerende ensembles, dat haar lange benen en zware boezem goed deed uitkomen, kwam snel aanlopen en zoende hem op beide wangen. Ze gaf hem een arm en vroeg waar hij zin in had, in het gebruikelijke of in iets anders. Ze sprak Frans, omdat dat cachet gaf.

'L'habitude.' Het gebruikelijke.

'Toujours la même fille,' zei ze zuchtend. Altijd hetzelfde meisje.

'Mais une tellement belle fille,' reageerde hij. Maar zo'n mooi meisje.

Ze nam hem mee naar een deur, die ze opende met een achtcijferige combinatie en een sleutel die om haar nek hing.

'Schoonheid is er voor wie het wil zien,' zei ze in het Engels, omdat dat een taal was die heel verschillend was van het Frans en Russisch. Ze stopten voor een van de vele gesloten deuren in een brede, halfverlichte gang. 'Maar onthou,' fluisterde ze, en ze duwde een imposante borst tegen zijn arm, 'als u ooit eens van gedachten mocht veranderen, hoeft u het maar te zeggen.'

Hij bedankte haar op zijn charmante, formele, ouderwetse manier. Hij wachtte tot ze was verdwenen achter de gesloten deur aan het eind van de gang en pas toen klopte hij twee keer op de deur voor hem, wachtte vijf seconden en klopte vervolgens drie keer. Zonder op een reactie te wachten deed hij de deur open, stapte naar binnen, deed de deur dicht en draaide die op slot. Hij stond in een vierkante, slecht verlichte kamer met gele en roze meubels. Het enige raam keek uit op een steile, groene oever van de traag stromende Dnjepr. Kleine kinderen, in de gaten gehouden door hun moeders, rolden lachend en gillend over die oever, terwijl twee geliefden innig gearmd over het metaalkleurige water staarden.

'Probeerde ze je weer in haar bed te krijgen?' vroeg Riet Boronjov. Goerdjiev knikte. 'Alweer.'

'Ze zou je niets laten betalen, weet je dat?' Boronjov sprong met zijn magere maar zeer fitte lichaam van het bed af waarop hij had gelegen. Misschien had hij liggen dagdromen. 'Ze is gek op je.'

Djadja Goerdjiev dacht aan de weduwe Tanova, aan haar thee en de zelfgebakken cake, en lachte. 'Ze vindt me een uitdaging.'

'Vertel me nou niet dat je denkt dat je te oud bent,' Boronjov klakte met zijn tong, 'want dat geloof ik niet.'

'Ik ben hier niet om Ekaterina of mijn seksleven met je te bespreken.'

'Nee, natuurlijk niet.' Boronjov pakte vriendschappelijk de hand van de oudere man vast. 'Maar het zou haar heel gelukkig maken, en een gelukkige werkneemster is een hardwerkende werkneemster.'

'Ik denk niet dat Ekaterina nog harder kan werken dan ze nu al doet. Jij verdient een heleboel geld met dit werk.'

'Klopt.'

Boronjov zag er meer uit als een tovenaar met uitpuilende ogen dan als een oligarch. Als je miljonair bent, dacht Goerdjiev, dan kun je het je permitteren om er raar uit te zien, zonder bang te hoeven zijn dat iemand er wat van zal zeggen. Iedereen wilde je vriend zijn, tenzij hij te bang was om naar je toe te komen, en aan die mensen had je niets. 'Maar door die strontzak van een Joekin is dit mijn enige handel die op dit moment geld opbrengt. Hij en die hufter van een Batsjoek pikken alle laatste restjes kapitalisme van me af die ik in de jaren negentig heb opgezet. Dat is natuurlijk illegaal, maar de rechters zitten met hun hoofd zo diep in de kont van Joekin dat ze de klachten niet kunnen horen.'

Goerdjiev had deze tirade al vele malen gehoord, maar net als Batsjoek moest Boronjov af en toe zijn woede en wrok afreageren. Tenslotte was hij een kapitalist en iedereen die het vrijemarktsysteem aanpakte was vervloekt. En trouwens, zijn bedrijven en een groot deel van zijn geld waren gestolen door een corrupt systeem gelardeerd met legaal nihilisme. Zou hij Moskou niet ontvlucht zijn vlak voor het gewapende commando langskwam dat Batsjoek had gestuurd om hem gevangen te nemen, dan had hij nu in een Siberische gevangenis gezeten, zonder vrijheid en zonder geld.

Het was Goerdjiev geweest die hem had gewaarschuwd voor zijn aanstaande arrestatie. Niet omdat hij zoveel om de oligarch gaf, maar omdat zijn zakenaanpak helaas te prefereren was boven die van Joekin en Batsjoek, wier corruptie veel meer zwalkte in reikwijdte en toepassing. Hij had Boronjovs hersenen en contacten nodig.

In tegenstelling tot Joekin en ongetwijfeld ook Batsjoek, beschouwde Goerdjiev de oligarchen als een noodzakelijk kwaad. Als een brug tussen het Russische communisme, dat overduidelijk een ontzettende miskleun was, en de vrijemarkteconomie. Maar de hoogmoed van de oligarchen had hun lot bezegeld. Verdwaasd door de gigantische rijkdom die ze in slechts een paar jaar hadden vergaard, wilden ze nu de politieke arena in. Joekin, wiens eigenbelang altijd vooropstond, nam maatregelen tegen hen zodra hij merkte dat ze zijn absolute macht bedreigden. Hij pakte de koning van de oligarchen, Michail Chodorkovski, aan en daarna de directeur van Joekos, het grootste oliebedrijf in Rusland. Toen Chodorkovski was gevallen, veranderden de andere oligarchen in Joekins kruiperige vleiers. Allemaal, behalve een paar wijsneuzen. Goerdjiev vond dat Joekins stappen om de grootste bedrijven in Rusland te nationaliseren niet in het socialisme pasten, maar deden denken aan een eenentwintigste-eeuws fascisme, wat veel erger was.

'Ik wil weten wie in de FSB bevel heeft gegeven om een Amerikaanse spion te helpen, de legendarische "Harry Martin",' zei Djadja Goerdjiev. 'En ik wil ook de naam van Harry Martins helper weten.'

Boronjov zat in een van de chintzen stoelen en sloeg zijn benen over elkaar. Tussen het geel en roze zag hij er zeer gezond en robuust uit. Misschien was hij dat ook, misschien beviel het leven buiten Rusland hem zeer goed of misschien genoot hij van zijn nieuwe clandestiene leven, zijn leven als dissident.

Hij legde zijn vingertoppen tegen elkaar en zei met een Mona Lisa-glimlach: 'Het zijn tegenwoordig merkwaardige tijden. Soms voel ik me het orakel van Delphi.' De glimlach werd breder. 'Het klinkt misschien raar, maar ballingschap kan dat doen. Weg uit het centrum word je een buitenstaander, en niet alleen om te overleven maar ook om weer te herrijzen word je gedwongen je standpunt te wijzigen van het subjectieve naar het objectieve. Het is net alsof je contactlenzen indoet of herstelt van een hartoperatie; alles staat je helder en scherp voor de geest. Motieven bereiken eindelijk de oppervlakte en alles wordt transparant.'

'Dus je weet wat het doel is van Trinadtsat?'

'Dat weet ik, en ook het doel van AURA.' Hij stond op, waardoor de kleur uit zijn gezicht leek te verdwijnen. 'Maar wat nog veel belangrijker is, ik weet wat jouw rol in allebei is.'

Na het eerste schot ging Jack tussen Alli en de schutter lopen, maar ze waren al een flink eind in het veld en de kogels konden hen niet meer bereiken, vielen nutteloos achter hen op de grond. Wel renden er nog twee agenten achter hen aan met stalen knuppels als estafettestokjes in hun handen. In tegenstelling tot hun collega hadden zij niet hun wapen getrokken en concentreerden ze zich alleen op het dichten van het gat tussen hen en hun prooi.

'We redden het nooit,' zei Annika. 'Ze kunnen elk moment binnen pistoolbereik komen.'

'Wat stel je voor?' vroeg Jack.

Voor hij kon reageren, was ze langzamer gaan lopen, draaide zich om en trok haar pistool. 'Blijven rennen!' gilde ze. 'Niet langzamer lopen!'

Jack moest Alli meesleuren, omdat ze toch langzamer ging lopen. 'Schiet op!' zei hij dringend. 'Ze heeft gelijk.'

'We kunnen haar toch niet hier achterlaten,' huilde Alli.

'Als we stoppen worden we allemaal gedood.' Hij knikte naar de gestalte die ver voor hen uit sprintte. 'Op dit moment heeft Kirilenko het beste idee.'

Achter hen knielde Annika neer, met één hand onder de kolf om het pistool recht te houden, en richtte op de voorste agent. Het leek alsof haar linkerarm in brand stond. Ze ademde langzaam en diep in om de pijn onder controle te krijgen. De agenten zagen haar en begonnen een spervuur om haar af te leiden, maar ze negeerde de kogels die om haar heen vlogen, schoot zelf een keer en miste. Haar tweede schot raakte de voorste agent aan de rechterkant van zijn borstkas, waardoor hij om zijn as draaide voor hij neerging. De tweede agent begon te zigzaggen en zijn tempo te variëren om zichzelf een moeilijker doelwit te maken. Terwijl hij rende, schoot hij, en Annika moest omrollen, weer op een knie gaan zitten, schieten en weer omrollen.

Alli keek achterom, trok zich los uit Jacks greep en rende terug naar Annika. Ze negeerde Jacks geroep en sloot haar oren voor het gestamp van zijn voeten achter haar. Noch Annika noch de agent had in de gaten dat ze eraan kwam en zij keek naar beneden, naar het veld waarover ze rende. Eindelijk vond ze wat ze zocht. Ze raapte een steen op, plantte haar voeten stevig op de grond, zette haar linkerbeen naar voren en gooide met precisie. De steen raakte het voorhoofd van de agent, een schampworp, maar het was genoeg om hem uit zijn concentratie te krijgen, waardoor Annika tijd kreeg om weer op een knie te gaan zitten, te richten en hem twee keer in zijn borst te raken.

'Mijn beste Riet Medanovitsj,' zei Djadja Goerdjiev, 'je moet weten dat er nu, op dit moment, twee leden van Trinadtsat onder aan je trap staan.'
'Dus je hebt al die tijd met ons gespeeld.' Boronjov haalde een klein kaliber pistool uit zijn vestzakje. 'Je hebt ons en alles waar we voor staan verraden.'
'Doe niet zo idioot. Dat heb ik helemaal niet gedaan. Weet je wel waar Trinadtsat over gaat?'
'Ik weet dat ze achter dezelfde prijs aan zitten die wij ontzettend hard nodig hebben als we met AURA willen samengaan om een dissidente macht te worden die Joekin niet kan uitroeien of tiranniseren.'
'Dan weet je niets. Doe ons allebei een lol en hou je aan wat je moet doen. AURA heeft jouw expertise en je contacten nodig.' Goerdjiev ging met zijn rug naar het raam staan en leunde tegen de vensterbank. 'En wil je me nu alsjeblieft vertellen wat ik wilde weten? Wie gaf binnen de FSB het bevel om Harry Martin te helpen en wie was Martins handlanger?'
'Laten we naar beneden gaan en met Batsjoeks pijnambassadeurs gaan praten.'
Goerdjiev schrok. 'En hun meteen vertellen dat je nog leeft, na al die moeite die we hebben gedaan om je te "vermoorden"? Dat is het laatste wat we gaan doen.' Hij duwde zich van de vensterbank af. 'Waar komt die agressie ineens vandaan?'
'Jouw vriendschap met Oriel Jovovitsj Batsjoek. Jullie kennen elkaar al heel lang, jullie zijn samen opgegroeid, jullie dekken elkaar al jaren.'
Ondanks alles voelde Goerdjiev zich opgelucht. 'Die achterdochtigheid is jouw stijl helemaal niet, Riet Medanovitsj.'
'Nee? Van wie dan wel?'
'Charkisjvili.'
Boronjov staarde hem als een sfinx aan.

'Jij snapt wat hij doet.'

'Hij zet vraagtekens bij die speciale vriendschap tussen jou en Batsjoek.' Gefrustreerd stak Goerdjiev zijn handen in zijn jaszakken. 'Dat heb ik allang uitgelegd.'

'Nee, je hebt niets uitgelegd. Of in elk geval niet tot ieders tevredenheid.'

'Wees eerlijk, Riet Medanovitsj…'

'Ben jij eerlijk tegen ons geweest?'

'Ik heb jullie samengebracht. Jou, Charkisjvili, Malenko en de anderen. En nu denk je…'

'Charkisjvili zegt dat het een opzetje is, iets wat je al lang geleden met je goede vriend Batsjoek hebt gepland.'

'Dat is krankzinnig. En vertel me alsjeblieft niet dat je dat gelooft, want dan lach ik je recht in je gezicht uit.'

'In deze moeilijke fase, nu alles op het spel staat, is het echt niet belangrijk wat ik denk of geloof.'

'Ik snap het. Het enige wat belangrijk is, is wat Charkisjvili gelooft.'

'Denk wat je wilt.'

'O, maar ik weet wat hij heeft gedaan, Riet Medanovitsj. Dat weet ik al heel lang. Vanaf het moment dat ik hem aan boord heb gehaald heeft hij het zaad van wantrouwen gezaaid om macht te krijgen, om mij af te zetten. Het is een spel dat al eeuwenoud is en het zal ons uiteindelijk uit elkaar drijven, tot een burgeroorlog leiden met alleen maar verliezers.'

'Hij heeft een beter plan.'

'Dat zeggen alle would-be tirannen en usurpatoren.'

Boronjov bleef onbewogen of raakte in elk geval niet overtuigd. 'We kunnen nu, hier, meteen een eind maken aan alle speculaties, wantrouwen en argwaan. We hoeven alleen maar naar beneden te gaan en met die pijnambassadeurs te praten.'

'Wie was Harry Martin en wie was zijn handlanger?'

Boronjov keek hem even strak aan. 'Je weet wie ik moet bellen om de antwoorden te krijgen.'

Goerdjiev zwaaide met een hand in de lucht, Boronjov toetste een nummer op zijn mobiel in en sprak kort met Charkisjvili. 'Oké,' zei hij, en hij hing op. 'Vijf minuten,' zei hij tegen Goerdjiev, die zich omdraaide en naar buiten keek.

De kinderen en hun moeders waren weg, maar de geliefden stonden er nog. Ze hielden elkaars hand vast en praatten misschien over hun trouwplannen. Hun hele leven lag nog voor hen, dacht Goerdjiev. Zijn benen klopten.

Hij draaide zich niet om toen hij Boronjovs mobiel hoorde brommen. Even later zei Boronjov: 'Harry Martin is een undercoversluipschutter van het Amerikaanse Bureau Nationale Veiligheid. Zijn handlanger is generaal Atcheson Brandt.'

Goeie god, dacht Goerdjiev opgewonden, nu snap ik waarom hij achter Annika aan zat. Maar toen hij zich naar Boronjov omdraaide, stond zijn gezicht rustig en sereen. 'Oké, laten we het niet meer hebben over naar beneden gaan. Joekin en Batsjoek denken dat je dood bent. Je moet in de schaduw blijven.'

Boronjov bracht zijn pistool omhoog. 'Dat zou betekenen dat we die mannen laten lopen.'

Goerdjievs hersenen draaiden overuren. 'Bedoel je dat je wilt dat wij die mannen van de vicepremier gaan vermoorden?'

'Nee,' zei Boronjov, en hij draaide de deur van het slot, 'ik wil zien hoe jij ze vermoordt.'

Jack greep Alli bij haar middel, trok haar overeind en rende met haar naar de andere kant van het veld, waar op een heuveltje een gaashek de afscheiding met de parkeerplaats vormde. Niemand volgde hen. Annika was opgestaan en rende achter hen aan. Toen ze op gelijke hoogte met hen was, grijnsde ze breed naar Alli. Vijftig meter verder stond het hek. Kirilenko rende het heuveltje al op. Boven gekomen, haakte hij zijn vingers door de gaten en begon te klimmen. Langs de bovenkant liep geen schrikdraad, dus het ging hem makkelijk af.

Ze waren vlak achter hem, stonden nu al bij het heuveltje. Ze waren dat aan het beklimmen, toen ze de scherpe knal hoorden. Kirilenko's lichaam boog naar achteren toen hij los moest laten. De tweede kogel sloeg een deel van zijn schedel weg en hij viel achterwaarts naar hen toe. Zijn broek bleef haken en zo hing hij daar ondersteboven terwijl zijn woedende ogen hen strak aankeken en het bloed zijn haren zwart kleurde en zo glimmend als olie maakte.

Mondan Limonev klapte de kolf van het SVD-S Dragoenov-sluipschuttersgeweer in. Hij had precies twintig seconden genoten van wat hij Rhon Fjodovitsj Kirilenko had aangedaan, wiens lijk nu als een plastic zak met afval aan het gaashek bungelde. Zonder erbij na te denken ontmantelde hij de lichtgewicht Dragoenov van polymeer. Die werkte met luchtdruk, stiller maar veel dodelijker dan andere geweren, en paste in een kist die je makkelijk onder je arm kon meenemen, als een baseballknuppel of een biljartkeu. De 7,62x54R-kogels met stalen kern die hij in Kirilenko had geschoten, hadden een bevredigende schade toegebracht.

Precies tien seconden luisterde hij naar het ruisen van het bloed in zijn oren, naar het geroffel van zijn hart achter zijn ribben en voelde hij de bekende vrolijkheid. Zoals altijd in de nabijheid van de dood voelde hij zich levend, kwiek en sterk. Was het leven iets anders dan heersen over anderen? Hij woonde in een universum van goden, die het sterfelijke leven konden uitblazen met het langzaam overhalen van de trekker of met een steek van een glimmend mes. Wat was Kirilenko nu? Niet iets wat zijn moeder nog kon herkennen, dat was zeker.

Hij ging overeind staan op het dak van de geparkeerde auto, klauterde naar beneden en liep rustig over de parkeerplaats.

'Christus, is hij dood?' vroeg Annika.

'Als een pier,' zei Jack, die het beter kon zien.

'We zitten hier vast,' zei Annika.

Het was Jack die de gedaante boven op de auto op de parkeerplaats zag opstaan, met een koffertje onder zijn arm naar beneden zag klauteren en weg zag lopen.

Hij liep met Alli en Annika naar het hek, weg van Kirilenko, zodat Alli hem niet meer hoefde te zien. 'Volgens mij heeft hij het niet op ons voorzien.' Hij keek net zo lang door het hek tot hij de gedaante niet meer kon zien en zei toen tegen Annika: 'Oké, het is veilig. Nu omhoog.'

Zonder tegenspartelen klom ze tegen het hek op en toen ze aan de andere kant stond, hielp Jack Alli omhoog. Klimmend en graaiend kwam ze boven, rolde haar lijf over de bovenkant en daalde weer af tot ze in Annika's uitgestrekte handen belandde. Jack volgde. Zo snel als hij kon, klom hij over het hek heen.

Op de parkeerplaats nam Annika hen mee naar het gedeelte voor het luchthavenpersoneel. Gelukkig stonden daar niet zoveel auto's, want de meeste medewerkers gingen met het openbaar vervoer van en naar hun werk. Ze hoefden minder dan vijfentwintig auto's te proberen en vonden binnen vijf à zes minuten de auto waar ze naar zochten: een gebutste Zil. Maar tegen die tijd klonken er veel meer sirenes door de

middag en naarmate de politieauto's dichter bij het vliegveld van Simferopol kwamen, klonken ze harder.

Annika ging achter het stuur zitten en Alli naast haar. Jack kroop met
het pistool dat ze Kirilenko hadden afgenomen op de achterbank. Zonder moeite startte ze de motor, draaide uit de parkeerplek en reed rustig
de parkeerplaats af terwijl er een konvooi politieauto's langsreed. Jack
zag dat haar handen doodstil op het stuur lagen, geen spoortje zenuwachtigheid bij haar. Nadat de politieauto's voorbij waren gereden,
wachtte ze even om diep en langzaam adem te halen. De spanning steeg
tot ondraaglijke hoogte. Alli draaide onrustig in haar stoel, maar het
was noodzakelijk dat ze niet de aandacht trokken door snel weg te rijden. Op deze manier kropen drie minuten voorbij, terwijl hun harten
als gekken bonkten en het bloed achter hun slapen klopte.

Eindelijk zette Annika de Zil in de versnelling, draaide linksaf de parkeerplaats af en reed richting Simferopol en daarna naar de kust bij Aloesjta. Jack zat met zijn rug naar de vrouwen toe en keek of er achter
hen een politieauto aan kwam. Hij telde zes burgerauto's op de weg
achter hen, maar geen officiële. Met een zucht van verlichting draaide
hij zich om en keek net als Annika en Alli naar het onaantrekkelijke
landschap dat hen zou begeleiden naar Magnussens villa aan de Zwarte
Zeekust, waar, naar hij hoopte, veel vragen beantwoord zouden worden.

Drie auto's en honderd meter achter hen trommelde een man die bekendstond als meneer Lovejoy, met zijn staalarbeidersvingers op het
stuur van zijn huurauto. Hoewel het misschien wat vergezocht was om
zichzelf als een staalarbeider te zien, bepaalde zijn arbeidersachtergrond
uit Detroit zijn denken. Ontevreden met de pakken die rond zijn schouders schuurden, maar die hij had moeten dragen toen hij als jongeman
naar Washington kwam, had hij met een voor sommige mensen onbegrijpelijke haast het kantoor verruild voor het veldwerk. Maar hij was
nu gelukkig en verlangde nooit meer terug naar het kantoor.

Hij had gevraagd om een huurauto met cassettespeler en had die bij de
gratie Gods gekregen: een oude, maar handige Toyota. Het eerste wat
hij deed nadat hij de auto had gestart, was een cassette in de speler duwen en de volumeknop helemaal opendraaien. Toen de eerste noten van
Evil Angel van Breaking Benjamin door de auto krijsten en bulderden,
vormden zijn lippen een tevreden glimlach.

Hij hield de Zil in de gaten. Hij zag zichzelf als een gevleugeld wezen dat, nu het zijn prooi in beeld had, opsteeg naar de hogere luchtsferen en bochten en afslagen, afdalingen en beklimmingen volgde en wachtte op het perfecte moment om toe te slaan.

Riet Boronjov liep met Djadja Goerdjiev het bordeel uit. In de lift had Goerdjiev zijn pistool gepakt en de drie kogels vervangen die hij eerder had afgevuurd. Boronjov keek toe met een superieure, maar ook stilzwijgende goedkeuring. De lobby was zo koud als een koelcel en veel kouder dan de buitentemperatuur, die in de loop van de middag was gestegen.

De twee Trinadtsat-agenten, stoer en intimiderend, stonden kleumend op de hoek ongeduldig te roken. Ze zeiden weinig en gedroegen zich alsof ze de eigenaren van de gebouwen waren. Tegelijkertijd zagen ze Goerdjiev aankomen en hun handen gingen naar de zakken van hun onheilspellende, zwarte trenchcoats. Maar Goerdjiev had zijn pistool al op hen gericht en schudde zijn hoofd, waardoor ze even bevroren en vervolgens langzaam hun handen terugtrokken en omhoogstaken op een manier die andere mensen een teken van overgave of van verzoening zouden noemen, maar deze twee mannen niet, dat wist Djadja Goerdjiev zeker.

Dit was het moment dat Boronjov uitkoos om zichzelf te laten zien door achter de oude man vandaan te komen. De Trinadtsat-agenten, goedgetraind als ze waren, konden hun gezicht niet in de plooi houden. Hun geschokte gezichten amuseerden Boronjov en hij lachte en genoot van hun lastige situatie.

Precies op dat moment richtte Goerdjiev zijn pistool op hem en schoot hem recht door zijn hoofd. Boronjovs gelach ging over in een borrelend gegorgel, dat wegstierf toen hij op de stoep viel.

De Trinadtsat-agenten hadden amper de tijd om zich te realiseren wat er gebeurd was toen Goerdjiev zei: 'Breng deze verrader naar Oriel Jovovitsj Batsjoek. Zeg tegen hem dat Boronjov een cadeautje van mij is. Zeg tegen hem dat hij niet meer naar Annika Dementieva hoeft te zoeken. Dat hij nu het antwoord heeft op wat ze hier in Oekraïne doet.'

21

Nadat er urenlang adrenaline door zijn lijf was gepompt, was het nu tijd voor overweldigende vermoeidheid. Jack hing achterover op de achterbank, sloot zijn ogen en doezelde weg op het gebrom van de auto.

Pap. Pap, vertel me dat verhaal nog een keer.

Hij deed zijn ogen open, draaide zijn hoofd een beetje naar opzij en zag Emma naast zich zitten. Dus het was geen droom, of misschien was het dat wel, sliep hij nog steeds.

'Welk verhaal?' Zijn stem kwam amper boven het geluid van de motor uit. Trouwens, Alli en Annika praatten zacht met elkaar.

Ze zat half naar hem toe gekeerd en had haar rechterbeen onder zich opgetrokken. Het andere been bengelde naar beneden en de schoenhak tikte tegen de bank. *Dat verhaal over de schorpioen en de schildpad.*

'Dat heb ik je zo vaak verteld.'

Pap, vertel het alsjeblieft nog een keer.

Er lag een spanning in haar stem die hij niet prettig vond, dus vertelde hij haar van de schorpioen en de schildpad die elkaar op de oever van een rivier tegenkwamen. 'De schorpioen vroeg aan de schildpad of die hem op zijn rug naar de overkant wilde brengen. "Waarom zou ik dat doen?" vroeg de schildpad. "Daarna prik je me en ben ik dood." "Ik kan niet zwemmen," zei de schorpioen. "En als ik je steek, ga ik zelf ook dood." De schildpad, een logisch denkend wezen, is overtuigd door dit antwoord, dus laat hij de schorpioen op zijn rug klimmen en ze gaan de rivier in. Maar halverwege steekt de schorpioen de schildpad. "Waarom?" riep de schildpad. "Waarom heb je tegen me gelogen?" "Zo ben ik nou eenmaal," zei de schorpioen net voor ze allebei verdronken.'

Jack keek in Emma's donkere ogen alsof hij verder dan het leven wilde kijken. 'Waarom wilde je dat ik je dat verhaal nog een keer vertelde?'

Ik wilde zeker weten of je het nog kende.

'Waarom zou ik het vergeten zijn?'

Dat dacht ik ook, maar ik vond dat je een waarschuwing nodig had.

'Ik begrijp het niet, lieverd.'

Pap, iedereen liegt tegen je.

Ineens was hij gespannen. Er zat een bal in zijn maag. 'Hoe bedoel je, iedereen liegt tegen me?'

Je weet wat ik bedoel, pap.

'Dat doe ik niet. Iedereen, ook Edward?'

De president.

'En wie nog meer? Alli?'

Alli ook.

'Waarom zou Alli tegen me liegen? Kom op, Emma. Wat is er aan de hand?'

Pap, ik vertel je niets nieuws.

'Je vertelt me altijd dingen die ik niet weet.'

Over ons, ja. Over ons tweeën. Daarom ben ik nog steeds hier. Maar over andere dingen, nee, dat kan ik niet.

'Zoals je dat zegt... je doet alsof het een soort wet is.'

Waarschijnlijk kun je dat inderdaad zo zien.

'Een universele wet, zoals in de natuurkunde of de kwantummechanica?'

Hij wreef in zijn ogen voor het geval hij toch zou slapen. Toen hij ze opendeed, of hij nou geslapen had of niet, zat hij alleen op de achterbank. Er was niemand om zijn vraag te beantwoorden.

'Niets is alleen maar goed of alleen maar slecht,' zei Annika tegen Alli toen Jack keek waar zijn dochter was gebleven, 'dat is zo teleurstellend.'

'Geef eens een voorbeeld,' zei Alli.

Met haar ogen op de weg dacht Annika even na. 'Oké. In het oude Rome was er een man, Marcus Manlius, die het plan had bedacht om te voorkomen dat het Capitool werd verwoest toen de Goten Rome binnenvielen. Dat was in, eh, 390 voor Christus. Maar goed, na de oorlog waarin de indringers werden verdreven, zoals in alle oorlogen gebeurde, hadden de soldaten die zo dapper hun land hadden verdedigd, geen baan meer en raakten zo diep in de schulden dat ze in de gevangenis werden gegooid. Dat onrecht stond Marcus Manlius niet toe. Hij gebruikte veel van zijn immense fortuin om deze helden vrij te kopen, een altruïstische daad die de patriciërs woedend maakte. Zo woedend dat ze hem beschuldigden van het opzetten van een eigen leger om de macht te grijpen. Het plebs, opgehitst door de patriciërs, veroordeelde Marcus tot de dood. Ze gooiden hem van de Tarpeïsche rots.'

213

Alli herinnerde zich dat de Tarpeïsche rots Emma had gefascineerd, omdat het de plek was waar criminelen hun dood vonden. De rots was
vernoemd naar de verraadster die de poorten van Rome had geopend
voor de Sabijnen in ruil voor gouden armbanden. Maar in plaats daarvan werd ze toen ze hen binnenliet, verpletterd onder hun schilden, die
ze aan dezelfde arm droegen als de armbanden die Tarpeia – een ves-
taalse maagd nog wel! – zo begeerde. Zo ironisch. Ze werd begraven
onder aan de rots die haar naam kreeg en die op een steile klif ten zuiden van het Capitool uitkeek over het Forum.

Rome is gesticht door dieven, bandieten, moordenaars en slaven die
slim genoeg waren om aan hun meesters te ontsnappen. Het enige probleem was dat er geen vrouwen waren en daarom besloten deze vroege
Romeinen, zoals ze zichzelf noemden, om vrouwen bij hun buurvolk,
de Sabijnen, te stelen. Het was deze onwaardige diefstal – het Latijnse
raptio betekent ontvoering – van hun vrouwen die de Sabijnen wilden
wreken en Tarpeia was hun werktuig.

Deze duistere kant van de Romeinen – en van Rome zelf – was Alli
opgevallen, omdat diezelfde Romeinen ook verantwoordelijk waren
voor de ontwikkeling van wegen, aquaducten en talloze andere uitvin-
dingen, en helaas ook voor het dodelijke verkiezingssysteem. Voor de
leiders die ze niet mochten of na een tijdje niet mochten, voor wie ze
bang waren of werden of op wie ze aanmerkingen hadden, uit jaloezie
of hebzucht, bedachten ze overtredingen en ze werden onmiddellijk
vermoord. Alli, geboren en getogen in de couveuse van de politieke
wereld, kende de spanning en de onuitgesproken angst om vermoord te
worden die rond haar vader hing en die groter werd naarmate hij hoger
kwam op de politieke ladder. En zodra ze in Moskou was, had ze bijna
meteen aangevoeld hoe het op het oude Rome leek, hoe sterk het moderne politieke systeem leek op dat van de Romeinen: geïnstitutionali-
seerde moord als doel op zich.

'Dus,' zei Alli na enig nadenken, 'wat je bedoelt is dat zelfs de beste bedoelingen in shit eindigen.'

'Ik bedoel dat we allemaal voorbestemd zijn om teleurgesteld te worden. Ik bedoel dat ik hou van die teleurstelling, omdat het de ultieme
gelijkmaker is, die zich niets van klasse, geld of macht aantrekt. Het is
de grote zeis.'

'Je bedoelt de wréde zeis,' zei Alli. 'Dat is de dood.'

Annika haalde haar schouders op. 'De keuze is aan jou.'

Het telefoontje kwam om halfvier 's ochtends binnen op de mobiel van Dennis Paull. Hij zat midden in een doolhof van data die hij eindelijk uit het geheugen van de mobiel van generaal Brandt had gekregen en in het definitieve overzicht van diens doen en laten het afgelopen jaar. In feite las Paull op dat moment iets wat hem hogelijk interesseerde: twee onofficiële reizen naar Moskou, allebei in de afgelopen zes maanden, allebei in een weekend, die allebei niet waren doorgegeven aan en betaald waren door een overheidsinstelling. Dat op zich deed bij Paull geen alarmbellen rinkelen, maar er waren een aantal merkwaardigheden. Om te beginnen had generaal Brandt cash betaald voor eersteklastickets. En beide vluchten waren met Aeroflot geweest, niet met Delta, de Amerikaanse luchtvaartmaatschappij die hij eigenlijk had moeten nemen. Waar haalde de generaal in hemelsnaam tienduizend dollar cash vandaan voor die twee reizen naar Moskou? Hij hackte de site van de District National, en zocht de bankrekening van de generaal. Een dag voor het vertrek was er tienduizend dollar telefonisch overgemaakt door Alizarin Global, een bedrijf waar Paull nog nooit van had gehoord en waarvan hij zich niet kon voorstellen wat het met generaal Brandt van doen had.

Zijn mobiel trilde. Hij was zo diep in gedachten dat hij bijna niet had opgenomen.

Een plaatselijk, ongeïdentificeerd nummer. 'Hallo?'

'Meneer Paull?'

'Ja?'

'Nancy Lettiere. We hebben elkaar een paar keer ontmoet. Ik ben het hoofd van de Alzheimervleugel van Petworth Manor. Ik heb vervelend nieuws: mevrouw Paull is vanochtend om elf minuten over drie overleden.'

Na dit telefoontje keek Paull heel lang doodstil voor zich uit. Zijn ogen gleden nog altijd over de regels informatie op zijn laptop, net als in de lange uren voor het telefoontje, maar hij nam niets op. Er speelde constant een afgrijselijk kort refrein door zijn hoofd – *Je was er niet, je was er niet, je was er niet toen ze stierf* – als zo'n debiel kinderliedje uit een spookachtige radio in haar kamer. Ineens stikte hij bijna in die ziekelijk zoete geur van haar, van… goeie god, hij kon haar naam niet eens meer over zijn lippen krijgen, ze was al zo lang aan het vegeteren. En toch stikte hij nu bijna in wat er van haar over was, van Louise, alsof hij de as van haar crematie inhaleerde.

Hij duwde zijn stoel achteruit, stond op en liep zonder zijn jas te pakken de kamer uit. De brandtrap echode onder zijn snelle voetstappen. Buiten stak hij een sigaret op, maar bijna meteen verscheen de nachtportier achter de glazen deur, wees naar de sigaret en schudde fel met zijn hoofd. Paull inhaleerde diep en blies de rook tegen het glas.

De nachtportier fronste zijn wenkbrauwen, liet zijn kaart door het slot glijden en deed de deur open. 'Sorry, meneer, maar federale verordeningen verbieden roken binnen zes meter van dit gebouw.'

Paull zei niets, keek hem al rokend aan.

'Meneer, hebt u me niet gehoord? Als u die sigaret niet uitmaakt, moet ik de autoriteiten bellen...'

Hij slaakte een kreetje toen Paull hem bij zijn revers greep en tegen de muur ramde en hem vervolgens in zijn maag stompte. Toen hij dubbel klapte, sloeg Paull hem op zijn hoofd en daarna op zijn neus, waar onmiddellijk het bloed uit stroomde.

Weer nam Paull een diepe haal van zijn sigaret en blies een dikke rookpluim uit. Hij was duizelig van de adrenaline. Uiteindelijk hurkte hij naast de man en liet hem zijn ID zien. 'Ik bén goddomme de autoriteiten, makker.' Hij trok de man overeind en duwde hem ruw door de deur. 'Dus rot op voor ik je aangeef als een mogelijke terrorist.'

Weer alleen, trapte Paull zijn gebroken sigaret uit en stak een andere op. Hij liep naar het asfalt. Zou het niet moeten regenen, dacht hij, somber weer dat bij zijn stemming paste? Maar er stond een stralende, boterkleurige maan aan de hemel en ineens was hij achtentwintig jaar terug, toen hij Claire *Goodnight Moon* voorlas. Hij had het zo vaak voorgelezen, dat ze het vanbuiten kende en ze hardop meezei wat hij voorlas.

Hij nam weer een lange haal en liet de rook vanzelf naar buiten drijven. Zeven jaar geleden was Claire een lang weekend bij hem op bezoek geweest met haar vriendje, zo'n jongeman die overliep van zelfvertrouwen, dat hij baseerde op een opgepompt zelfbeeld. Ze was een en al lach en glimlach, zelfs toen ze alle drie bij Louise op bezoek waren gegaan, die destijds nog maar af en toe haar dochter herkende.

Tijdens het diner op zaterdagavond, in een lompe poging tot jongens-onder-elkaar, had het vriendje Paull gevraagd om mee te komen naar de achterveranda. Hij had twee sigaren tevoorschijn gehaald en opgeschept dat het Cubanen waren. Geen beste manier om bij Paull in een goed blaadje te komen. Toch hadden ze samen een tijdje kameraadschappelijk staan roken, terwijl het vriendje vertelde over zijn belangrijke baan op Wall

Street, zijn conservatieve ideeën over politiek, religie en moraal en zijn plannen voor de toekomst, waar Paulls dochter blijkbaar een rol in had.

Pas zondagmiddag laat vertelde Claire hem dat ze zwanger was en zo snel mogelijk met haar vriendje wilde trouwen, wat – zo begreep Paull nu wel – de achterliggende reden van hun bezoek was. Hij maakte geen ruzie met haar, hij zei sowieso amper wat. Zij vond natuurlijk dat hij het nieuws buitengewoon goed opnam en hij had prima acteerwerk afgeleverd door haar te laten denken dat hij het vriendje aardig vond, dat – zoals Claire hem duidelijk maakte – nog niets van haar veranderde fysieke toestand wist. Ze wilde het hem dolgraag vertellen, zodra ze – volgens haar – het meest romantische moment en de meest romantische plek had uitgekozen. 'Het moet een soort filmscène worden,' had ze met glimmende ogen sentimenteel uitgebracht.

Maar Paull had zijn eigen moment en plek uitgekozen om het het vriendje te vertellen en zag tevreden hoe de jongeman zich in Cubaanse sigarenrook verslikte toen hij het nieuws hoorde.

'Ik verwacht dat je weet hoe het hoort en dat je met Claire trouwt,' had hij gezegd, wat een risico met zich meebracht dat hij had ingecalculeerd. Maar het vriendje was hem gesmeerd, zoals hij had verwacht, wilde niets van doen hebben met een kind dat voor het huwelijk was verwekt. Wat een hypocriet, had Paull gedacht. Heeft er geen probleem mee om met mijn dochter voor hun huwelijksnacht het bed te delen, maar zijn morele rechtschapenheidsgevoel krijgt de overhand zodra de consequenties van zijn achteloze ontucht hun lelijke kop opsteken. Hij was woedend, was dat al vanaf het sigarenincident de avond ervoor, toen het vriendje had lopen opscheppen en Paull had verteld hoe belangrijk hij was, hoeveel hij verdiende, over het huis in Connecticut dat hij op het oog had, zijn betrouwbaarheid aantonend om Claire tegen elke prijs te kunnen kopen alsof ze een duur stuk vlees was, of een racepaard, hij bereed haar tenslotte al.

Het enige probleem was Claire. In plaats van dat ze hem dankbaar was dat hij haar zo'n oppervlakkige hypocriet had bespaard, had ze eindeloos tegen hem gescholden en geschreeuwd en liters tranen vergoten voor ze met slaande deuren was vertrokken. Hij was ervan overtuigd dat haar hysterie over zou zijn toen hij haar een paar dagen later belde. Maar ze nam de telefoon niet op en had tot op de dag van vandaag niet meer met hem gesproken. Hij had een kleinzoon, dat wist hij dan nog wel, maar hij wist niet of zijn dochter getrouwd was, of ze de hypocriet had ge-

217

trouwd of dat ze een alleenstaande moeder was. Ooit had hij een privé-
detective ingehuurd om daarachter te komen, maar hij had hem een dag
later weer ontslagen, doodziek van de hele situatie. Het enige waar hij
dankbaar voor was, was dat Louise te ver heen was om de onsmakelijke
troep te beseffen waarin hij zonder enige waarschuwing beland was.

Aan Claire dacht hij tegenwoordig amper meer, alleen op rare momenten als deze, en dan zonder knagende nostalgie, maar met een steek van
teleurstelling. Hij vond het verschrikkelijk dat hij zijn kleinzoon niet
zag, ook al stamde hij af van grootspraak en hypocrisie, maar alleen
omdat iemand de jongen voor die aanleg moest waarschuwen voordat
die zijn waardesysteem zou vergiftigen. Hij vond het jammer, tragisch
zelfs, dat híj dat niet kon zijn.

De gedachte aan zijn onbekende kleinzoon die een onbekend leven
leidde, brandde zijn huid alsof hij zijn arm in de oven had gestoken
waarin zeer binnenkort Louises verdrietige stoffelijke overblijfselen zouden verdwijnen. Hij keek naar zijn open hand, waar het bloed doorheen
stroomde, en voor het eerst realiseerde hij zich wat het betekende om te
leven, om terug te kijken en alleen maar verlies te zien, een afname van
zijn ik, van zijn ziel. Hij leunde tegen de koude muur waarop een veeg
bloed van de nachtportier zat en liet zich naar beneden glijden. Nu zag
hij de maan niet meer. Welterusten, Claire; welterusten, naamloos klein
jongetje van zeven; welterusten maan.

Boven in zijn donkere kamer, waarin hij zich opeens en ongewild had
teruggetrokken, scande een antihackerprogramma de rekening van generaal Brandt waar Paull zich als een advocaat van de duivel in had
verdiept, en vond het IP-adres van Paulls computer. Binnen vijftien
minuten na het onderzoek vertrok er een onopvallende auto, bestuurd
door een man die eruitzag als een accountant of een docent, maar die
– nu hij zijn orders had ontvangen – volledig bewapend op weg was om
een leven te vernietigen.

Meneer Lovejoy kende deze weg als zijn broekzak. De Krim was nu alweer vijf jaar zijn operatiegebied. Niet dat hij er ooit aan zou wennen.
Het eten lag nog steeds als een loodzware bal in zijn maag, zijn huid
jeukte altijd door de paddenstoelen en hij had nooit langer dan drie
nachten in hetzelfde bed geslapen. Zijn redding waren de vrouwen, die
jong, lang, blond en volop aanwezig waren. Ze hielden van buitenlan-

ders, vooral van Amerikanen, die ze tot een huwelijk hoopten te verleiden om de hel waarin ze waren geboren te kunnen ontvluchten. Zodra je dat wist, kon je bijna alles van hen gedaan krijgen. Meneer Lovejoy had zin in deze avondactiviteiten, die hij alvast had voorbereid, vooruitlopend op een snelle voltooiing van zijn opdracht.

Bij het klif liep de weg omhoog. Hij kon de aquamarijnblauwe schittering van de Zwarte Zee zien terwijl de weg de kustlijn volgde. Hij keek op de kilometerteller en zag dat hij nog minder dan een kilometer van het hoogste punt van de bocht was waar de opdracht, zoals hij het noemde, gerealiseerd zou worden. Het was tijd en terugschakelend bracht hij de Toyota in positie.

De grote bocht van de Zwarte Zee, nu verduisterd door laaghangende wolken aan de horizon, werd steeds groter naarmate hij dichter bij het hoogste punt kwam. De Zil stond al aan het begin ervan. Hij draaide van de snelweg af en trapte het gaspedaal diep in. Nog even en dan zou zijn rechtervoorspatbord zich in de linkerachterkant van de Zil boren, waardoor die levensgevaarlijk zou gaan tollen en in de tweede rotatie, volgens zijn berekeningen, van het klif zou storten.

'Harder!' gilde Jack vanaf de achterbank.

'Hou je vast!' gilde Annika terug.

Toen hij de Toyota naar links zag sturen, zei hij: 'Jezus, hij wil ons over het klif duwen.'

'Dit is een kutauto.' Annika's handen hadden het stuur zo stevig mogelijk vast, maar toch begon het vervaarlijk te trillen toen de Zil begon te slingeren. 'Als ik nog harder ga, storten we zonder zijn hulp over dat verdomde klif.'

'Daar komt ie!' zei Jack. 'Alli, rol jezelf op en blijf zo zitten.'

Zelf rolde hij onder het raam en begon op de aanstormende Toyota te schieten, maar hun eigen auto reed beroerd en trilde alsof hij elk moment uit elkaar zou vallen door de snelheid. Jack werd van voor naar achter geschud, waardoor hij onmogelijk goed kon richten.

'Annika, godallemachtig, harder!'

Ze deed wat hij vroeg en even leek het of het zou gaan lukken. Ze raceten voor de Toyota uit, maar toen ging de Zil zo slingeren dat Annika op de rem moest trappen om te voorkomen dat ze van de weg af raakten en de lucht in vlogen.

Op dat moment raakte de Toyota hen, de Zil slipte en begon te spinnen. Jack werd tegen het open raampje gegooid en ving een glimp op van de Toyota voordat ze in cirkels begonnen te draaien.

Annika zette de Zil in zijn vrij en zette de motor uit. De auto bleef spinnen en kwam gevaarlijk dicht langs de rand voor ze de auto weer een beetje onder controle kreeg. Niet dat het wat uitmaakte, dacht Jack, want de Toyota zou weer tegen hen op botsen, de chauffeur zou zijn werk afmaken. Maar toen hij weer achteromkeek, zag hij iets zo hard in de Toyota belanden dat die omhoogsprong. Even later explodeerde de auto en stortte over het klif naar beneden, hen in de verstikkende stank van brandende benzine achterlatend.

Inmiddels had Annika met de Zil pal voor de klifrand een noodstop gemaakt.

'Alli,' zei Jack, en hij kroop op de achterbank omhoog. 'Alles goed met je?'

Langzaam kwam ze uit haar opgerolde houding en knikte een beetje duizelig. Op dat moment zag Jack vanuit zijn ooghoek een beweging. Hij draaide zijn hoofd ernaartoe en zag een gestalte vanaf de klifrand hun kant op lopen. Hij had een M72 LAW, een licht antitankwapen, de lichtgewicht opvolger van de bazooka uit de Tweede Wereldoorlog, maar hij hield hem losjes vast, met de loop naar beneden. Door zijn lengte leek het een kinderspeeltje. De man kwam recht op hen af. Jacks hersenen waren op dezelfde manier met hem bezig als toen hij hun vluchtweg had berekend bij het vliegtuig. Hij probeerde verklaringen in het buitengewone te vinden en werkte achteruit vanaf het moment dat de Toyota explodeerde tot dat vieze achterafstraatje in Moskou. Hij kwam op verschillende verklaringen, mogelijkheden, tegengestelde meningen en fantastische speculaties, maar helaas niet tot definitieve conclusies. Dit was een van die momenten dat aannamen ontsporen door een onvoorstelbare realiteit, alsof je een Rubiks kubus draait en een vierde dimensie ontdekt waar je geen rekening mee had gehouden. Op dat moment bestaat het rationele even niet en is de logica onbruikbaar. Dood en leven zijn in elkaar opgegaan, of zijn van plaats verwisseld, en al het andere staat stil.

'Blijf in de auto,' zei hij tegen Alli.

Ze draaide zich om, keek uit het raampje aan de chauffeurskant en zag de man aan komen lopen. 'Wie is dat? Jack, wat gebeurt er allemaal?'

'Alsjeblieft, Alli, doe gewoon wat ik zeg.'

Als in trance deed hij het portier open en stapte uit. De grote, brede man bleef naar hen toe lopen, zijn gladde, achterovergekamde haar glom in het zonlicht en Jack voelde een ijskoude rilling langs zijn rug- gengraat trekken en dacht aan de vierde dimensie van de Rubiks kubus. In een poging om het heden logisch te maken, schoten zijn hersenen terug naar het verleden: naar de hotelbar in Moskou waar de man die hem nu tegemoet liep, ruzie had gemaakt met Annika en haar vriendin; naar het achterafsteegje waar de brede man in een hinderlaag had gele- gen om Annika te doden; het verbeten gevecht daarna, op het eind waarvan de brede man in zijn eigen bloed had gelegen.

Uit zelfbescherming richtte Jack zijn pistool op hem, maar Annika, die ook uit de Zil was gestapt, liep snel naar hem toe en duwde de loop naar beneden.

'Dit kan gewoon niet,' zei Jack toen de enorme gedaante voor hem stil- stond. 'Ik heb je in het steegje achter de Bushfire doodgeschoten.'

'Ga je me niet bedanken? Nee?' Ivan Goerov bewoog even zijn M72 van links naar rechts. 'Doe niet zo onbeleefd. Zonder mij waren jullie over dat klif gezeild in plaats van die Amerikaanse agent die de opdracht had jullie te vermoorden.'

Deel 3

Portia:
'Denk je dat ik niet sterker ben dan mijn sekse,
dat je zo vaderachtig en echtgenoterig doet?'

– William Shakespeare, *Julius Caesar*

22

Pap, iedereen liegt tegen je.
Met deze echo van Emma's stem in zijn hoofd zei Jack tegen Annika: 'Wat gebeurt er goddomme allemaal?' Hij was zo woedend dat zijn stem diep uit zijn keel kwam. 'Wat speel jij voor spelletje?'
'Er is een verklaring...' begon Annika.
'Natuurlijk is er een fúcking verklaring!' Zijn stem ging omhoog. 'Goerov en jij werkten vanaf het begin al samen. Vind je niet dat ik een verklaring van jullie beiden moet krijgen? Ik heb Goerov met zijn eigen pistool doodgeschoten, maar blijkbaar was het met losse flodders geladen. Die scène in dat steegje was een opzetje.' En tegen Goerov: 'Die andere man, jouw maat...'
'Spiakov.'
'Ja, Spiakov. Waar is hij?'
Goerov haalde zijn schouders op. 'Twee meter onder de grond, neem ik aan. We hadden aannemelijkheid nodig.'
'Aannémelijkheid.' En hij vroeg aan Annika: 'Je vermoordde een man voor de aannemelijkheid?'
'Het moest echt lijken,' zei Annika. 'In elk geval een deel ervan.'
Jack merkte amper dat Alli uit de auto stapte en naar hen toe liep, precies wat hij gezegd had niet te doen. 'Wat ik wil weten, is waarom je tegen me hebt gelogen. Waarom vertel je me dat nu pas?'
'Omdat we je nu hier hebben. Omdat het verdomme tijd is.'
'Je zei dat je Goerov haatte, dat hij een opdracht was.'
'Hij is een deel van mijn opdracht.' Annika werd ongeduldig. 'Ik heb alleen maar tegen je gelogen als het absoluut moest.'
'O, en dan is het goed? Is dat je excuus?'
'Doe niet alsof ik je ex ben die constant tegen je loog,' zei Annika verhit. 'Geloof me, ik heb niet gedaan alsof je iemand anders was. Dat heb je onmogelijk gemaakt.'
'Is dat soms jouw idee van een fucking compliment?'
Jack deed dreigend een stap haar kant op en het zou een fysieke con-

frontatie zijn geworden als Alli niet tussen hen in was gesprongen. Goerov had geen tijd gekregen om te reageren.

'Stop! Jullie allebei!' riep ze.

'Waarom geef je me niet de kans om het uit te leggen?' zei Annika.

'Jack, wil jij geen verklaring?' viel Alli haar bij.

'Ik heb al een verklaring.' Het was duidelijk dat hij razend was. 'Vanaf het moment dat ik haar leerde kennen, heeft ze tegen me gelogen.'

'Misschien had ze een goede reden.'

'Er is nooit een goede reden om te liegen,' zei hij.

'Je weet best dat dat niet waar is.'

'Waarom kies je haar kant?'

'Ik kies helemaal geen kant. En ook al wil jij niet weten wat er allemaal aan de hand is, ik wil het wel weten.'

Dat kalmeerde hem een beetje, waardoor Annika de kans kreeg om te zeggen: 'Het spijt me, Jack, echt, heel erg.'

Hij merkte dat ze veranderd was, misschien omdat ze excuses aanbood, maar de diepere reden was waarschijnlijk haar toenadering tot Alli, of Alli's verzoenende woorden, alsof Alli's nabijheid of alleen al het horen van haar stem haar subtiel veranderde, haar tot zichzelf bracht, naar wat er onder dat masker zat, naar haar onbekende en onkenbare hart, waar Jack het gisteren over had.

'Als we dit op een ander manier hadden kunnen doen,' zei Annika, 'dan hadden we dat gedaan, dat zweer ik. Maar we hadden geen keus.'

'We?' herhaalde hij veel kalmer. 'Wie zijn "we"?'

'AURA.'

Onmiddellijk was hij weer razend. 'Dat ding of bedrijf of wat het dan ook is, waarvan jij zei dat je er niets over wist.'

Alli legde een hand op zijn arm. 'Hou nou op.'

'Misschien is het nodig.' Jack keek Annika aan.

'Dat zien we dan wel weer,' zei Alli alsof ze de slimste van hen was. Ze was in elk geval de kalmste.

Hij keek naar haar, zag haar schuchtere glimlach en zei tegen Annika: 'Oké, wie of wat is AURA?'

'Het is een acroniem voor Association of Uranium Refining Allies, de Unie van uranium raffinerende bondgenoten, en bestaat uit...'

Plotseling stapte Ivan Goerov naar voren. 'Annika, nee. Dit is een heel slecht idee.'

Ze schudde haar hoofd. 'Hij heeft het recht om het te weten, Ivan.'

'Dat kan verschrikkelijke consequenties hebben.'

'Jij hebt gedaan wat je moest doen. Hou je er verder buiten.' En tegen Jack: 'AURA wordt gevormd door een groep Oekraïense zakenmensen, bepaalde internationale energiebedrijven in Oekraïne en een klein aantal dissidente Russische oligarchen.'

Op het moment dat Ivan Goerov uit de dood was opgestaan, had Jack begrepen in wat voor soort universum hij was gedoken. En nu zag hij ook de structuur ervan, even duidelijk alsof hij naar een schaalmodel van het zonnestelsel van de aarde keek. 'Dus we hebben AURA aan de ene kant,' zei hij, 'en Joekin, Batsjoek en hun creatie, Trinadtsat, aan de andere.'

'Zie je, Ivan, dit is een man die meer ziet dan jij en ik,' zei Annika. 'Een man die – hoe zal ik het zeggen? – om hoeken kan kijken. Hoeveel weet hij al uit wat hij heeft opgepikt uit stukjes en beetjes? Hij is een schaker die het eindspel al ziet op het moment dat zijn tegenstander de eerste zet doet.'

Door het geluid van een naderende auto was iedereen zich weer van de omgeving bewust.

'Ik denk,' zei Goerov, die bedenkelijk naar de gedeukte Zil keek, 'dat ik mijn auto maar ga halen.'

De auto in kwestie was een logge taxi, gammel, maar daardoor ook anoniem.

'Waar gaan we naartoe?' vroeg Alli.

'Het landgoed van Magnussen,' zei Ivan Goerov.

'Jij wist dat de hele tijd al,' zei Jack tegen Annika. Hij was nog steeds kwaad.

Ze schudde haar hoofd. 'Ik zweer dat ik niet wist waar we naartoe moesten. Dat is protocol. Stel dat we zouden worden opgepakt, dan kon ik onze bestemming niet verraden aan onze verhoorders.'

'Verhoorders,' zei Jack. 'Charmant.'

Alli huiverde.

'Mikal Magnussens vader heeft een hectare gekocht op een klif dat over de Zwarte Zee uitkijkt,' vertelde Goerov onder het rijden, 'hoog boven alles zodat hij op zijn buren kan neerkijken, die zichzelf zo rijk vinden.'

Het was halfzes op een avond met dikke stapelwolken aan de horizon. Er stond geen zuchtje wind. Het was iets meer dan vijfenveertig kilometer van het vliegveld naar het dichtbeboste gebied boven Aloesjta waar de vader van Magnussen zijn zomerhuis had gebouwd. Ze waren al op drie-kwart van de weg, dus binnen tien minuten zouden ze afslaan en naar de roestvrijstalen toegangspoort rijden, modern en net zo onneembaar als de ophaalbrug van een kasteel. Het hek van de poort was bevestigd aan twee gecanneleerde, drie meter dikke, granieten zuilen.

Goerov liet zijn raampje zakken om op een rode knop te kunnen druk-ken en iets, wellicht een code, in een kleine speaker te zeggen. Even later gleed het hek geluidloos open en reden ze het terrein op over een breed, bochtig schelpenpad.

Het Magnussen-landgoed kon zo uit een sprookjesboek of een spook-verhaal komen, misschien *Wuthering Heights*; de hoge stenen muren, torenkamertjes en duizelingwekkend hoge torens pasten beter bij de Engelse en Schotse moerassen dan bij een zonnig strand. Maar het was zeker indrukwekkend en gaf een perfect inzicht in de voorkeuren van Magnussen senior.

Toen de taxi het huis naderde, liepen er twee zwart-witte Russische wolfshonden met heldere, nieuwsgierige ogen en uit hun bek hangende tongen de voordeur uit.

'Boris en Sasja,' vertelde Ivan behulpzaam.

'Kijk niet naar mij, ik ben hier nog nooit geweest,' vertelde Annika als antwoord op Jacks onuitgesproken vraag. 'En ik ben verbaasd dat Ivan hier wel is geweest, maar dat zou ik niet moeten zijn, ons stuk wereld is zo in hokjes opgedeeld – waterdicht, noemen we dat. Zo wordt steen voor steen vanaf de basis maximale veiligheid opgebouwd.'

De wolfshonden – dikke, glanzende vacht, smalle, speervormige kop-pen – renden naar de mensen die uit de auto stapten. In eerste instantie alleen naar Goerov, maar langzamerhand werden ze steeds geïnteresseer-der in Alli, die als enige op het schelpenpad gehurkt ging zitten en de dieren op hun eigen niveau benaderde.

Terwijl Jack afwezig naar haar keek, verscheen er een man boven aan de brede trap naar de voordeur, daalde die af en liep naar hen toe met de gratie van iemand die met geld of met macht of met allebei geboren was. Dus dit is Mikal Magnussen, dacht hij, en hij vormde zich een eerste indruk van de man die – naar hij aannam – de leider of een van de leiders van AURA was.

Hij was een stoere, onverstoorbare man met platinakleurig haar en hel-blauwe ogen. Zijn neus, een soort steven van een zinkend schip, en zijn rode, bijna vrouwelijke lippen duidden op een ongemakkelijke tegenstelling die degenen die hem ontmoetten een gevoel gaf van naderend onheil. Hij was nonchalant gekleed, waardoor Jack dacht dat hij die middag op korhoenders had gejaagd. De wolfshonden cirkelden kwispelstaartend als manen om hem heen terwijl ze zijn glimmend gepoetste knielaarzen likten. Het waren zwavelkleurige glanzende laarzen: jachtschoenen, overduidelijk handgemaakt van zacht leer, zonder een enkel krasje.

Zijn gebogen mond verbreedde zich tot een brede glimlach toen hij een hand uitstak. 'Meneer McClure, eindelijk hebt u ons gevonden.' Zijn hand hield die van Jack in een stevige, droge greep, maar hij zei tegen de anderen: 'Mejuffrouw Dementieva, dank u wel dat u hem hebt gebracht, en Ivan, bedankt dat je ervoor hebt gezorgd dat ze hier veilig aangekomen zijn.'

Hij had Jacks hand niet losgelaten en zei nu tegen hem: 'Fijn kennis met u te maken, meneer McClure. Ik zal mezelf even voorstellen. Ik ben Grigor Silinovitsj Charkisjvili.'

Dennis Paull had het niet zien aankomen, maar dat zie je nooit, niet zo'n meedogenloze dood, of in elk geval een poging daartoe. Er bestaan mensen in de wereld die je pijn willen doen, die aan jouw einde denken, die je overlijden plannen als een militaire operatie. Die mensen zijn uiteindelijk niet belangrijk, diegenen die je pijn willen doen, die eindeloos samenzweren, die in kleine, raamloze kamertjes vernietigingsmethoden bestuderen, die dagelijks elektronisch overleggen en die aan het eind van de dag naar huis gaan, naar hun vrouwen en gezinnen, hun stevige cocktails en uitgebreide maaltijden. Het zijn hun agenten die je gaat ontmoeten, die belangrijk zijn, want zij zijn degenen die jouw vernietiging in hun handen hebben, of in hun vingertoppen, alsof ze een fles champagne over je moeten uitgieten of een boeket bloemen op je graf moeten leggen.

Paull was de hele nacht op geweest, kon en wilde niet slapen, bereidde zich nu voor op zijn werk als minister van Binnenlandse Veiligheid. Hij douchte onder kokendheet en vervolgens ijskoud water, schoor zich en kleedde zich aan. Voor de verandering besteedde hij vijf minuten aan het strikken van zijn das, zodat die keurig recht hing. Zijn vingers waren onvermoeibaar en onbewust bezig, terwijl zijn hoofd de punten van zijn agenda van vandaag naliep. Het eerste punt was langsgaan bij de begrafenisondernemer, waar hij Nancy Lettiere het lichaam van Louise naartoe had laten brengen, om afspraken te maken. En daarna door naar kantoor, waar hij zes vergaderingen had, die hem tot twee, misschien drie uur bezig zouden houden. Om vier uur moest hij met Bill Rogers, adviseur Nationale Veiligheid, het interdepartementale protocol doornemen. Om halfzes had hij telefonisch overleg met Edward Carson, die, dat wist hij nu al zeker, zeer graag wilde worden bijgepraat over wat hij had gevonden over de activiteiten van de vertrouwelingen van de president tegen wie Paull verdenkingen koesterde. Misschien was er tussendoor nog tijd om wat te eten, maar eigenlijk betwijfelde hij dat, dus zou hij maar bij een McDonald's of een Denny's langsgaan, dat hing ervan af welke hij het eerst tegenkwam, voor een ontbijt in de auto.

Hij stopte zijn laptop in zijn tas, liep de kamer uit naar de betonnen trap en liep via de zijdeur naar de parkeerplaats. Daar bleef hij even stilstaan en keek rond of hij iets verdachts zag. Een inmiddels vertrouwde gewoonte, zo normaal geworden dat hij zich niet meer kon verplaatsen zonder het te doen.

Nadat hij visueel de omgeving veilig had verklaard, liep hij naar zijn auto en drukte op de knop op de sleutel aan zijn sleutelbos die de kofferbak openmaakte. Licht voorovergebogen legde hij de laptop erin. Hij kwam net weer overeind, toen hij de prik in de zijkant van zijn nek voelde. In een reflex schoten zijn handen omhoog. Hij had net genoeg tijd om zich te realiseren dat er een dartpijl in zijn vlees zat voor hij bewusteloos vooroverklapte met zijn hoofd en bovenlichaam in de kofferbak.

Even later verscheen er een man die nonchalant Paulls heupen en benen in de kofferbak tilde, het autosleuteltje pakte, de kofferbak dichtdeed, achter het stuur ging zitten en in Paulls auto heel beheerst van de parkeerplaats van de Residence Inn reed.

'Sorry dat ik het moet vragen,' zei Jack toen Annika wegliep om haar mobiel te beantwoorden. 'Maar waar is Mikal Magnussen, de man die Karl Rotsjev en Ilenja Makova heeft vermoord of heeft laten vermoorden?'

Charkisjvili trok zijn wenkbrauwen op. 'U kent Ilenja's naam? Dan bent u bijzonder goed geïnformeerd.' Hij nam Jack en Alli mee naar een solarium aan de achterkant van het huis. Glimlachend vroeg hij in het algemeen: 'En deze knappe jongedame is…?'

'Mijn dochter.'

Charkisjvili's wenkbrauwen raakten elkaar bijna. 'Ik heb een dochter van ongeveer jouw leeftijd. Ze zit in Kiev op school en haar moeder zorgt voor haar.'

'Mijn moeder is overleden.' Alli keek hem recht in de ogen. 'Ik heb alleen nog mijn vader.'

Charkisjvili schraapte, duidelijk van zijn stuk gebracht, zijn keel. 'Wil je hier zolang blijven, zodat je vader en ik een stukje kunnen gaan wandelen? Je hebt hier een prachtig uitzicht op de heuvels en bossen...'

'Allemachtig, nee.'

Hij keek even naar Jack, maar die bood geen hulp. 'Zoals je wilt.' Hij leek het tegen hen beiden te zeggen en hij klonk eerder misprijzend dan toegevend. Weer schraapte hij zijn keel en hij vond het duidelijk heel vervelend om te spreken in het bijzijn van Alli, die hij zo oud als een tienermeisje schatte. 'Rotsjev moest geëlimineerd worden; hij had opdracht gegeven tot het vermoorden van Lloyd Berns. Waarom? Omdat Berns, die van ons, van AURA, had gehoord, die informatie aan generaal Brandt wilde doorgeven, en Brandt zou het aan Joekin hebben verteld, die Batsjoek op de hoogte zou hebben gebracht, waarna een Trinadtsat-liquidatieteam zou worden gestuurd om ons allemaal te vermoorden.'

'En Ilenja Makova?'

'Ach, ja. Het vermoorden van Rotsjevs maîtresse was bijzaak. Hij was met haar in de datsja, maar wist te ontsnappen.'

'Niet dat het belangrijk was,' zei Jack zo rustig mogelijk. 'Hij werd overmeesterd, naar Magnussens landgoed buiten Kiev gebracht en gemarteld voor hij werd vermoord.'

'Ik ben bang dat dit een uiting was van – hoe kan ik dat het beste omschrijven? – iets te veel enthousiasme.'

'Wat keurig omschreven,' vond Alli, maar toen ze Jacks waarschuwende blik zag, hield ze verder haar mond.

'U mag elke keurige omschrijving gebruiken die u kunt bedenken, maar het komt erop neer dat Rotsjev gemarteld werd. Waarom? Omdat uw moordenaar – Magnussen of iemand anders – zichzelf niet kon beheersen.'

Charkisjvili, zich ervan bewust dat Jack hem met zijn eigen woorden om de oren sloeg, zei: 'Ik wil geen ruzie met u maken, meneer McClure.'

'Misschien hebt u geen keus,' zei Jack.

Eerst wachtte Charkisjvili even, maar daarna zei hij lachend: 'Ik vind u wel aardig.' Hij ging met een vinger heen en weer. 'Ik merk dat uw dochter haar scherpe tong van u heeft.'

'Vindt u dit grappig?' vroeg Jack. 'Martelen, doden als bijkomende schade, moord… ik kan om al die dingen niet lachen.'

'Natuurlijk niet.' Charkisjvili stak zijn handen omhoog. 'Wat ik bedoelde, is dat niemand meer de controle heeft. Ik verzeker u dat de dader van deze gruwelijkheden inmiddels gestraft is.'

'En daar bedoelt u mee?'

Charkisjvili wees uit het raam. 'Ziet u daar die grote blauwsparren?' Hij liep naar een glazen deur die naar een terras leidde, waarachter een appelboomgaard begon. Hij deed de deur uitnodigend open en zei: 'Zullen we samen naar zijn ongemerkte graf lopen?'

'Daar kan uw hond in liggen,' zei Jack, 'of uw ex-vrouw, of helemaal niets.'

'U gelooft me niet.'

'Waar is Mikal Magnussen? Ik heb een paar vragen voor hem.'

Op dat moment kwam Annika binnenlopen. Ze zocht oogcontact met Jack en knikte met haar hoofd dat hij naar haar toe moest komen. Jack liep zonder een verklaring haar kant op.

'Harry Martin was een sluipschutter van de NSA,' vertelde ze hem zachtjes, 'stond onder bevel van generaal Brandt.'

'Dat begrijp ik niet,' zei Jack. 'Waarom werd hij achter jou aan gestuurd?'

Ze keek nog bezorgder. 'De NSA moet ons hebben ontdekt. Jouw president is vastbesloten om dat verdrag met het Kremlin te ondertekenen.'

Jack schudde zijn hoofd. 'Dan nog, hij zou nooit toestemming geven om de NSA het vuile werk van Joekin te laten opknappen.'

'Dat wil ik best van je aannemen,' zei Annika, 'maar wat is dan de verklaring hiervoor?'

Jack dacht even na. 'Generaal Brandt is de joker in dit spel.'

'Wat?'

'Ik heb geen idee waarom Brandt een NSA-sluipschutter heeft gestuurd, dat is gewoon niet logisch.'

'Meneer McClure.' Charkisjvili wenkte hem. 'Als u met me mee zou willen gaan…'

Jack liep naar buiten en samen liepen ze door de appelboomgaard naar de verhoging onder de blauwspar.

'En?'

Jack wreef met de punt van zijn schoen over de verse aarde en ging iets

dieper. 'Hier ligt niets begraven,' zei hij, 'in elk geval niet iemand.'
Charkisjvili keek hem doordringend aan. 'Bedoelt u dat ik tegen u lieg?'
'Zonder twijfel.'
Charkisjvili hield zijn handen op zijn rug en ademde diep in. 'Het is dat
gevoel, of talent, waarvoor we u nodig hebben, meneer McClure.' Hij
keek Jack recht aan. 'Snapt u, we hebben u nodig.'
'Ik weet niet over welk talent u het hebt.'
'We zitten allemaal in een puzzel, meneer McClure. Een Gordiaanse
knoop, als u dat liever hoort. U hebt een speciale gave, een manier om
langs dingen die andere mensen verlammen, heen te kijken.'
'Volgens mij verwart u me met iemand anders. Ik had uw leugen door,
maar die van Annika niet.'
Charkisjvili knikte. 'Maar uiteindelijk begon u wel aan haar te twijfelen,
toch?'
'Ja. Zeker toen we uit de datsja van Rotsjev kwamen en in die hinderlaag liepen.'
Er verscheen een vaag glimlachje om Charkisjvili's mond. 'Ja, die mogelijkheid hadden we ingecalculeerd.'
Zestien verschillende stukjes informatie begonnen ineens een patroon
te vormen in de Rubiks kubus in zijn hoofd. 'Momentje. Het was natuurlijk Goerov die vanuit het bos op haar schoot. Hij richtte op het
vlezige gedeelte van haar arm, een onschadelijke wond, maar mijn twij-
fels verdwenen toen ze was geraakt.'
'U snapt nu wat ik bedoel, meneer McClure. U hebt zo weinig informatie nodig om het grote geheel te doorzien, om te bepalen waar de vectoren elkaar snijden. U bent degene die hebt ontdekt dat jullie hier naartoe moesten, Annika had geen idee waar we waren, dat konden we niet
toestaan. We vertellen elkaar zo weinig mogelijk.' Hij haalde een hand
van zijn rug en gebaarde naar de rand van het klif. 'Zullen we?' Toen ze
bij de kleine verhoging waren, sprongen de wolfshonden weer om hen
heen en gingen elk aan een kant van Charkisjvili lopen.
'Als u nog twijfelt waarom Annika tegen u heeft gelogen, mag ik u dan
aanraden niet te vergeten dat mijn mensen nooit zomaar liegen. Want
liegen doe je nooit zomaar. Liegen leidt tot complicaties en hoe meer
iemand liegt, hoe groter de complicaties zijn. Ik denk dat het duidelijk
genoeg is, maar voor ons doel moeten wij nog een stap verder gaan, een
mentale oefening die mensen zelden doen, omdat de mens in essentie
lui is.'

Ze kwamen nu bij het rotsige klif; het landhuis lag rechts van hen als een gigantische bewaker. Het water was zo donker als zijn naam. De honden waren door het dolle heen, misschien door de hoogte of door het zien van het strand waar Charkisjvili of Mikal Magnussen ze misschien weleens liet rennen.

'Mensen liegen om een reden of voor een zaak, in elk geval voor iets wat groter is dan zijzelf,' ging Charkisjvili verder. 'De zaken zijn zelfs groter dan een groep gelijkgestemde mensen als AURA. En hier komt u in beeld, want alles wat op dit moment AURA omringt, lijkt een bedreiging, zeker voor ons die erin zitten. We zijn verblind, zijn paranoïde geworden door het groeiende gevaar en kunnen elkaar dus niet meer vertrouwen. Hoe kunnen we als we niet verder kunnen kijken dan punt A, weten of punt B ermee verbonden kan worden of het juist zal vernietigen? U hebt het land der blinden gevonden, omdat u kilometers ver kunt kijken. U bent degene met het talent om logica te scheppen in de chaos van het leven. U ziet, interpreteert, begrijpt de onverenigbare elementen, u kunt voelen of ze verbonden kunnen worden of niet. Daarom hebben we u nodig, meneer McClure, u bent de enige die dat kan.'

'Dus dit was allemaal een test?' vroeg Jack. 'De aanwijzingen, de stukjes en beetjes, de broodkruimels in een doolhof.'

'O, niets van wat we bedacht hebben was makkelijk, meneer McClure, maar ik begrijp uw punt.' Charkisjvili knikte. 'Een praktische test, ja. Waarom? Omdat we over uw talenten alleen maar hadden gelezen, en persoonlijk vind ik geschreven rapporten onbetrouwbaar. Maar het verslag van een ooggetuige, dat is iets heel anders.'

Jack voelde de zeewind op zijn wangen en zag de wolfshonden achter hun eigen staart aan zitten. 'Weet u? Volgens mij zijn jullie allemaal knettergek. Als jullie me zo dringend nodig hadden, waarom hebben jullie het me dan niet gewoon gevraagd?'

'Omdat u nooit zou zijn gekomen en had u dat wel willen doen, dan had uw president het nooit goedgevonden.'

'Want?'

'Omdat onze samenwerking, als die bekend zou worden, zijn belangrijke akkoord met die zak van een Joekin in gevaar zou brengen. Want voor die zak van een Joekin en zijn kontlikker Batsjoek zijn wij dood, deze groep van dissidente Russische oligarchen: ik, Boronjov, Malenko, Konarev, Glazkov, Andrejev... opgejaagd en vermoord door die FSB-topmoordenaar Mondan Limonev. Behalve dan dat Limonev voor ons werkt. Al deze geheimen vertrouw ik u toe, meneer McClure.' Hij spreidde zijn armen. 'Ik vertrouw u.'

'U kent me helemaal niet. Waarom zou u me vertrouwen?'

'Omdat Annika zegt dat ik dat moet doen. Omdat zij u vertrouwt.'

'Dat interesseert me niet,' zei Jack, hoewel het onmogelijk was om immuun te zijn voor wat Charkisjvili had gezegd. 'Edward Carson is zowel mijn vriend als mijn baas. Onder geen beding zal ik hem ooit verraden, dus blijkbaar hebt u toch de verkeerde man gekozen.'

Charkisjvili zuchtte. 'Uw president Carson wordt op ditzelfde moment dat we hier staan verraden. Ik denk dat het beter is als u het hele verhaal hoort voordat u een beslissing neemt die niet alleen consequenties kan hebben voor AURA, maar ook voor de Verenigde Staten.'

'Je moet me haten als de pest,' zei Annika terwijl Alli en zij alleen in het solarium waren.

'Niet echt.' Alli keek naar Jack en Charkisjvili, die tussen de appelbomen door liepen. 'Ik ben wel teleurgesteld.'

Annika produceerde een spijtig lachje. 'Ja, dat verdien ik wel.'

'Waarom heb je het gedaan? Waarom heb je gelogen?'

Annika boog voorover en duwde een haarlok van Alli's voorhoofd weg. 'Ik had geen keus.'

Alli ging met een ruk achteruit. 'Niet van onderwerp veranderen! Dat doen mijn vader en al zijn vrienden als een vraag te moeilijk of te pijnlijk is. Het is een trucje van politici en ik haat het.'

Annika liep naar een stoel en ging erin zitten. 'Ik heb het Jack zo goed mogelijk uitgelegd.' Weer keek ze Alli met een spijtig lachje aan. 'Maar ik weet dat ik sommige acties nooit zal kunnen uitleggen. Dat sommige acties als een stigma aan je blijven kleven. Naar hem toe had ik me daarop voorbereid, niet naar jou toe.'

'O, alsjeblieft, hou op met die onzin.' Alli liep de kamer door naar de ramen en keek naar de inmiddels verlaten appelboomgaard met de kale kronkeltakken, die naar de gestreepte grijsblauwe lucht leken te reiken. Annika zag haar lopen, zag hoe ze haar armen over elkaar sloeg en naar de lege boomgaard keek. 'De waarheid staat vast, is onveranderbaar,' zei ze, 'omdat die als ze slechts een grammetje leugen bevat, geen waarheid meer is.' Alleen al door naar haar gezicht te kijken wist ze hoe erg Alli Jack miste als hij er niet was, maar ze zag ook een verschrikkelijk verdriet. Er bestond een sterke band tussen hen, zonder enige twijfel; toch

was er ook iets duisters, een leugen of misschien iets onuitgesprokens, een omissie, een waarheid die bewust niet hardop werd gezegd. 'Een leugen kent echter oneindig veel gradaties, die kan gemeten en beoordeeld worden, wat met de waarheid nooit kan, snap je, omdat een leugen een grammetje waarheid kan bevatten of een heleboel waarheid en toch altijd een leugen blijft. Maar wat voor leugen en van welke omvang? Je kunt een leugentje om bestwil vertellen. Zo noemen jullie dat toch?' En toen Alli geen antwoord gaf, niet eens liet merken dat ze haar had gehoord, ging ze onverstoorbaar verder: 'Je krijgt geen straf als je een leugentje om bestwil vertelt, hè? Je voelt je ook niet schuldig, je hebt geen wroeging en je wilt je woorden niet terugnemen.'
'Waarom praat je alsof je het over mij hebt? Dit gaat helemaal niet over mij.'
'Dat was bij wijze van spreken,' antwoordde Annika, wat een opzettelijke leugen was. 'Hoe moet ik nou weten of jij hebt gelogen en tegen wie?' Ze wachtte even alsof ze een antwoord verwachtte, en toen dat niet kwam, ging ze verder: 'Maar goed, een leugen kan nuttig zijn als de waarheid niet werkt, als die bijvoorbeeld te verdrietig of te schokkend is.' Alli draaide zich om met een opgetrokken schouder, alsof ze zichzelf beschermde tegen de aanval van Annika's woorden. 'Het punt is dat jij zelf de keuze maakt of je een leugen vertelt of niet, of je de waarheid achterhoudt of niet…'
'Hou je mond!' zei Alli scherp. Ze keek Annika met een doodsbleek gezicht aan.
'… zelfs op momenten dat je een leugen moet vertellen om iemand te beschermen die dicht bij je staat of van wie je houdt of voor een hoger doel. En dat was bij mij het geval.'
De twee vrouwen keken elkaar aan. Annika vond hen lijken op twee gladiatoren op het forum, onder het toeziend oog van de Tarpeïsche rots, de oude terechtstellingsplaats van verraad. Ze voelde nieuwe energie en hoopte dat het conflict tussen hen het meisje uit haar traumaschulp zou halen.
'Elke leugen kent een moment dat hij wordt geloofd,' ging ze verder, 'zelfs bij mensen die van nature dingen in twijfel trekken of cynisch zijn. Leugens zijn verleidelijk, omdat ze vertellen wat je zo graag zou willen geloven, of ze geven je iets van wantrouwen, soms zonder dat je je ervan bewust bent.'
Alli uitte een gesmoord kreetje terwijl ze zich van het glas losmaakte.

'Probeer je op deze manier mijn vertrouwen te winnen?'

'Ik wil jouw vertrouwen helemaal niet winnen. Die man die jou heeft ontvoerd, die jou gegijzeld heeft, díé heeft jouw vertrouwen gestolen en jij kunt het niet terugpakken.'

Er sprongen tranen in Alli's ogen terwijl ze door de deur naar buiten ging, het stenen terras op, langs de zijkant van het huis, verblind door een eigenaardig, zelfvernietigend instinct dat haar naar het klif dreef en naar het ziedende, kolkende water aan de voet ervan.

23

Dennis Paull werd wakker in een kamer vol ramen. Het vroege ochtendlicht stroomde over de gewreven vloer, waardoor hij wist dat hij niet in
een ziekenhuis of in een instellingskamer lag. Hij was ook niet vastgebonden. Wel voelde hij zich verward. Waar was hij? Wat was er gebeurd?
Het laatste wat hij zich herinnerde... christus, wat deed zijn hoofd zeer.
'Ik heb wel iets voor die hoofdpijn.'
Hij draaide zijn hoofd naar de vrouwenstem en voelde onmiddellijk de
plek verstrakken waar de pijl hem had geprikt. De vrouw had een conservatief getailleerd mantelpakje aan dat veel te chic was voor een mo-
daal salaris.
'Dokter Denise Nyland, neuroloog,' zei ze glimlachend, met twee pillen
in de ene hand en een glas water in de andere. 'Alstublieft, die zullen wel
helpen.' En toen hij aarzelde, ging ze verder: 'Het is gewoon paraceta-
mol. Echt waar.'
Hij pakte ze aan, maar pas nadat hij het logo op allebei de tabletten had
gecontroleerd, slikte hij ze met al het water door.
'Ik neem aan dat u een boel vragen hebt, excellentie,' zei ze. 'En die zullen allemaal – en nog meer – snel worden beantwoord. Ondertussen stel
ik voor dat u uitrust, terwijl ik u vertel waar u bent.' Ze keek naar een
raam, waarachter een marmeren fontein water de lucht in spoot. Daarachter lagen gazons en er waren kunstig gesnoeide struiken en mogelijk
ook een kleine doolhof, maar vanaf zijn positie kon hij dat niet duidelijk zien. Hij stond op uit de stoel waarin hij neergezet was, maar werd
meteen zo duizelig dat hij gauw weer ging zitten.
'U bent in Neverwood, een landgoed van de Alizarin Global Groep. Ik
werk voor hen.'
Paull vocht tegen de duizeligheid en het gebonk in zijn hoofd om goed
te kunnen luisteren. Alizarin Global was het bedrijf dat de onofficiële
reisjes van generaal Brandt naar Rusland had betaald. Hij had het nooit
gegoogeld, omdat hij veel te veel verdriet, spijt, zelfmedelijden en woede voelde na het nieuws dat Louise dood was.

'Dan bent u degene geweest die het spul heeft gebrouwen dat op het pijltje zat.' Paull had moeite met articuleren, alsof zijn mond met novocaïne was verdoofd.

'Neverwood ligt in Maryland, exact honderdtwintig kilometer van het Witte Huis,' vertelde dr. Nyland, en ze negeerde zijn opmerking.

Paull fronste zijn wenkbrauwen, waardoor de pijn weer door zijn hoofd golfde. 'Waarom ben ik hier?'

'Nog heel even, excellentie, dan wordt alles duidelijk.' In haar professionele glimlach, schoon en koel als tandpasta, zat niets kwaadaardigs. 'Laat ik voor nu zeggen dat niemand u schade wil berokkenen. Zodra u helemaal op de hoogte bent, krijgt u de sleutels van uw auto. U bent dan vrij om te gaan en te staan waar u wilt.'

'Wat is Alizarin Global?'

Dr. Nyland glimlachte alleen maar. 'Tot ziens, excellentie. Een prettige dag nog, ongeacht wat u gaat doen.'

En weg was ze. Hij was exact zes minuten alleen, dat hield hij op zijn horloge bij, dat ze niet van hem hadden afgenomen. Die tijd benutte hij zo goed mogelijk door zijn zakken na te kijken. Hij ontdekte dat hij, behalve zijn autosleutels, alles nog had.

Na die zes minuten ging de deur open en kwam er een jongeman met een prettig gezicht binnen. Hij had een vlot zakenpak aan en rook vaag naar een luchtje dat net zo duur was als de kleren die hij aanhad. Op het borstzakje van zijn colbert zat een kleine, geplastificeerde zeshoek. Oranje of dieprood. Er stond geen naam op, maar Paull voelde dat het het logo van Alizarin Global moest zijn.

'Goedemorgen, excellentie,' zei hij met dezelfde glimlach als dr. Nyland op haar gezicht had gehad. 'Ik neem aan dat u trek hebt.' Hij gebaarde naar de openstaande deur. 'Er staat koffie op u te wachten met versgebakken croissants en zelfgemaakte aardbeienjam. Ik heb begrepen dat aardbeien uw favoriete smaak is.'

Zonder iets te zeggen liep Paull achter hem aan een gang in die lichtgroen geschilderd was, met koperen blakers en schilderijen van beroemde zeilschepen uit de negentiende eeuw. De man liep naar een dubbele, bewerkte ebbenhouten deur, die hij geluidloos openmaakte. Hij bleef op de drempel staan en gebaarde dat Paull naar binnen moest gaan. Toen Paull dat had gedaan, deed hij de deuren achter hem dicht.

Paull stond in een ouderwetse salon, compleet met een marmeren schoorsteen, een kleine vleugel, twee grote chesterfields, een bar langs een muur en boeken van de vloer tot het plafond langs de tegenover-staande muur. Een gigantische erker keek uit op een vijver, waarover een elegante Japanse brug stond. Een koperen scheepsklok boven de schoorsteenmantel gaf de tijd aan.

In twee Queen Annestoelen zaten twee mannen tegenover elkaar en tus-sen hen in stond een koffietafel, gedekt met een zilveren koffieservies voor drie personen. Aan een zijkant stond een hotelachtige warmhoud-kar. Op het moment dat Paull naar binnen liep, stonden de twee man-nen tegelijkertijd op. Hij herkende hen direct: Miles Benson, ex-direc-teur van de CIA en Morgan Thomson, adviseur Nationale Veiligheid van de vorige regering. Benson was een van die taaie oorlogsveteranen voor wie de posters waren uitgevonden. Zijn gehavende en gegroefde gezicht zag er zeer krachtig en imponerend uit. Hij had hoge jukbeenderen en de trotse Clint Eastwood-blik. Hij was een en al no-nonsense, hij keek zelfs kortaf. Toch durfde Paull erom te wedden dat hij alles zag. Thom-son was een magere, fretachtige man met een lange, spitse neus en diep-liggende muizenogen, die achterdochtig de wereld in keken. Hij had zeer dunne lippen, waarachter helderwitte tanden zaten die zo scherp waren als zijn erudiete tong. Zijn intellectuele kennis was legendarisch in neoconservatieve kringen en daarbuiten, wat hem een veelgevraagde, wijze man in talkshows maakte.

Deze twee mannen hadden oppervlakkig gezien weinig gemeenschap-pelijks, maar in de twee perioden dat ze aan de macht waren geweest hadden ze een onwrikbaar bondgenootschap gevormd, waarop de vo-rige president bijna tot op het eind had vertrouwd. Ze hadden zijn po-litieke koers bepaald en waren verantwoordelijk voor de puinhoop die hij achterliet. Zonder berouw en nog net zo arrogant als op de dag dat ze hun respectievelijke ambten hadden aanvaard, weigerden ze te gelo-ven dat een van hun beslissingen fout of ondoordacht kon zijn geweest. Met andere woorden: de wereld was van hen tot het tegendeel bewezen was. In hun hoogmoed was volledige controle hun doel geweest. Hoog-moed, omdat zoiets grandioos nooit gecontroleerd kon worden door twee, of honderd of zelfs honderdduizend man.

Deze recente geschiedenis schoot door Paulls hoofd in de drie seconden die de twee mannen – aartsvijanden van Edward Carson, die samen-spanden om hem te vernietigen – nodig hadden om bij hem te komen en hem met flinterdunne glimlachjes de hand te schudden.

Even later zei Paull: 'Jullie gedrag is schandalig, op het criminele af. Ik wil onmiddellijk mijn autosleutels.'

'Natuurlijk,' zei Benson, en hij gaf ze.

Zonder nog iets te zeggen draaide Paull zich om om weg te gaan. Hij was bijna bij de deur, toen Thomson met zijn diepe televisiestem zei: 'Natuurlijk mag u vertrekken, excellentie, maar het zou jammer zijn als u niet even bij uw dochter en kleinzoon ging kijken.'

Paull stond een paar bonkende hartslagen als bevroren stil, waarna hij zichzelf dwong hen weer aan te kijken. 'Pardon?'

'Uw dochter Claire is in de kamer aan de overkant van de gang. Uw kleinzoon is bij haar.'

Paull was verbijsterd. 'Waarom zijn ze daar?'

Thomson had duidelijk raak geschoten. 'Om u te zien.'

'Dat is belachelijk. Mijn dochter wil me al van voor de geboorte van mijn kleinzoon niet meer zien.'

'Maar nu wel,' verzekerde Thomson hem. 'We hebben haar verteld dat u terminaal bent.'

'Jullie zijn gek.' Hij draaide zich weer naar de deur, legde zijn handen op de deurknoppen en begon de deuren uit elkaar te duwen.

'Aaron,' zei Thomson met zijn meest welluidende stem. 'Uw kleinzoon heet Aaron.'

Paull, verscheurd door tegenstrijdige gevoelens, draaide zich vliegensvlug om. 'Dit doet me allemaal niets wanneer jullie gevangen zijn genomen. Ontvoering van een lid van de regering van de Verenigde Staten is een federaal misdrijf...'

'Niemand gaat gearresteerd worden,' zei Benson scherp. 'Niemand gaat naar de gevangenis.'

'Hij kan er niets aan doen, het leger heeft hem voor het leven getekend,' zei Thomson op rustige, bijna vriendelijke toon. Hij stak een hand op. 'Waarom gaan we niet even zitten. Bent u niet een klein beetje nieuwsgierig waarom we met u willen praten?' Hij ging zelf op een van de chesterfields zitten en schonk koffie in drie kopjes. 'Van u weet ik het niet, excellentie, maar ik lust wel een kopje.' Verwachtingsvol keek hij op. 'Is uw mening over ons zo vastgeroest dat u ons niet eens een kans wilt geven om uit te leggen waarom we... u op deze onorthodoxe manier hier hebben laten komen?'

'Onorthodox?'

Thomson keek Benson veelbetekenend aan. Als reactie daarop schraapte de ex-militair zijn keel en zei: 'Ik bied mijn verontschuldigingen aan voor de buitengewone manier waarop u hier bent gekomen.' Hij liep naar de chesterfield en pakte het kopje aan dat Thomson hem aanbood. 'Maar – en ik denk dat u het daarmee eens zult zijn – ik betwijfel of we u hadden kunnen overhalen om op een andere manier hiernaartoe te komen.'

Thomson knikte bij de verzoenende toon van zijn bondgenoot. Hij pakte het laatste kopje en stak dat Paull toe. 'Gelooft u ons alstublieft, excellentie, u bent hier als een gast. Een hooggeachte gast.'

Paull ging zeer langzaam, en met een zeer weifelend gezicht, op de chesterfield tegenover de twee mannen zitten, liet drie suikerklontjes in zijn koffie vallen, deed er een scheutje koffiemelk bij en roerde met een lepeltje. In de tijd die hij daarvoor nodig had, haalde Benson de kap van de warmhoudkar af en haalde borden met croissants, eieren, bacon en kleine, keurige driehoekjes beboterde toast tevoorschijn. Allemaal heel beschaafd, dacht Paull, terwijl hij een slok koffie nam, die heel sterk en aromatisch was. Veel beter dan je bij McDonald's of Denny's kreeg.

'Als ik mag beginnen,' zei Thomson, 'uw fout was het hacken van de bankrekening van generaal Brandt. Dat wordt dag en nacht in de gaten gehouden.'

'Maar het is gebeurd,' zei Benson, 'en uw fout was ons geluk, en ik zal u vertellen waarom.' Hij deed wat tabasco bij zijn eieren, proefde een beetje en knikte waarderend voordat hij zijn vork neerlegde, alsof hij nu al genoeg gegeten had. 'Brandt is onze man.'

'Brandt is geen lid van het kabinet,' zei Paull.

'Hij heeft een veel betere positie. Hij is een adviseur naar wie Carson luistert, zeker op Ruslandgebied.' Hij haalde zijn schouders op. 'Gezien wat u de afgelopen dagen naar boven hebt gehaald, zal dat geen schok voor u zijn. Maar we maken ons steeds bezorgder over de generaal.' Hij drukte zijn lippen op elkaar alsof hij op iets zuurs had gebeten. 'Ik neem aan dat u zich kolonel Kurtz nog wel herinnert.'

'*Het hart der duisternis*,' zei Paull. 'Joseph Conrad. Geweldig boek.'

'Godzijdank is uw referentiekader niet *Apocalypse Now*,' zei Thomson. 'Coppola heeft een draak van dat meesterwerk gemaakt.'

'Terug naar Kurtz,' zei Paull. 'Proberen jullie me te vertellen dat generaal Brandt krankzinnig is?'

'Nou, als dat niet zo is,' zei Benson bitter, 'dan zit hij in elk geval in zijn eigen hart der duisternis.'

Voor het eerst keek Thomson een beetje ongemakkelijk. Hij wreef met zijn duim over een wenkbrauw, hetzelfde gebaar als van de inlichtingenofficier, door G.D. Spradling gespeeld, die kapitein Willard vertelde van zijn opdracht om Kurtz te elimineren in de memorabele beginscène van de film.

Benson, die zich volgens Paull niet had voorbereid op het brengen van het slechte nieuws, schraapte weer zijn keel. 'Toch is, ondanks wat mijn gewaardeerde collega net zei, de vergelijking met *Apocalypse Now* niet onterecht.' Hij wachtte even, alsof hij niet wist hoe hij verder moest gaan. 'U weet dat het personage Kurtz gebaseerd was op de meervoudig gedecoreerde groene baret, kolonel Robert Rheault?'

'Tijdens de Vietnamoorlog,' vulde Paull aan, die in zijn herinneringen groef. 'Werd Rheault toen niet van zijn commando ontheven?'

'Klopt,' zei Benson, die kaarsrecht ging zitten. 'Hij werd beschuldigd van moord.'

Een kleine, maar vreselijke, ijzige vinger prikte in Paulls maag. 'En wat heeft dat met generaal Brandt te maken?'

Thomson, die roerloos naast Benson zat, werd nu overduidelijk doodsbleek.

Benson keek hem even aan voor hij moedeloos zei: 'Generaal Brandt heeft de onmiddellijke eliminatie van Jack McClure bevolen.'

Paull wist dit natuurlijk, maar vond het niet nuttig om hun dat te laten weten. Integendeel. Hij wist nu zeker dat hij meer informatie had over Brandts laatste activiteiten dan zij wisten. Wat betekende dat Brandt, net als Kurtz en Rheault, het contact met zijn superieuren, zijn medesamenzweerders, had verloren. Zoals Benson al zei: de generaal was nu in zijn eigen hart der duisternis. Hij had geen idee wat dat voor hen allemaal betekende, maar tot zijn eigen verbazing merkte hij dat hij anders tegen deze twee mannen aan keek. Niet dat de vijand ineens volledig was veranderd in een vriend, maar zwart en wit leken te vervagen tot grijstinten.

Uiteindelijk zei hij: 'Hoe komt generaal Brandt er in godsnaam bij dat hij een eliminatie kan bevelen?'

'Daarom,' zei de eindelijk ontdooiende Thomson, 'hebben we u hiernaartoe laten brengen.'

Altijd waakzaam als het om Alli ging, zag Jack vanuit een ooghoek een vage schaduw opdoemen en hij wist meteen dat zij het was. Hij draaide weg van Charkisjvili en zag Alli vanaf het rotsige gedeelte naar de klif-rand rennen. Zonder er verder bij na te denken rende hij achter haar aan en berekende ondertussen waar de vectoren elkaar zouden snijden om haar te kunnen onderscheppen voordat ze... tja, voor ze wat? Wilde ze van het klif af springen? Was ze suïcidaal? Had ze waarschuwingssig-nalen afgegeven die hij had gemist, omdat hij te veel aandacht aan An-nika had besteed?

De honden renden hysterisch blaffend achter hem aan, alsof ze zijn groeiende ongerustheid hadden opgepikt. Ze rende nog steeds op volle snelheid naar de klifrand toen hij haar te pakken kreeg. Door haar snel-heid schoten ze nog een paar stappen door, wat hen gevaarlijk dicht bij de steile afgrond bracht. De honden gromden, hun poten trilden, hun nekharen stonden recht overeind, tot hij haar eindelijk van de afgrond weg wist te trekken. Ze vielen op de stenige bodem en de honden kwa-men dichterbij om hun gezichten af te lebberen, totdat Charkisjvili ze terugriep. De wolfshonden renden naar hem toe.

'Alli,' hijgde Jack buiten adem door zijn sprint en de angst die ze hem had bezorgd, 'waar was je in hemelsnaam mee bezig?'

'Laat me los!' Ze duwde hem van zich af. 'Donder op!'

Ze huilde hysterisch en deed dat waarschijnlijk al een tijdje, gezien haar betraande wangen.

'Wat is er gebeurd?' vroeg hij geschrokken. 'Wat heb je?'

Ze draaide haar hoofd van hem af, naar de grond, haar lichaam schokte van het snikken.

'Alli, zeg wat.' Annika had gezegd dat Alli hem wilde vertellen wat Mor-gan Herr met haar had gedaan, dat haar behoefte om iemand te vertel-len over die afgrijselijke week het uiteindelijk van haar terughoudend-heid zou winnen. 'Je kunt me alles vertellen, dat weet je toch?'

Op dat moment sloeg ze hem. Het was niet meer dan een schampslag tegen de zijkant van zijn hoofd, maar hij schrok genoeg om haar los te laten en ze krabbelde van hem weg. Eerst op handen en voeten als een gewond dier, maar daarna rende ze op twee voeten wankelend in het wilde weg naar de klifrand.

Jack rende achter haar aan, tilde haar op en rende weer terug naar het landhuis, maar hij struikelde over een rotsblok en moest haar neerzet-ten. Om de een of andere reden kon hij niet goed zien en toen hij met een hand in zijn ogen wreef, bleken die vol tranen te zitten. Hij zat hij-gend en huilend op het gras, terwijl de wolfshonden beschermend om hem heen cirkelden, net zoals ze eerder bij Charkisjvili hadden gedaan. Gelukkig hield de Rus afstand. Hij liep naar het landhuis, waar, zo zag Jack, Annika inmiddels was verschenen. Toen die de situatie in zich had opgenomen, rende ze naar hem toe, maar Charkisjvili ving haar op en hield haar tegen, zodat Jack en Alli alleen konden zijn.

Jack voelde de zeewind door zijn haren en tegen zijn wangen blazen. Zacht, zoutig en zwavelig. De wolken boven zijn hoofd leken zich niet te kunnen bewegen, alsof een grote hand ze op hun plek had vastgeprikt. Hij luisterde of hij de branding kon horen, maar hij hoorde niets. Het was alsof de wereld zijn adem inhield.

'Alli,' zei hij zachtjes, maar hij probeerde niet haar aan te raken of dichter bij haar te komen, 'jij wilt jezelf niet vermoorden, ik weet dat je dat niet wilt.'

Bevend en rillend keek ze hem met rode ogen aan en gilde: 'Ik heb verdomme genoeg van mensen die in mijn hoofd willen kruipen en me vertellen wat ik moet doen!'

'Alli, alsjeblieft, vertel me...'

'Ik kan het niet! Ik kan het niet!' huilde ze. Haar handen werden vuisten, waarmee ze op zijn borst ramde alsof hij de fysieke manifestatie was van de angst die haar in zijn greep had.

Toen hij haar groeiende hysterie zag, wist hij dat hij rustig moest blijven. Hij probeerde niet haar te stoppen, en week ook niet terug. 'Waarom kun je het niet?'

'Omdat...'

Ze leek hem pijn te willen doen en misschien via hem ook zichzelf.

'Omdat...' Haar stem was zo zacht en breekbaar dat hij zich dicht naar haar toe moest buigen om haar te kunnen verstaan. '... je me zult gaan haten, me voor eeuwig zult gaan haten.'

'Hoe kom je daar nou bij? Waarom zou ik je haten?'

'Omdat ik tegen je heb gelogen.' Ze was nu doodsbang. 'Ik heb gelogen. Ik heb je niet de hele waarheid verteld.'

Hij sloeg zijn armen om haar heen en zei in haar oor: 'Ik zal je nooit haten. Ik hou onvoorwaardelijk van je.' Hij zoende haar op haar wang en zei: 'Maar ik vind wel dat je me moet vertellen wat je zoveel pijn doet. Het is niet gezond om het op te kroppen.'

Ze snoof minachtend. 'Je zegt wel dat je van me houdt, maar dat doe je vast niet meer als ik het je vertel.'

'Probeer het maar.' Hij hield haar op armlengte afstand zodat hij haar recht kon aankijken. Haar handen waren geen vuisten meer, haar vingers trilden op zijn borst. 'Laat mij zelf dat besluit nemen, dat hoef jij niet voor mij te doen. Vertrouw me. Vertrouw óns.'

Het licht in haar ogen doofde en ze keek hem aan alsof ze hem niet kende. Hij trok haar weer tegen zich aan en mompelde: 'Niet weggaan, Alli. Blijf bij me, je bent veilig. Je bent veilig.' Net zoals hij had gedaan toen hij haar weggehaald had van die donkere plek waar Morgan Herr haar naartoe had gebracht.

Haar hoofd lag zwaar tegen zijn borst, hij voelde amper dat ze ademhaalde.

'Alli, alsjeblieft, ik ga je niet haten, wat je me ook gaat vertellen. Dat beloof ik je.'

Hij voelde haar zuchten, heel diep. Het drukte zowel berusting als overgave uit. Haar hele lichaam leek in te zakken, alsof ze alles opgaf, zelfs haar fysieke aanwezigheid, om die afgrijselijke sprong in het diepe te wagen.

'Ik... ik heb tegen je gelogen over wat er gebeurd is op de ochtend dat Emma werd vermoord.'

'Wat?' Hij had zich voorbereid op een of andere verschrikkelijke onthulling over wat Morgan Herr met haar had gedaan, maar niet op dit.

'Ik wist het!' Ze kronkelde in zijn armen, probeerde zich los te maken. 'Zie je wel dat ik mijn grote mond had moeten houden!'

'Nee, nee,' zei hij snel. 'Ga verder. Wat is er die ochtend gebeurd?'

Ze praatte heel zacht, alsof ze tegen iets in hem sprak, niet tegen hemzelf, iets waarmee ze wanhopig graag in contact wilde komen. 'Ik... toen je het me vroeg, zei ik dat ik niet in de buurt was geweest, dat ik niet wist wat Emma van plan was.'

'Je zei dat je achteraf dacht dat ze misschien naar Herr had willen gaan.'

'Dat was een leugen. Ik wist waar ze naartoe ging, omdat ze me dat had verteld.' Alli's stem zat vol schuld en wanhoop. 'Ik was daar wel. Ze vroeg of ik wilde rijden, zei dat ze de hele nacht op was geweest en daarom niet kon rijden.' Ze huilde weer en klemde zich aan hem vast. 'Ik zei dat ik dat niet kon, ik verzon een excuus omdat ik doodsbang was, ik wilde er niet bij betrokken raken. En omdat ik zo'n angsthaas was, is ze gestorven. Als ik had gereden, was er niets gebeurd, dan zou ze nu nog leven.'

24

'Iran,' zei president Joekin, 'is een strategisch zeer belangrijk onderwerp.' Hij schudde zijn gerimpelde hoofd. Zijn ogen waren net steenkooltjes die diep in zijn gezicht waren gebrand. Zijn dikke neus was pokdalig, mogelijk door een kinderziekte. 'Ik heb dit al eerder gezegd, president Carson, maar ik merk dat ik het nog een keer moet herhalen om het belang te benadrukken dat het Kremlin hieraan hecht.'
'Maakt u zich geen zorgen,' zei Edward Carson. 'Ik ben me zeer bewust van de speciale band tussen Rusland en Iran.'
'Speciale band?' Joekin drukte zijn dikke lippen op elkaar alsof hij Carsons woorden wilde vermorzelen. 'Nee, nee, u begrijpt ons niet. We hebben inderdaad zekere handelsovereenkomsten, maar wat betreft...'
'Zoals het sturen van kernreactoronderdelen en verrijkt uranium.'
Die zin sloeg in de kamer, of beter, in Joekins oren, in als een bom. Er volgde een ongemakkelijke stilte. Carson, Joekin, generaal Brandt en Panin, een hooggeplaatste apparatsjik die niet verder was voorgesteld, zaten in een paleiszaal van het Kremlin. Het plafond, minstens zes meter hoog, was gebogen als dat van een kathedraal, een vergelijking waarvan de ironie Carson niet ontging.
'Sinds het debacle in Irak zijn uw informatie zoekende spionnen berucht om hun onnauwkeurigheden,' zei Joekin ten slotte. 'Deze leugen is daar een voorbeeld van.'
Op een teken van Carson haalde de generaal een dossier uit zijn aktetas en gaf dat aan zijn opperbevelhebber. Zonder een woord te zeggen opende de president het dossier en legde zes foto's op tafel. Stuk voor stuk draaide hij ze om, zodat Joekin ze goed kon zien.
'Wat is dit?' vroeg Joekin. Hij keek er niet eens naar.
'Observatiefoto's van verrijkt uranium dat vanuit Russische transporten wordt overgeheveld naar Iraanse transporten.' Carsons wijsvinger tikte op een foto. 'Hier kunt u goed het symbool zien dat aangeeft dat het om radioactief materiaal gaat.'
Joekin haalde zijn schouders op. 'Fotoshop.' Maar er lag iets in zijn

ogen, een mengsel van woede en schaamte, vanwege de ontmaskering. 'Ik wil deze foto's niet openbaar maken.' Carson veegde de foto's bij elkaar, stopte ze terug in het dossier en schoof dat over de tafel naar Joekin toe. 'Maar ik wil heel duidelijk zijn: het standpunt van de Verenigde Staten over het veiligheidsakkoord zal niet veranderen ten opzichte van een uur geleden of gisteren. U houdt op met uw handel met Iran en wij ontmantelen het antiraketschild rond Rusland, we worden veiligheidsbondgenoten. Er worden geen veranderingen meer aangebracht; het wordt tijd dat we dat akkoord gaan ondertekenen, zodat het voor beide landen bindend wordt.'

Joekin zat even doodstil. De ademhaling van de vier mannen leek zich op elkaar af te stemmen, in- en uitademingen op het ritme van de spanning die ineens in de kamer hing. Toen knikte de Russische president even. 'U hebt binnen een uur mijn antwoord.'

'Dit is een gevaarlijk spel geworden,' zei generaal Brandt terwijl hij met Carson door de koude Kremlingangen liep, met de bekende presidentiële entourage achter hen aan. 'Als u me had verteld dat u deze foto's aan Joekin wilde laten zien, dan had ik u dringend aanbevolen een andere manier te vinden.'

'Er was geen andere manier.'

'Meneer de president, mag ik u erop wijzen dat u op het punt staat om een historisch akkoord met Rusland te ondertekenen, zeker in de Amerikaanse geschiedenis historisch. Een akkoord dat de veiligheid van de Amerikanen zal waarborgen...'

'Volgens mij maak ik me veel bezorgder over het Amerikaanse volk dan jij,' sneerde Carson. 'Zolang die punten erin staan waar Joekin op stond, onderteken ik dat akkoord niet.' Hij trok zich niets aan van Brandts berispende toon en diens gevolgtrekking dat hij, een groentje op het gebied van Rusland en de Russen, veel te overhaast was geweest, dat hij zich had moeten neerleggen bij de oude Russische gewoonten. 'Ik krijg het gevoel dat Joekin met ons speelt, dat hij uitprobeert tot hoever hij kan gaan, hoeveel van zijn eisen we zullen inwilligen. Ik stop ermee. Ik wil niet uitgeprobeerd worden, niet door hem en eerlijk gezegd ook niet door jou, generaal.'

'Generaal Brandt,' zei Benson.
'Waar moeten we beginnen over generaal Brandt?' Thomson zei het zuch-

tend, alsof hij niet in de rede was gevallen en enorm tegen zijn taak opzag. 'We hebben Brandt al een tijd geleden gerekruteerd,' zei Benson hulpvaardig.

'Zo'n drie jaar geleden,' nam Thomson het weer over. 'Ergens halverwege de tweede periode. We zagen de tekens aan de wand. De president en zijn senior adviseurs waren vastbesloten hetzelfde pad te blijven bewandelen als we volgden toen hij voor het eerst gekozen werd.'

'Maar dat werkte niet meer,' zei Benson. 'De bevelhebbers vertelden ons dat onder vier ogen en het moreel van de troepen was laag. Het *stop-loss*-programma, hoewel zeer noodzakelijk, was in de praktijk een ramp, én het was een pr-nachtmerrie. Alleen al het feit dat we stop-loss nodig hadden, zou een signaal voor de adviseurs van de president moeten zijn, maar ze negeerden het, net zoals ze alle nieuws en incidenten negeerden die tegen hun visie in gingen.'

Paull wist wat stop-loss was. Het was een programma dat door de militaire leiding was geïnitieerd, die een tekort aan manschappen kreeg en daarom het recht van hun mensen op vrijstelling van dienst introk. Stop-loss hield ze in dienst en ze moesten blijven vechten aan de fronten in Falluja of Kabul, of waar de leiding hen ook naartoe stuurde. 'En wat heeft dit met generaal Brandt te maken?'

Weer keek Thomson even ongemakkelijk. 'In de laatste dagen van de regering merkten we dat we geen macht meer hadden, of bijna, althans. Het bleek dat we zeer effectief uit de buurt van de president werden gehouden.'

'Door wie?' vroeg Paull, en hij vroeg zich af of ze dat geheim zouden onthullen, een maatstaf waaraan hij hun oprechtheid en geloofwaardigheid zou kunnen afmeten.

'Dick England,' zei Thomson meteen. England was directeur geweest van het Bureau van Strategische Initiatieven van het Witte Huis, een dienst die door Carsons voorganger was ingesteld en inmiddels goddank ontmanteld was.

'England haatte ons,' zei Benson giftig. 'Hij was een machtswellusteling. Hij werkte samen met de minister van Defensie, op wie de president praktisch zijn hele buitenlandse politiek bouwde.'

'De oorlog,' vertelde Thomson, 'was het idee van de minister en hij heeft er hard voor geknokt.'

'Ik dacht dat de oorlog uw idee was, en dat van Benson.'

'Zelfs wat betreft het verzinnen van bewijzen van massavernietigingswapens,' zei Benson op de stoïcijnse toon van de doorgewinterde krijger.

'Hij kan dat nooit hebben gedaan zonder medeweten van de directeur van de CIA,' zei Paull.

Bensons glimlach was mager en totaal niet vriendelijk. 'Dat kon hij niet en dat deed hij ook niet.'

'We hebben het echt heel hard geprobeerd, maar die drie waren te veel voor ons,' zei Thomson, 'en dus werden we buitengesloten.'

'Het werd tijd om het schip te verlaten,' ging Benson verder, en hij pakte de draad van het oorspronkelijke gesprek weer op, 'dus besloten we ons net in de privésector uit te gooien. Uiteindelijk kwamen we bij Alizarin Global uit.'

'En hier komt generaal Brandt in beeld.' Thomson zuchtte, terwijl hij koffie inschonk voor Paull en zichzelf. 'We vonden hem niet echt aardig, maar vanwege zijn banden met president Joekin hadden we hem nodig voor een snelle deal met Gazprom, cruciaal voor Alizarin, voordat er een concurrent zou opduiken. Het komt erop neer dat we dachten dat we hem konden vertrouwen.'

'En we hadden het mis.' Benson stond op, liep naar de vleugel en keek ernaar alsof hij een bekende melodie – misschien een krijgslied – hoorde. Of misschien fantaseerde hij over de manier waarop hij generaal Brandt zou gaan vermoorden. Abrupt draaide hij zich om met een gespannen, grimmig gezicht. 'En nu heeft hij ons volledig in zijn macht. Dit is iets wat wij niet kunnen toestaan, maar waar we niet tegen opgewassen zijn.'

Thomson zette zijn kopje neer. 'Daarom hebben we u hier laten komen, excellentie. We hadden geen tijd of andere mogelijkheden om u op een andere manier te laten komen.'

Paull ontdekte dat hij geen zin meer had in koffie of eten. 'Wat denken jullie dat ik kan doen?'

'Wacht,' zei Thomson. 'U hebt het ergste nog niet gehoord.'

Edward Carson zat alleen in tijdelijke afzondering, voor zover een Amerikaanse president alleen kan zijn. Hij zat in zijn hotelsuite aan het Rode Plein, tegenover het Kremlin, met een royaal glas single malt naast zijn elleboog. Hij keek uit het raam en zag dat het weer sneeuwde, zo laat in het seizoen, alsof hij in Wyoming of Montana was. Heel apart. Hij zag afwezig de sneeuwvlokken dwarrelen en als motten tegen het raam vliegen.

Toen pakte hij zijn mobiel en belde Jack.

'Jack, waar zit je, verdomme?' zei Carson. 'Of beter gezegd, waar zit mijn dochter? Lyn vertelde dat ze jou met Alli heeft opgezadeld. Ik zou woedend op haar kunnen worden, maar eerlijk gezegd is het makkelijker om jou uit te schelden. Denk je aan de veiligheidsproblemen die dat kan opleveren?'

'Constant, Edward. Ik heb ruziegemaakt, wilde haar niet meenemen, maar ik hoef jou niet te vertellen hoe mevrouw Carson is als ze een besluit heeft genomen.'

'Wat vond ze?'

'Ze was doodsbang dat Alli aan haar mensen zou ontsnappen en naar delen van de stad zou gaan die ze amper of niet kende, een stad die – dat wil ik wel gezegd hebben – veel gevaarlijker is dan het vliegtuig dat zij en ik naar Kiev hebben genomen.'

'Ik neem aan dat ze niet meer in dat vliegtuig zit,' zei de president.

Door Jacks lange vriendschap met de president kon hij het sarcasme aan zich voorbij laten gaan. 'Het is een lang verhaal.'

'Nou, gooi het er maar uit. Hoe is het met mijn dochter?'

'De Oekraïense lucht doet haar goed. Het gaat veel beter met haar.'

Dit goede nieuws kalmeerde Carson. 'Godsamme, het werd eindelijk tijd. Lyn zal heel blij zijn, kan ik je vertellen.' En hij ging grommend verder: 'Ze is toch geen blok aan je been, hè?'

'Integendeel, ze is bijzonder behulpzaam.'

'Nou, dat is een verrassing. Maar hoor eens, Jack, ik wil haar niet in gevaar brengen. Ik vind dat je haar terug moet sturen.'

'Ze is geen pakketje, hoor, en ik kan me niet voorstellen dat er ook maar een kánsje is dat ze het doet.'

'Ze luistert naar jou. Als jij het wilt…'

'Edward, luister nou eens goed naar me. Dit is misschien niet de veiligste plek op aarde voor haar, maar wat is dat wel, gezien haar toestand? Je weet al dat ze met niemand wilde praten, maar nu praat ze met mij. Wat ze heeft meegemaakt, moet eruit, het vreet aan haar.'

Carson was even stil. 'Oké, verdomme. Het belangrijkste is dat ze zich weer een beetje normaal gaat gedragen.' Hierna wist hij niet meer wat hij er verder nog over moest zeggen, dus begon hij over een onderwerp dat hij aankon. 'Oké, en ben je er al achter of de dood van Lloyd Berns een ongeluk was of een vooraf beraamde moord?'

'Ik boek goede vooruitgang, maar ik heb nog niet echt een goed overzicht.'

Jacks stem klonk ijl en zacht, alsof hij van de andere kant van de maan kwam, maar de president werd in beslag genomen door de details van Jacks reis door Oekraïne en door wat hij daar had ontdekt.

'Je doet daar goed werk, Jack,' zei hij zuchtend. 'Hou me op de hoogte. En, Jack, zeg tegen Alli dat ik van haar hou.'

'Doe ik.'

Carson verbrak de verbinding en legde zijn mobiel weg. Het was op dit soort momenten, zo bedacht hij, onder druk van belangrijke gebeurtenissen en zich realiserend dat hij daar deel van uitmaakte, dat hij terugviel op zijn geliefde Shakespeare. Hij had zich altijd aangetrokken gevoeld tot de koningen, ook al als student. En geen enkele shakespeareaanse koning had hem meer aangetrokken dan Henry V, een humaan heerser, die wist wat het betekende om eenzaam te zijn door zijn blauwe bloed. Maar vreemd genoeg wist hij ook dat de adel door pracht en praal van de gewone man verschilde, of, zoals Shakespeare het noemde, door ceremonie. Dit werd aan de lezer of kijker duidelijk gemaakt toen hij Henry gehuld in een cape met capuchon, aan de vooravond van een veldslag, tussen zijn mannen liet zitten, met hen liet praten, verhalen liet vertellen en ruzie met hen liet maken alsof hij een van hen was. Niets kon hem beter voorbereiden op de komende dodelijke ochtend dan het uitwisselen van grappen met zijn manschappen, het lopen op dezelfde grond, zijn laarzen in dezelfde modder bevuilen en naar hun obscene, lawaaierige stemmen luisteren.

Maar wie had hij? Hij voelde zich alleen en geïsoleerd. Hij vertrouwde generaal Brandt niet meer, maar had geen geldig excuus om hem te ontslaan of naar huis te sturen. Denny was een halve wereld van hem vandaan, half verdwenen in zijn clandestiene onderzoek. Om elke denkbare egoïstische reden betreurde hij het dat hij Jack had weggestuurd. Hij stond op, nam een slok whisky en keek boos naar het Kremlin. Hij begon ook al te betreuren dat hij de eerste negentig dagen van zijn presidentschap had gestoken in dat Russische akkoord. Het was generaal Brandt geweest die hem ertoe had overgehaald. Brandt had hem erop gewezen dat wat het Amerikaanse volk wilde en het allermeest nodig had, een sterk gevoel van veiligheid was, waaraan het beëindigen van het Iraanse nucleaire programma zou bijdragen. Helaas was daar Joekins hulp bij nodig.

Brandt zou daar best allemaal gelijk in hebben, dacht hij nu, maar feit was dat hij Joekin niet vertrouwde. En inmiddels vertrouwde hij de generaal ook niet meer. Dat was de reden dat hij die observatiefoto's had laten zien in plaats van ze achter de hand te houden.

Niet dat hij zelf zo onschuldig was; daar maakte hij zich geen enkele illusie over. Daarom hield hij ook zo van Shakespeare, omdat diens koningen zo zelfbewust waren. Voor hen niet het zelfbedrog van de lagere stervelingen; ze waren slim, ook in hun waanzin. Ze wisten dat er bloed aan hun handen kleefde, dat ze moorden hadden gepleegd en dat ze moeilijke bevelen hadden gegeven, waar levens en het machtsevenwicht van afhingen, en belandden uiteindelijk onder de bloederige modder van het slagveld. Geen van hen had gemakkelijk de intriges en het verraad kunnen vergeten waarmee ze aan de macht waren gekomen. In zijn peinzende hoofd kwam nu een van zijn favoriete citaten uit *Henry V* bovendrijven: 'Welk een oneindige gemoedsrust, die gewone mensen genieten, moeten koningen zich ontzeggen?'

Hij wilde nog een slok whisky nemen, maar het glas was al leeg. Er zat nog wat Talisker in de fles die aan de andere kant van de kamer stond, maar hij zette het lege glas neer en liep naar de tussendeur. Een jeugdige, langbenige man, stijfjes in een ruimvallend pak, keek op toen de president kwam binnenlopen en verbleekte onder zijn Afro-Amerikaanse bruin. Hij pakte de draagbare defibrillator, terwijl hij zei: 'Meneer, voelt u zich…?'

'Rustig maar, het gaat prima met me.' Carson ging in de stoel zitten tegenover de man die algemeen bekend stond als de Defibman: de dokter die met hem meereisde voor het geval hij een hartaanval zou krijgen. 'Ga zitten. Ga toch zitten.' Hij keek naar het notebook dat Defibman op zijn schoot had gezet. 'Was je het nieuws uit de echte wereld aan het bekijken?'

'Nee, meneer de president. Ik mailde mijn dochter Shona.'

'Op welke school zit ze?'

'Tja, het is een speciale school. Ze is gek op paarden.'

'Rijdt ze Engels dressuur? Of western? Mijn dochter…'

'Geen van beide, meneer de president. Ze heeft het syndroom van Asperger. Ze kan zich heel goed concentreren, vooral op dingen die ze leuk vindt, dan wordt ze een soort genie, maar ze kent geen emoties.'

De president fronste zijn wenkbrauwen. 'Dat snap ik niet. Ze houdt toch in elk geval van jou en je vrouw.'

'Nee, meneer de president. In elk geval niet op de gebruikelijke manier. Ze kent geen gevoelens, geen pret, verdriet, angst, liefde.'

'En je zei net dat ze gek op paarden was.'

'Ja. Ze heeft een manier ontdekt om ze te fokken, een of andere doorbraak, eerlijk gezegd begrijp ik er niet veel van. Ze wordt door ze gefascineerd op een niveau dat mijn vrouw en ik niet kunnen vatten. Misschien zitten ze ook op dat niveau, wie zal het zeggen? Eigenlijk zit ze in haar eigen, zelfgeschapen wereldje. Alsof ze onder een glazen stolp zit, waar niets doorheen komt. Wat het nog schrijnender maakt, is dat ze zich er zeer goed van bewust is. Ze is een gevangene van haar eigen gedachten, en dat weet ze.'

Ineens dacht de president aan zijn eigen dochter, die hem, achteraf gezien, al heel lang geleden was kwijtgeraakt. Het had geen zin om dat te verbloemen. Hij kon haar niet begrijpen zoals Jack haar begreep. Erger nog, hij verloor zijn geduld. Wat ze had moeten meemaken, was over en voorbij. Waarom kon ze het niet achter zich laten, net als alle normale mensen? Er was slechts zoveel tijd die hij aan haar en haar interesses kon besteden. Hij was eraan gewend om problemen op te lossen, niet om ze af te wikkelen als een eindeloze knot wol. Hoe hadden Lyn en hij in vredesnaam zo'n wezen kunnen verwekken, een wezen dat voor hen niets anders dan minachting leek te kunnen voelen? Natuurlijk riep dat ook de vraag op wat hij voor haar voelde. Natuurlijk hield hij van haar, hij moest wel van haar houden, ze was zijn dochter. En daarom zou hij haar met zijn eigen leven willen beschermen, maar dat betekende niet dat hij haar aardig moest vinden of dat hij haar kon accepteren zoals ze was. En wat wist ze nou helemaal van de echte wereld? Ze liet alleen maar haar minachting blijken over de compromissen die hij had moeten sluiten om zijn politieke macht te krijgen en te behouden. De laatste tijd veranderde zijn houding van bidden dat ze uit haar depressie zou komen, of waar ze zich dan ook in mocht rondwentelen, tot ergernis om haar narcistische, onacceptabele, kinderlijke gedrag. Lyn accepteerde haar kuren en bedreigingen altijd, zeker tegenwoordig, maar hij kwam aan het eind van zijn Latijn.

Defibman bewoog zich ongemakkelijk, waardoor Carson dacht: ook hij heeft hartenpijn. We zijn allebei ongelukkige vaders, er zit geen verschil tussen ons. Hij zei: 'Het spijt me echt…' Hij groef nog in zijn geheugen, toen Defibman zei: 'Reginald White, meneer. Reggie.'

'Ach, natuurlijk. Reggie.' Hij vertrouwde erop dat zijn brede glimlach zijn blunder zou doen vergeten. 'Ik heb honger, Reggie. Jij ook? Zullen we samen wat eten?' Hij wilde naar een telefoon lopen, maar een van zijn beschermers was er eerder.

'Wat kan ik voor u bestellen, meneer?' vroeg de geheim agent.
'Wat denk je van een burger… nee. Een cheeseburger deluxe. Is dat wat, Reggie?'
White keek verwilderd op, alsof zijn wereld compleet op zijn kop stond. 'Maar, meneer de president, u hebt natuurlijk belangrijker dingen aan uw hoofd dan met mij een burger eten.'
'Toevallig, Reggie, heb ik dat niet. En mocht ik het wel hebben, dan wil ik dit nu graag doen.' En tegen de agent zei hij: 'Twee cheeseburgers deluxe graag. En frietjes. Hou jij van frietjes, Reggie? Mooi. Wie houdt er nou niet van? Laten we samen een grote portie delen. En twee colatjes.' En weer tegen Reginald White: 'En nu moet je me alles vertellen over Shona en haar doorbraak. Je hebt een goede reden om trots te zijn op je dochter.'

'Wordt het nog erger?' vroeg Paull.
Thomson knikte. 'Ik ben bang van wel.'
Alsof het een afgesproken teken was, liep Benson naar de chesterfields, maar nu ging hij naast Paull zitten in plaats van tegenover hem. 'Nu komen alle details over generaal Brandt.'
'Niet voordat ik mijn dochter en kleinzoon heb gezien.'
'We hebben geen tijd…'
'Jullie hebben mijn familie hierin gemengd, Benson.' Paull ging staan. 'Ik weet nu genoeg om naar de president te gaan, wat hem zal redden. Maar jullie helaas niet.'
Gealarmeerd stond Thomson op. 'Als u ons laat uitleggen…'
'Uiteraard,' zei Paull, 'maar nadat ik mijn familieleden heb gezien en hun verteld heb dat ik niet terminaal ben.'
'Misschien willen ze u dan niet meer zien,' zei Benson.
Paull schudde zijn hoofd. 'Jullie hebben er echt een puinhoop van gemaakt.' Hij rechtte zijn rug. 'Maar nu ik erover nadenk, waarom zou ik het makkelijker voor jullie maken? Gaan jullie hun maar vertellen dat ik niet terminaal ben. Het is jullie leugen, draaien jullie je er maar weer uit.'
Benson keek somber naar Thomson, die hem bijna onmerkbaar toeknikte. Vervolgens stond hij moeizaam op, trok zijn colbertje en zijn broek recht, en liep voor hem uit door de dubbele deur, een gang in die naar een donkere werkkamer leidde waar het zonlicht niet bij kon.
Onmiddellijk was Paull op zijn hoede. Hij had zijn dochter acht jaar niet

gezien, zijn kleinzoon nog nooit – Aaron, een naam waar Paull bijna een gezicht op kon plakken. Hij besefte dat hij Claires afwijzing aankon, ze was een schaduw geworden, een afbeelding op een foto, die door de tijd heen steeds vager was geworden. Op een bepaalde manier had ze zich net als Louise in haar eigen privé-Petworth Manor opgesloten, alsof ook zij alzheimer had, alsof ze niet uit vrije wil hem was vergeten. Het was makkelijker, of in elk geval veel minder pijnlijk, aan haar te denken als aan een zwakke, zieke vrouw die haar geest en emoties niet meer in de hand had. Op die manier had hij een opgezette vlinder van haar gemaakt, een klein kind dat op zijn knie zat, terwijl ze samen hardop *Goodnight Moon* lazen, wat hij zich nog zo ontzettend goed herinnerde.

Maar daar was ze. Ze had naast Aaron op de grond gezeten, was snel opgestaan en streek haar rok glad, net zoals Benson net zijn broek had rechtgetrokken. Hoewel het een klein gebaar was, was het een teken van fatsoen en van zenuwachtigheid. Hij herkende haar en herkende haar niet, omdat de foto in zijn hoofd heel vaag en schimmig was geworden en zo dun als rijstpapier.

Ze keken elkaar zonder iets te zeggen aan, lieten de stilte de schade en verloren tijd opnemen die het menselijke vlees en het menselijke hart hadden moeten verwerken. Claire was ouder geworden, zeker, maar ook mooier, alsof toen hij haar voor het laatst zag, de Grote Schepper nog niet klaar was met zijn werk.

'Gecondoleerd met mam.' Zij zei het eerst wat. Haar stem was wat dieper en voller dan hij zich herinnerde, maar ook wat stijfjes en ongemakkelijk, alsof ze niet wist tegen wie ze praatte.

'Het is het beste zo. Ze heeft nu weer vrede, is zichzelf weer.' Zijn stem klonk net zo stijf en ongemakkelijk en hij realiseerde zich verbaasd dat het mogelijk was, misschien zelfs voor de hand lag, dat hij diep in haar geheugen was weggezakt, net zoals ze in het zijne was weggezakt.

'Mijn kleinzoon,' zei hij, bijna tegen zijn wil, want Aarons afwijzing zou hij niet aankunnen. Zijn keel was droog en dichtgeknepen.

Door haar hoofd een beetje te bewegen keek ze op de jongen neer, alsof haar lichaam en geest niet op elkaar reageerden. 'Aaron, wil je opstaan?' Haar stem klonk anders, duidelijker, explicieter, nu ze het tegen haar zoon had.

De jongen – Aaron – kwam van de vloer omhoog, waar hij met een iPhone bezig was geweest, ging naast zijn moeder staan en keek Paull aan. 'Aaron,' zei Claire, 'dit is je opa. Hij heet Dennis.'

'Hoi,' zei Aaron.

De jongen was langer dan Paull had gedacht, maar aan de andere kant wist hij niets van achtjarige jongens, hij had geen vergelijkingsmateriaal, behalve de herinneringen aan Claire op die leeftijd. Tot Paulls grote opluchting leek hij niet op zijn vader, of op de ranzige herinneringen van Paull aan zijn vader. In plaats daarvan leek hij sprekend op Paull, waardoor Paulls hart een paar slagen oversloeg. Het was alsof hij naar het gezicht van een onsterfelijke keek, alsof hij keek naar een andere vorm van zichzelf op de levensweg.

'Hoi, Aaron,' zei hij zenuwachtig. En ondanks wat hij tegen Benson had gezegd, zei hij direct daarna: 'Je moeder heeft je misschien verteld dat ik stervende ben, maar dat ben ik niet.' Hij ontdekte dat hij weer kon glimlachen. 'Ik ben kerngezond.'

'Pa,' zei Claire. 'Is dat zo?'

Maar Paull reageerde niet, werd helemaal door zijn kleinzoon opgeslokt. Misschien had hij haar niet eens gehoord.

Met een blos van kwaadheid en wrok keek ze Benson aan. 'Is dat zo, meneer Benson? U zei dat mijn vader terminaal was.'

'Ja, nou, eh, dat was niet helemaal de waarheid.'

'Niet helemaal de waarheid? Godsamme, man!'

Ze stond zo ver naar voren gebogen dat ze een stap zijn kant op moest zetten. Een agressieve stap, vond Paull, die eindelijk uit zijn halftrance was gekomen, een dreigende stap, alsof het de voorbode was van een aanval. Benson keek naar haar als de ex-militair die hij was, kaarsrecht, maar in zijn ogen stond vernedering.

'U loog tegen mij en mijn zoon en dat bij ons verdriet en… mijn moeder is net overleden, onbeschrijfelijke ploert!'

Benson bleef staan, maar zei niets, omdat er geen antwoord was, geen excuus dat hij kon verzinnen voor haar toorn – en toorn was het juiste woord, dacht Paull, omdat er iets traditioneels, iets ouderwets aan haar woede zat, en hij was er trots op. En precies op dat moment viel het oude, vage beeld dat hij van haar had samen met de technicolorkracht van haar lijfelijke aanwezigheid, verleden en heden vloeiden in elkaar en brachten hem, via een mysterieus alchemistisch proces, weer thuis.

Tegen Benson zei hij: 'Mijn gezin en ik willen graag even alleen zijn.'

Benson opende zijn mond om iets te zeggen, misschien om hem eraan te herinneren dat tijd kostbaar was, maar terwijl hij naar Paull en diens dochter keek, deed hij zijn mond weer dicht.

Toen Benson weg was, was Paull alleen met de geesten en demonen die hem zo lang hadden geplaagd, ook nadat hij dapper en tevergeefs had geprobeerd ze diep in zijn geheugen weg te stoppen.

'Dus,' zei Claire op een ontzettend gespannen toon, 'het gaat goed met je, je bent gezond.'

Hij knikte, kon geen woord uitbrengen.

'Maar waarom ben je dan hier, wat willen deze mensen van je?'

'Dat weet ik nog niet.' Paull kon wel over Benson en Thomson praten. 'Dit zijn belangrijke mensen.'

'Nou, dat waren ze,' erkende hij. 'En misschien zijn ze dat nog steeds, wie weet. Ze hebben me min of meer ontvoerd en toen ik hier was, zeiden ze dat ik jou en Aaron mocht zien als ik naar hen zou luisteren.'

'Volgens mij heb je niet naar ze geluisterd.'

'Ik heb de rollen omgedraaid.'

'Zo ken ik je weer, pa.'

Hij schraapte zijn keel en wenste dat hij een glas water had om zijn vraag achter te maskeren. 'Ben je…' Hij was ineens bang, alsof hij in een spookhuis stond of in het hol van een gevaarlijk beest. 'Ben je getrouwd?'

'Nee.' Een eenvoudige, duidelijke mededeling, zonder zelfmedelijden of spijt uitgesproken. 'Lawrence heb ik nooit meer gezien. Hij heeft Aaron nooit gezien, dat wilde ik niet.'

'Ik snap het.' Hij had die verwende klootzak goed ingeschat.

Deze berg informatie werd gevolgd door een afwachtende stilte, waarin Aaron van de een naar de ander keek met zeer onkinderlijk gefronste wenkbrauwen, alsof hij de stromen en onderstromen van de emoties die om hem heen cirkelden probeerde te ontleden.

'Het moet zwaar geweest zijn, die laatste maanden met mam,' zei Claire. 'Het spijt me dat ik niet vaker naar haar toe kon gaan.'

'Dat geeft niet, ik…' hij stopte midden in de zin. Het zou zo makkelijk zijn om deze droom van haar, waarin hij de hele tijd bij Louise had gezeten, vast te houden en mooier te maken. Maar hij had het niet gedaan. Schuld en berouw waren krachtige fundamenten waarop ze elkaar weer konden vinden, waardoor ze weer van hem zou houden. Die reactie had hij ook, datzelfde egoïstische trekje dat hem bij Louise had weggehouden. Misschien had Claire vanuit datzelfde trekje gehandeld. Maar hij wilde daar niet mee doorgaan. Dit was niet het moment voor egoïsme of leugens. Hij begreep ineens dat hij, hoewel het ontzettend moeilijk zou zijn, liever Claires en Aarons afwijzing zou willen verdragen dan dat hij een leugen in stand hield die hen onder een valse vlag weer samenbracht.

'Lieverd, de waarheid is dat ik precies hetzelfde heb gedaan als jij. Ik ben veel minder vaak bij je moeder geweest dan ik had moeten zijn. De waarheid is…' Zijn blik dwaalde af naar Aaron, die hem met die verwarrende kinderblik aankeek. En het was die blik die hem de moed gaf om door te gaan. Dankbaar glimlachte hij naar Aaron voordat hij verderging. 'De waarheid is dat ik er niet tegen kon om haar zo te zien. Ze herkende me niet meer, reageerde niet meer op de liedjes die we allebei mooi vonden. Ze wist niet eens meer waar ze was. Ze zat opgesloten op een plek zonder sleutel.'

Er glommen tranen in Claires ogen. 'Ik heb je zo lang gehaat, je buitengesloten…' Ze pauzeerde lang genoeg om met een dunne wijsvinger haar tranen op te vangen. 'Ik zette je in dezelfde griezelkamer waar mam ook zat. Ik wilde geen van jullie beiden zien, wilde niet dat Aaron zijn oma zo zag, dat hij zich haar zou herinneren als…' Aarzelend zette ze een stap in zijn richting. 'Nu is ze dood en realiseer ik me dat niets haar terug kan brengen, dat niets de dagen kan terugbrengen van voor…' Ze kon er niets aan doen, ze keek even naar haar zoon. 'Maar jij bent hier, pa.' En toen bijna verdedigend: 'Aaron is het beste wat me in mijn leven is overkomen.'

'Dat is duidelijk, overduidelijk,' zei Paull, en hij meende elk woord.

25

'Jack, het spijt me.' Alli duwde haar gezicht tegen zijn schouder. 'Het spijt me, het spijt me, het spijt me.'

'Je hoeft nergens spijt van te hebben, lieverd. Hoe kon je nou weten wat er zou gebeuren? En stel dat jullie allebei dood zouden zijn gegaan. Heb je daar weleens aan gedacht?'

Zonder iets te zeggen, schudde ze haar hoofd.

Jacks hart verkrampte. Hij was diep geschokt door Alli's biecht. Hij was niet boos om haar beslissing en vond het ook geen verraad van haar diepe en lange vriendschap met Emma. Wel voelde hij een diepe pijn in zijn hart omdat ze deze angst zo lang bij zich had gehouden, en dat boven op de angst over wat Herr haar had aangedaan.

'Jack, zeg alsjeblieft wat,' zei Alli wanhopig.

Het was niet goed en het had geen zin om te gaan fantaseren over wat er zou zijn gebeurd als Alli achter het stuur had gezeten op de ochtend dat Emma stierf. Dat wist Jack. Niemand zou ooit weten waardoor Emma op hoge snelheid van de weg was geraakt en tegen die boom reed. Hij zou het natuurlijk aan Emma kunnen vragen, de volgende keer als ze verscheen, maar hij vermoedde dat ze het niet meer wist of het zich niet kon herinneren. Trouwens, ze had tegen hem gezegd dat hij zijn eigen schuldgevoel los moest laten, dat hij verder moest gaan. En dit speelde door zijn hoofd, kleurde de verschillende gezichtspunten en zette hem op het juiste spoor.

Hij zag dat Annika naast Charkisjvili stond en naar hen keek. Hij draaide Alli van haar weg, zodat ze hem aankeek. 'Luister naar me, we voelen ons allebei heel schuldig over de keuzes die we op de ochtend dat Emma stierf hebben gemaakt, en dat zal misschien nooit volledig genezen, maar dat zullen we nooit zeker weten als we die schuld niet loslaten en stoppen met onszelf te straffen. Dat zou Emma ook gewild hebben.'

Alli's ogen glinsterden van de tranen die erin stonden. 'Ik weet niet... ik weet niet of ik dat kan.'

'Dat moet je. Alli, er is je al zoveel afgenomen.' Even vertrok haar gezicht en leek ze te verkrampen. Heel rustig maar nadrukkelijk ging hij verder: 'Het wordt tijd dat je dingen in jezelf een plekje geeft.'

Ze schudde haar hoofd. 'Hoe bedoel je?'

'Dat weet je wel.' Hij haalde diep adem. 'Denk je dat Herr je wilde vermoorden, dat je ging sterven?'

'Ik wil naar binnen.'

'Niemand houdt je tegen.' Jack vermeed zorgvuldig om haar vast te houden. Alli keek van hem weg, beet op haar onderlip en knikte toen heel langzaam. 'Er was een moment dat ik zeker wist dat ik het niet zou overleven.'

'Dan is het toen gebeurd. Een beetje dood, een gedeeltelijke dood, je geest die zich op de vergetelheid voorbereidde.'

'Hoe bedoel je?'

'Je bent zowel dood als levend.' Jack liep naar haar toe en ging zachter praten. 'In die week met Herr is er iets in je gestorven of minstens doodziek geworden.'

'Dat is niet waar. Je hebt het helemaal mis!' huilde ze.

'Als je jezelf zou kunnen zien vanuit mijn perspectief, dan is alles wat je zegt en doet volstrekt logisch. Je zit vol woede, minachting en wrok, en dan draai je ineens als een blad aan een boom om en ben je de liefste en aardigste mens die iemand zich kan voorstellen. Je hebt moeite met slapen en als je eindelijk slaapt, heb je nachtmerries. Je adoreert Emma, maar bent ook bang voor haar. Bang dat Emma op de een of andere manier wraak zal nemen voor wat jij jouw verraad noemt, dat je wegliep van haar toen ze je, achteraf gezien, hard nodig had.'

De tranen stroomden over haar wangen. 'Ik wil nu dood.'

'Dat is heel makkelijk, maar ik denk niet dat je het meent.'

De woede vlamde op in haar betraande ogen. 'Jij hoeft me niet te vertellen wat ik...'

'Alli, hou ermee op.' Hij klonk vastbesloten, maar niet onaardig. 'Je weet dat ik razend op je was toen je bij dat vliegtuig verscheen. Ik wilde je terugsturen, maar je moeder dwong me min of meer om je bij me te houden. En in die paar dagen dat je nu bij me bent, heb ik iets in je gezien – een vastbeslotenheid, een wil om te overleven – dus probeer me niet wijs te maken dat je wilt sterven, omdat ik weet dat je jezelf hebt aangewend dat te zeggen of te denken. Je meent het niet echt en dat weet je zelf ook.'

Alli leek wat te kalmeren. Leek in elk geval bereid naar hem te luisteren.

Ze was nog steeds in shock, dus hij wist dat ze tijd nodig had om over hun gesprek na te denken, tijd om het evenwicht te vinden dat haar gedachten en gevoelens nodig hadden, van waaruit ze verder zou kunnen. 'Alles goed?'

Ze knikte, legde haar hoofd weer tegen zijn borst en leunde zwaar tegen hem aan, alsof ze uitgeput was.

Annika was langzaam hun kant opgekomen, maar vond het nu blijkbaar veilig genoeg om naar hen toe te gaan. 'Jack, Alli's heftige reactie was mijn schuld.'

'Dat zul je me moeten uitleggen.'

En dat deed Annika. Ze vertelde over het gesprek dat ze met Alli had gehad, dat het onaardiger van toon was geworden, ruzieachtiger, dat ze Alli met geweld uit haar schulp had willen trekken.

'Hoe haalde je het in je hoofd?' zei hij, en hij sloeg beschermend een arm om Alli heen.

'Ik dwong haar naar zichzelf te kijken,' zei Annika zacht. 'Ze moest naar die plek, ze moest zo diep zinken, omdat dat de enige manier was om eruit te komen.'

'En stel dat ze van dat klif was gesprongen?'

Ze legde haar hand liefdevol tegen Alli's achterhoofd. 'Ze is niet suïcidaal, Jack. Als ze dat was geweest, had ze het allang gedaan.'

Jack keek naar haar en wist dat ze gelijk had. Hij keek om zich heen, zich ineens bewust van hun omgeving, en zag Charkisjvili op een afstandje geduldig en wat spijtig naar hen kijken. De oligarch riep zijn wolfshonden, die naar hem toe renden en met hen op zijn hielen liep hij snel naar het landhuis terug.

'We kunnen maar beter achter hem aan gaan,' zei Jack, die naar de snel betrekkende lucht keek. Het was harder gaan waaien van over het water en de klamme wind kondigde regen aan.

Vicepremier Oriel Batsjoek wachtte voor het gebouw van Djadja Goerdjiev tot de man thuis zou komen. Hij hing als een geest bij de deur rond in zijn leren trenchcoat, die tegelijkertijd luguber en absurd was. Hij had een gleufhoed uit de jaren dertig diep over zijn voorhoofd getrokken en zag eruit alsof hij auditie moest doen voor *The Thin Man* of *Five Graves to Cairo*. In een andere tijd en op een andere plek had Djadja Goerdjiev er misschien om kunnen lachen, maar nu had hij het gevoel dat het noodlot hem op de hielen zat.

Terwijl hij naar het gebouw liep, stapte Batsjoek uit het portiek, maar nam zijn eigen schaduwen met zich mee. 'Ik heb je verzoeningsoffer ontvangen,' zei hij, doelend op Boronjov, wiens nog warme lijk Goerdjiev aan de voeten van de agenten had gelegd, 'maar ik ben bang dat het deze keer niet voldoende is.'

Goerdjiev zette zich schrap en probeerde er niet al te ongerust uit te zien. 'En daar bedoel je mee?'

'Deze keer zit Annika veel te diep in de shit. Zelfs ik kan haar niet meer helpen.'

Goerdjiev voelde angst door zijn lijf trekken, diep vanbinnen en al langer smeulend. 'Heb je dat ooit gedaan, dan? Ik was me er niet van bewust dat je ooit iets voor haar hebt...'

'In tegenstelling tot jouw waanidee dat je alwetend zou zijn, weet je niet alles.'

'Kom op, zeg. Je bent veel te druk geweest met haar dingen aandoen.'

De twee mannen keken elkaar zo ontzettend kwaad aan, dat je op het ongelooflijke idee zou kunnen komen dat ze elkaar met hun geest wilden proberen te vernietigen.

'Ik begrijp het en heb begrip voor je frustratie,' zei Batsjoek uiteindelijk. 'Alleen Annika en ik weten wat er is gebeurd. Zij zal het je niet vertellen en ik al zeker niet.'

'Ze was pas twaalf, een kind!'

'Ze deed niet als een kind.' Batsjoek glimlachte zelfvoldaan en minachtend. 'Weet je, jij hebt haar nooit echt gekend, je hebt nooit geweten waartoe ze in staat was, je hebt echt nooit iets van haar begrepen.'

'Mij noemt ze Djadja, oompje!'

'En dat ben je ook.' Zijn stem maakte duidelijk dat dit geen concessie was. 'En een domme. De schellen zijn nog altijd niet van je ogen gevallen. In tegenstelling tot Saul of Tarsus heb jij je weg-naar-Damascus-moment nog niet gehad, maar misschien ben je in de verkeerde tijd geboren.'

Het ragfijne koord tussen hen was kapot, ze waren geen frenemies meer. 'Maar goed, ik kwam om je te waarschuwen, of om preciezer te zijn: ik geef je de kans om Annika te waarschuwen. Ik ga haar opsporen, ik, ikzelf, niet iemand die ik heb ingehuurd of bevolen heb een klusje op te knappen. Ik ga dit persoonlijk doen, met mijn eigen handen.'

Djadja Goerdjiev beefde van onderdrukte woede. 'Hoe kun... dit is monsterlijk. Hoe kun je dat doen?'

'Gegeven de besluiten die ze heeft genomen, hoe zou ik het niet kunnen doen?'

'Je weet wat dat betekent.'

Batsjoek knikte. 'Ja.'

'Niets zal meer tussen ons zijn zoals het was.'

'Mijn beste Djadja Goerdjiev,' zei Batsjoek, die Annika's troetelnaam spottend gebruikte, 'vanaf het eerste moment dat ik Annika zag, was niets meer zoals het was.'

'Ik heb gedaan waarvan ik dacht dat het goed was,' zei Annika, 'maar ik weet dat ik niet altijd de goede beslissing neem.'

Jack keek haar doordringend aan. Ze stonden in de hoofdgang van het landhuis van Magnussen, vlak voor de badkamer waar Alli in was verdwenen. Geen van beiden wilde haar nu alleen laten en Jacks gevoel dat hij klem zat tussen Alli's onstuimigheid en het onvermogen van haar moeder om haar in toom te houden, was in alle heftigheid terug. Toch wist hij heel goed dat het geen zin had om zich tegen de situatie te verzetten. Net zoals hij had gedaan sinds ze van Sjeremetjevo waren vertrokken, nam hij de verantwoordelijkheid voor haar veiligheid op zich, zowel om haar te beschermen tegen anderen die haar wilden ontvoeren en kwaad wilden doen als tegen haarzelf.

'Op dat punt lijken Alli en jij erg op elkaar,' vond hij. 'Het lijkt wel alsof zij ook niet weet wat goed voor haar is, of anders is het haar zelfhaat waardoor ze in gevaarlijke situaties belandt.'

Annika trok wat het best omschreven kon worden als een klein glimlachje of een ironische glimlach. Alsof zijn woorden een geheim geheugen hadden geactiveerd. 'Je zet haar in zo'n helder en perfect licht, Jack. Daar heb ik bewondering voor. Echt waar. Ik bedoel, ze is zo'n complexe persoon, niet dat de meeste mensen niet complex zijn, maar er is iets met haar...' Abrupt viel ze stil, alsof ze ineens van gedachte was veranderd en haar ogen leken naar een andere tijd, een andere plaats te kijken. Het was niet voor het eerst dat Jack dit merkte en het trof hem dat Alli dat ook vaak deed. En daardoor, doordat de Rubiks kubus in zijn hoofd het perspectief weer veranderde, vroeg hij zich af hoeveel overeenkomsten deze twee vrouwen nog meer hadden.

Haar groene ogen keken hem weer aan. In de gangverlichting leken ze transparant. 'Jack, je haat me toch niet om wat ik heb gedaan, hè?'

'Gedaan hebt? Wat heb je gedaan?'

'Wat ik tegen Alli heb gezegd.'

'Welnee, helemaal niet. Ze kan alle hulp die ze krijgt gebruiken, ook al vindt ze dat soms moeilijk om te accepteren.'

'Gelukkig.' Ze legde een hand op zijn arm. 'Na alles wat er is gebeurd…'

'Maar dat is het nou juist.' Impulsief besloot Jack de koe bij de hoorns te vatten. 'Ik weet helemaal niet wat er met je is gebeurd.'

'Hoezo? Dat heb ik je verteld.'

'Welnee, niet echt. Toen ik die littekens voor het eerst zag, besloot ik je er niet naar te vragen, omdat ik dat een inbreuk op je privacy vond, maar nu wil ik het graag weten.'

'Waarom? Waarom zijn die belangrijk?'

'Dat heb ik je al verteld. Jij voelt een opmerkelijke verwantschap met een jonge vrouw die je nog maar een paar dagen kent. Ik wil weten hoe dat werkt.'

Af en toe hoorden ze zachte voetstappen en zachte stemmen. Sinds hun komst leek het landhuis tot leven te zijn gekomen, alsof het op hen had gewacht. Er stonden een paar auto's op de enorme parkeerplaats en binnen heerste er een geagiteerde drukte.

'Het werkt,' vertelde Annika, 'omdat we allebei gebroken zijn.'

Haar heldere ogen keken hem intens aan. In die ogen kon hij zich verliezen of kon hij zich willen verliezen. Jack merkte dat hij zijn gevoel voor tijd en plaats verloor. Hij trok haar in zijn armen en voelde haar naakte armen trillen van emotie.

'Het werkt,' herhaalde ze, 'omdat ik ook, net als zij, ontvoerd ben. Het werkt omdat ik op haar lijk.'

'Lieverd, je hebt maar één plakje cake gegeten,' berispte de weduwe Tanova hem. 'Heb ik er soms te veel kaneel in gedaan?'

Djadja Goerdjiev glimlachte. 'Nee, Katja. Ik dacht aan het verleden.'

Katja Tanova ging naast hem aan de eettafel zitten. Ze waren in haar appartement, dat ze leuk, modern, in westerse stijl had ingericht. Ze was niet iemand die in het verleden bleef hangen, zoals zoveel van haar vriendinnen, die nog niet los waren van de dingen die ze op hun dertigste en veertigste leuk hadden gevonden. Hun huizen waren mausolea of musea, dat hing van je eigen cynisme af. Katja's openbare gedrag – koel, keurig, een beetje formeel – was heel anders dan haar privégedrag, in elk geval haar gedrag als Goerdjiev er was, wat heel privé was. Bij hem was ze een jonge vrouw, koket, plagerig. Vaak wierp ze lachend haar hoofd naar achteren of ze discussieerde met een intellectuele felheid die hij erotisch vond. 'Voor de meeste mensen is dat niet gezond, lieverd, maar voor jou is het verschrikkelijk.'

Hij knikte ernstig. 'Daar heb je wel gelijk in, maar ik kan er niets aan doen.'

'Ze is hier geweest, hè? Je hebt Annika gesproken.'

Hij keek naar het raam en zag de lelijke, kale takken van een boom.

Katja had een mouwloze, gebloemde jurk aan. Kort genoeg om haar gespierde benen vrij te laten, maar niet zo kort dat het ongepast was. Toen ze ging zitten, had ze haar schoenen uitgetrapt. Haar voeten, onder de doorschijnende panty, waren prachtig.

'Je wordt altijd zo melancholisch als je haar hebt gesproken. En het verleden…'

'Soms lukt het me om mezelf voor de gek te houden, om te denken dat ik gelukkig ben of dat ik tevreden over mezelf ben, omdat ik goed ben in een of ander spel. Soms kan ik mezelf zelfs weer jong voelen. Maar dat gevoel verdwijnt altijd weer en dan realiseer ik me dat ik mezelf voor de gek hou. Ik probeer met veel energie het verleden te vergeten of te negeren of – en dat zou het beste zijn – uit te wissen. Maar het komt altijd terug om te spoken.' Met een flauw glimlachje keek hij haar aan. 'Het zou eens niet zo zijn.'

'Maar, lieverd, waarom blijf je jezelf de schuld geven als…'

'… het mijn schuld niet was? Maar ik had het moeten weten, ik had het moeten zien aankomen…'

'Hoe had je dat moeten doen? Je bent geen tovenaar.'

'Was ik dat maar, dan kon ik het verleden uitwissen, met een handgebaar veranderen,' riep hij vertwijfeld uit. 'Zo'n verschrikkelijk einde. Dat verdient niemand.'

'En zeker Nikki niet. Ze was je dochter, maar ook mijn beste vriendin, en we missen haar allebei verschrikkelijk.' Katja legde haar hand op de zijne. 'Toch hebben we het nu niet echt over Nikki, hè? Ze is dood, heeft geen pijn meer, lijdt niet meer. Maar Annika…'

'Ik weet niet hoeveel Annika lijdt, omdat ik tot op heden niet weet wat er met haar gebeurd is.'

'Maar als je het wel wist, wat had je daar dan aan? Het zou je nog meer pijn doen en je zelfverwijt vergroten. En, lieverd, daar loop je al van over.' Ze duwde het bord met cake dichter naar hem toe. 'Kom op, eet wat, dan voel je je beter.'

'Verdomme! Niets laat me me beter voelen!' Bruusk trok hij zijn hand terug, hij stond in dezelfde beweging op en gooide daardoor het bord van de tafel. Dat viel op de gewreven vloer en brak in honderden stukjes. Cakekruimels vlogen alle kanten op.

Hij leunde tegen de muur en beet op zijn knokkels, terwijl Katja's siamees onder de sofa vandaan sloop, waar ze onder was gevlucht toen de commotie begon, en met haar kop naar beneden systematisch de kruimels naar binnen begon te werken.

Katja zei niets. Ze liep naar de keuken, kwam terug met een stoffer-en-blik en knielde op de vloer.

'Laat maar,' zei hij. 'Ik zal het doen.' Gebukt pakte hij heel voorzichtig het stoffer-en-blik over en begon op te ruimen. De kat kwam naar hem toe en met een kromme rug wreef ze langs zijn been. Toen hij ophield, lag er geen scherf porselein en geen kruimeltje cake meer op de vloer. De siamees likte haar lippen af en leek het niet erg te vinden, ze had genoeg gegeten. Katja had haar geleerd kieskeurig te zijn met haar eten. Een echt dametje.

'Ik zal de vloer morgen in de was zetten,' zei Katja, en toen hij het blik had geleegd, gebaarde ze dat hij tegenover haar moest gaan zitten. Hij deed wat ze vroeg en ging stilletjes als een betrapte schooljongen met zijn handen tussen zijn benen zitten.

'Lieverd, luister nou eens. Er zijn dingen in dit leven die we niet horen te weten, op sommige vragen – hoewel ze keer op keer worden gesteld – bestaan geen antwoorden. Dat moet je proberen te accepteren, hoewel ik heel goed weet dat het dwars tegen je persoonlijkheid in gaat. Jij bent een man die geboren is om op de lastigste vragen antwoorden te vinden en als je dat normaal vindt, dan is het niet makkelijk om naar een lege muur te kijken en te zeggen: is dit alles? Want, ja, meer is er niet, lieverd. Wat betreft Annika, die heeft belangrijke geheimen in haar hart, die je niet kent. De duisternis achter die muur is van haar, niet van jou. Ook al denk je misschien van wel. Ik weet dat je dat als falen ziet; "ik had het moeten weten, ik had het moeten zien aankomen", dat zijn de woorden van een zoeker. Omdat Apollo licht in de wereld bracht, kun je elke dag antwoorden vinden, maar omdat je geen antwoord hebt op de vraag wat er met Annika is gebeurd…'

'Ik had haar moeten beschermen.'

'In een perfecte wereld, ja,' zei Katja, 'maar lieverd, in een perfecte wereld had je haar niet hóéven te beschermen.' Glimlachend zochten en vonden haar ogen de zijne. 'Deze wereld is verre van perfect en niets gaat snel of makkelijk of op de manier zoals wij het willen. De wereld is onbegrijpelijk en hoe meer we proberen hem te begrijpen, hoe onbegrijpelijker hij wordt. En weet je waarom? Het leven bestaat uit morele compromissen en bij elk compromis verliezen we een stukje van onszelf. En als we geen compromissen sluiten, dan offeren we onszelf op, en zelfopofferingen veranderen ons onherroepelijk. Tot we uiteindelijk op die boom daar lijken. Bedenk eens wat je allemaal al voor Annika hebt opgeofferd; je bent naar de rand van de wereld gegaan, een plek die op geen enkele atlas staat, waar de duivel heerst, om haar te beschermen. Ik smeek je om daaraan te denken, de volgende keer dat je wilt gaan zeggen "ik had het moeten weten, ik had het moeten zien aankomen".'

'Ja, ja, je hebt gelijk,' zei hij met een stem die hem verraadde. Want zijn hoofd dacht het ene, maar zijn hart zei het andere. Hij vond het moeilijk om naar haar te glimlachen, maar toen hij naar haar gezicht keek, wist hij dat ze het fijn vond. 'Alles wat je zei, is waar.' Hij keek om zich heen alsof hij uit een droom ontwaakte. 'Ik zal een nieuw bord voor je kopen.'

'Dankjewel, maar dat hoeft niet. Het was niet het eerste bord dat je kapotgegooid hebt en het zal ook niet het laatste zijn.' Ze lachte. 'Daarom heb ik dit servies gepakt. Het was een huwelijkscadeau van mijn moeder en ik heb het nooit mooi gevonden. Het is zo, ik weet het niet… victoriaans. Net zoals zij, niet zoals ik.'

'Jouw moeder en haar leugens,' zei hij, schuddend met zijn mooie hoofd.

'Leugens hebben ons bij elkaar gebracht,' zei ze. 'Leugens die we moesten bedenken en vervolgens, wat veel erger was, moesten volhouden om te kunnen blijven leven. En die leugens kwamen voort uit morele compromissen en zelfopoffering. En hoewel we ze betreuren, kunnen we ze niet meer veranderen. Ik heb tegen mijn man gelogen en jij tegen Batsjoek. Ik werd vrienden met mijn man, zodat hij er nooit achter zou komen hoe erg ik van hem walgde, en zijn geld gaf me de vrijheid om te leven. Voor hem bestond ik niet als seksueel object, of als dat wel zo was, dan was het maar voor een paar maanden of weken. En jij, lieverd…' Ze boog naar voren en gaf hem een zoen op zijn wang. 'Jij hebt vrede met Batsjoek gesloten omdat alles in je leven afhangt van jouw band met hem. Je had al je charmes, overtuigingskracht en ervaring nodig om hem ervan te overtuigen dat je eerlijk was, want hij wist heel goed dat je alle reden had om hem te vernietigen. Hoe heb je dat gedaan? vraag ik me af. Mij zou het niet gelukt zijn, hoewel ik door de jaren heen zeer ervaren ben geworden.'

'Hij deed me een verzoek en ik willigde dat in. Iemand liep hem voor de voeten, iemand bij wie hij niet kon komen, nog niet in de buurt. Ik wel. Zo simpel was het.'

Hij stond op en met zijn handen in zijn zakken keek hij naar de knoestige boom.

'Juist jij, lieverd, zou moeten weten dat niets simpel is. Zeker als het zoeken naar een antwoord een leven beëindigt,' zei Katja.

'Ik weet dat je me niet veroordeelt, omdat je heel goed weet wat er speelde. Toen hij dat verzoek deed, wist hij dat ik het zou moeten inwilligen. Daarom vond hij het zo leuk om het me te vragen. Het idee om me een bevel te geven sprak hem wel aan, het moet hem enorm veel voldoening hebben gegeven om te weten dat ik het zou doen, te weten dat hij me pijn zou doen, terwijl hij zichzelf tegelijkertijd verloste van een doorn in zijn zij die hij zelf niet kon verwijderen.'

'Het was die dood waardoor Annika veilig was, probeer je dat te zeggen?' Hij knikte, maar draaide zich niet om. 'Wat Batsjoek deed, was afgrijselijk, te slecht voor woorden, verdorven. Alsof Stalin uit zijn graf was herrezen.'

Katja stond op en ging naast hem staan. 'Je denkt toch niet aan iets stoms, hè? Aan iets waarvoor je vermoord kunt worden? Laat de dingen zoals ze zijn.'

'Daar is het te laat voor. Het is al in beweging. Batsjoek is al hier in Kiev. Hij zoekt Annika.'

'Je hebt haar goed opgeleid.'

'Omdat ik gedwongen was een deal met de duivel te sluiten. Bedoel je dat ik mijn bescherming moet weghalen?'

Ze sloeg een arm om zijn middel. 'Kijk naar die boom. Die heeft droogte, hagelbuien, onweer en stortregens die het land in grote modderrivieren veranderden, overleefd. En daar staat ie. Zijn wortels hebben het nooit begeven, hij is nooit gespleten. Hij mag lelijk en krom zijn, hij zal niet meer zo groot zijn als hij was, maar hij staat er, lieverd. Hij staat er.'

'Tijd,' zei Miles Benson vanaf de drempel van de halfdonkere kamer, waar Aarons iPhone het enige lichtpunt was. 'Excellentie, het is noodzakelijk dat we nu ons gesprek gaan afronden.'

Maar Claire keek hem zo woest aan dat hij snel een stap achteruit zette, alsof ze hem had geslagen.

'Oké,' zei Paull, maar hij bleef naar zijn dochter kijken, die hij nog nooit zo knap had gevonden. Ze was een kind geweest toen ze bij hem wegliep; nu was ze een volwassen, zelfbewuste vrouw. Hij vroeg zich af hoe dat in vredesnaam had kunnen gebeuren. Acht jaar was niet zo heel lang. Hoewel, aan de andere kant was het voor kleinere wezens een heel leven en voor weer anderen een eeuwigheid. Claire had die acht jaar zo goed mogelijk besteed, wat had hij met die tijd gedaan?

'Wacht hier op me,' zei hij tegen haar. 'Het zal niet lang duren.'

'Zelfs als het lang duurt,' zei Aaron, en zijn heldere, transparante ogen rustten op zijn nieuw ontdekte opa, 'zullen mam en ik niet zonder u weggaan.' Vervolgens keek hij naar zijn moeder en zei: 'Toch, mam?'

Morgan Thomson wachtte op hen. Hij had de glazen deuren van de bibliotheek opengedaan en toen ze kwamen aanlopen, zei hij: 'Laten we een eindje gaan wandelen.'

Er liep een Japanachtig pad van leikleurige stenen naar de vijver en de maanvormige brug. Elke steen had een iets andere kleur, maar toch was het duidelijk een eenheid. Bij de vijver aangekomen, zag Paull zwarte, witte, zilveren en oranje-gouden flitsen vlak onder het wateroppervlak toen de gigantische karpers naar het zonlicht zwommen. Tot zijn verrassing haalde Benson een handvol gedroogd voedsel tevoorschijn en strooide dat op het water. De hongerige karpers kwamen met open bekken omhoog en zogen het voedsel naar binnen.

Met de professionele houding die hij zo waardeerde, zei Thomson: 'Geloof me of niet, maar dit akkoord gaat de macht van president Joekin zowel in als buiten Rusland consolideren.'

Meteen moest Paull denken aan zijn gesprek met Edward Carson in de limo op de dag dat ze Lloyd Berns hadden begraven. Carson had toen verslagen verteld dat Brandt probeerde het akkoord erdoor te duwen, hoewel de president nog bedenkingen had. Paull probeerde zo neutraal mogelijk te kijken.

Thomson had zijn handen op zijn rug geslagen en hield zijn hoofd wat achterover, alsof hij naar vogels of naar voorboden van hun uiteindelijke lot zocht. 'Zoals u ongetwijfeld weet, is sinds Joekin aan de macht is gekomen het overheidsaandeel in bedrijven die op de Russische effectenmarkt opereren toegenomen van vijfentwintig naar veertig procent.'

'Als dat geen totalitarisme is,' zei Benson, die naar de karpers keek, 'dan weet ik het ook niet meer.'

'Hij heeft ook van de overheidsverkiezingen een lachertje gemaakt,' ging Thomson verder, alsof Benson niets had gezegd. 'Niemand maakt een kans, tenzij hij door Joekin wordt gesteund.'

'Of door zijn opperbeul Oriel Jovovitsj Batsjoek,' vulde Benson daar zonder enige ironie aan toe.

Thomson haalde zijn schouders op. 'Dat komt op hetzelfde neer. Batsjoek is vicepremier, hij heeft zijn lot aan Joekin verbonden, hij vaart mee op de macht van Joekin. Maar ergens heeft Miles wel gelijk: op zijn eigen gebied is Batsjoek een gigantische tegenstander.'

'Een moderne Stalin,' zei Benson. 'Er kleeft zoveel bloed aan zijn handen dat er wordt gezegd dat hij in een abattoir woont.'

'Heel grappig,' zei Paull.

'Hij is een Rus,' zei Benson vlak, 'dus wie weet, is het waar.'

'Het is een slimme hond, deze Batsjoek.' Thomson keek Paull aan. 'Veel slimmer dan Jozef Vissarionovitsj.' Hij doelde op Stalin.

'En waar brengt ons dit?' wilde Paull weten.

'Een zeer goede vraag.' Thomson liep verder en de andere twee mannen liepen achter hem aan over de maanbrug. Op het hoogste punt van de boog bleef hij staan, legde zijn onderarmen op de leuning en staarde in het water. 'Generaal Brandt heeft een soort privédeal gesloten met president Joekin. De details kennen we niet, maar ik verzeker u dat we onmiddellijk nadat we erachter kwamen, alle banden met hem hebben verbroken. Maar goed, Brandt is daar bezig met zijn eigen operatie, zet de wet naar zijn hand, en we kunnen hem niet tegenhouden.'

'Batsjoek staat aan het hoofd van Trinadtsat,' zei Charkisjvili tegen Jack, 'een geheim kader...'

'Ik weet wat Trinadtsat is.'

'U verbaast me al weer, meneer McClure, echt waar,' zei Charkisjvili met opgetrokken wenkbrauwen. 'Maar misschien weet u dit niet. Trinadtsat werd maar om één reden door Batsjoek opgericht: de geheime ontdekking van een enorme voorraad uranium – mogelijk een van de grootste in de wereld – in het noordoosten van Oekraïne, vlak bij de Russische grens. Voeg dit bij de ontdekking van het Kremlin dat Ruslands eigen voorraad uranium veel kleiner is dan werd aangenomen en u hebt het begin van een gigantische crisis. Cruciaal om te begrijpen waarom de huidige situatie kon uitlopen op een crisis, is dat Rusland zeer afhankelijk is van nucleaire energie. Wij – dat wil zeggen, de leden van AURA – waren en zijn er zeer voor om de nucleaire-energie-industrie in privéhanden te houden, om de expansieplannen van het Kremlin in toom te houden. We hebben zo lang als we konden Joekin tegengewerkt, maar hij consolideerde zijn macht veel te snel en te goed. Met hulp van Batsjoek maakte hij ons vleugellam, beschuldigde ons van financiële malversaties of, als dat niet werkte of om de een of andere reden niet voldoende was, van landverraad. Hij nationaliseerde onze bedrijven en had ons naar Siberië gestuurd als we niet gewaarschuwd waren en naar Oekraïne waren gevlucht.'

Vanaf de Zwarte Zee was noodweer komen aandrijven. De regen sloeg tegen de ramen toen Jack, Annika en Alli aan de enorme houten tafel in de grote eetkamer van het landhuis van Mikal Magnussen zaten.

Vier leden van AURA zaten ook aan die tafel, breedgeschouderde mannen met listige ogen, zonder enige fijngevoeligheid. Tussen hen in stonden borden met eten en kristallen flessen met wodka, *slivovitsj* en water, genoeg voor minstens tien man, maar niemand at.

'En nu komt het ergste,' ging Charkisjvili verder. 'Nu wij weg zijn, heeft Joekin het uraniumconsortium genationaliseerd, net zoals hij met Gazprom heeft gedaan. Joekin is tot dezelfde conclusie gekomen als wij bijna tien jaar geleden: dat Ruslands afhankelijkheid van buitenlandse olie – vooral uit Iran – het land in een strategisch nadelige positie brengt. Daarom heeft hij toegestemd in dat Amerikaans-Russische akkoord. Hij vindt het niet erg om concessies te doen aangaande de traditionele handel met Iran, zolang hij maar een constante toevoer van uranium heeft.'

'Maar zonder die enorme uraniumvondst in Oekraïne heeft hij die niet.'

Ze draaiden zich allemaal om naar de man die dit gezegd had en die net de kamer binnen was gekomen. Hij was geheimzinnig, knap en had het ruwe uiterlijk van een Sean Connery of een Clive Owen. Zijn haren vertoonden grijze strepen, als de kleur van zijn ogen, alsof hij net in een sneeuwstorm had gelopen. En misschien waren er een aantal overdrachtelijke sneeuwstormen in zijn verleden geweest.

Hij zei tegen Jack: 'Ik ben Mikal Magnussen. Sorry dat ik er niet was toen jullie hier aankwamen.' Hij pauzeerde, wachtte omdat er een bediende naast Charkisjvili was verschenen, die iets in zijn oor fluisterde. Charkisjvili keek even naar Annika, zo vlug, zo omzichtig, dat alleen Jack het had gezien.

'Dus Joekin wil het stelen,' ging Magnussen verder, 'en gebruikt daar soldaten voor die voor Trinadtsat werken.'

'Voor zover ik weet, duurt het minstens tien jaar om een uraniummijn op te starten en te laten draaien,' zei Jack. 'Ik snap niet wat een inval op Oekraïens gebied daaraan bijdraagt.'

'Ah, ja, dat brengt ons op het geniale van Batsjoeks plan.' Dit zei Malenko, ook een dissidente oligarch. Groot en kaal, waardoor hij eruitzag als een bowlingbal, met de kaken van een vleeseter en kleine oortjes die absurd laag aan zijn schedel zaten. 'De troepen worden gestuurd onder het mom van Oekraïne te gaan helpen, maar zijn ze daar eenmaal, dan zullen ze niet meer weggaan. In plaats daarvan gaan ze een versterkte grensstrook opzetten, zodat de Russische tanks probleemloos kunnen binnenrollen.'

'Het wordt verdorie een mini-Tsjechië,' zei Glazkov, een andere oligarch, verwijzend naar de Sovjetinval in Tsjecho-Slowakije in 1968, 'behalve dan dat de Russen bij de grens van de uraniumvondst zullen stoppen.'

'Ze kunnen toch Oekraïne niet zomaar binnenvallen?' zei Jack.

'Dat doen ze gewoon, net zoals ze in Georgië hebben gedaan, waar hun troepen nog steeds zitten,' zei Charkisjvili.

'De economische situatie in Oekraïne, zeker in het oosten, is abominabel slecht. Zo slecht dat er in meerdere steden rellen zijn uitgebroken en dat verwacht wordt dat die zich over het hele land zullen verspreiden.' Magnussen praatte tegen de mensen aan tafel, maar bleef staan. 'De ervaring leert dat Joekin deze economische crisis zal aangrijpen om te zeggen dat zijn troepen daar zijn om de Russische en Oekraïense belangen te beschermen.'

'Maar ons probleem – en het uwe, meneer McClure – is niet alleen het Kremlin,' zei Charkisjvili, 'maar ook een van uw eigen landgenoten. Joekin wordt geholpen door een Amerikaan, ene Brandt. Een generaal uit uw eigen leger en adviseur van uw eigen president.'

'Generaal Brandt is de architect van het akkoord dat Joekin en president Carson hebben opgesteld,' zei Jack. 'Carsons succes als president hangt nauw samen met de ratificatie ervan.'

'Dat veiligheidsakkoord is puur vergif. Zodra het is getekend, zullen Joekin en Batsjoek hun Trinadtsat-troepen naar Oekraïne sturen, zal Rusland de uraniumvindplaats in bezit nemen en door het akkoord met de Verenigde Staten zal niemand hem kunnen tegenhouden.'

'De Verenigde Staten zelf – president Carson – zullen hem tegenhouden.'
'Denkt u dat echt?' vroeg Magnussen. 'U weet heel goed dat de belang-rijkste reden dat president Carson dit akkoord ondertekent, is dat de Iraniërs van de nucleaire kaart verdwijnen. Wat betreft deze zaak is Joe-kins woord iets waard. Hij heeft besloten om Iran voor de wolven te gooien in ruil voor deze enorme uraniumvondst, die Ruslands nucleaire energiebron voor de komende tientallen jaren zal zijn.'

Jacks hersenen werkten op topsnelheid. 'Als Carson een halt wil toeroe-pen aan de Russische inval in Oekraïne, riskeert hij dat Joekin weer begint met de nucleaire handel met Iran. Natuurlijk zal hij dat niet doen; het akkoord is juist opgesteld om het Iraanse nucleaire program-ma te neutraliseren.'

Charkisjvili knikte. 'U snapt het helemaal.'

Ineens schiepen Jacks hersenen een ander beeld van de situatie. 'Dit gaat over generaal Brandt, hè?' zei hij. 'Brandt heeft een privédeal geslo-ten met Joekin. In ruil voor de ondertekening van het akkoord krijgt hij een stuk van het bedrijf hier in Oekraïne.'

Er viel een doodse stilte, waarna Charkisjvili tegen Magnussen zei: 'Zie je wel, Mikal, ik had gelijk dat ik dit deel van ons plan aan Annika kon toevertrouwen.' En tegen Annika zei hij: 'Meid, je hebt de perfecte per-soon voor ons gevonden. Gefeliciteerd.'

'Zoals u kunt zien,' zei Thomson, 'is Brandt het probleem. We hebben hem niet meer onder controle. Wij hebben geen invloed in deze rege-ring, maar u wel.'

Paull haalde diep adem. 'Laat me dit even helder krijgen. Jullie hebben Brandt gerekruteerd en nu willen jullie dat ik jullie help met het oprui-men van zijn smerige zaakjes, en die van jullie.' Hij lachte. 'Waarom zou ik dat in vredesnaam doen?'

'Omdat als u het niet doet,' zei Benson, 'uw president uiteindelijk de rotzooi in zijn gezicht krijgt – rotzooi die hij niet zo makkelijk kan weg-vegen, dat verzeker ik u – als de deal tussen Brandt en Joekin aan het licht komt.'

'En dan kan hij een tweede termijn vergeten.' Thomson liet expres even een stilte vallen. 'U en Edward Carson hebben een persoonlijke band, nietwaar? Ik bedoel daarmee dat u vrienden bent.'

'En vrienden laten vrienden niet dronken rijden,' zei Benson, die een overbekende tv-commercial citeerde. 'Het komt erop neer dat generaal

Brandt achter het stuur van de presidentiële wagen zit en dat hij dronken is, heel dronken.'

Paull haalde een hand door zijn haar, maar zorgde ervoor dat hij neutraal bleef kijken. Het leek wel alsof hij op eieren liep met deze twee mannen. Op dit moment moest hij absoluut een stap terug doen om de snel veranderde situatie rustig en goed te kunnen beoordelen. Het was duidelijk dat deze twee mannen leefden van het gebruikmaken van de zwakheden en fouten van andere mensen, maar nu hadden ze zelf een fout of een misrekening gemaakt. Of ze hadden Brandt ernstig onderschat. Vanuit de bewijslast die ze tot nu toe hadden gegeven, was dat een mogelijkheid waar ze zelf nog niet op waren gekomen en Paull zou die niet onder hun neus gaan wrijven. In grote lijnen waren er twee mogelijkheden. Eén: generaal Brandt was de weg van Kurtz op gegaan, zoals Benson het zo kleurrijk had omschreven, en twee: hij had hen heel slim buitenspel gezet en hun middelen gebruikt om zijn band met Joekin te verdoezelen, om hen te laten vallen terwijl de overdrachtelijke klok bijna middernacht aangaf. Joekin en Carson stonden op het punt een historisch akkoord te ondertekenen dat, als Thomson en Benson de waarheid vertelden, de wereld het beeld zou geven van een hooggeplaatste Amerikaanse militair, een van de meest vertrouwde adviseurs van de president, die een deal had gesloten met de president van Rusland.

Er was natuurlijk ook nog die andere mogelijkheid, een echte witte raaf. Namelijk dat deze twee op grote schaal iets opzetten om hem zover te krijgen dat hij Carson zou ontraden een akkoord te ondertekenen dat precies zou doen waar de president en ieder lid van zijn regering op hoopte: de stekker uit Irans nucleaire programma trekken. Zonder geïmporteerde Russische onderdelen, brandstof en kennis zouden de Iraniërs geen andere keus hebben dan het programma drastisch in te krimpen of helemaal af te blazen.

Dit was het raadsel waar Dennis Paull voor stond, het web waar hij zichzelf en de president uit moest zien te halen zonder de reputatie van de president te beschadigen of het veiligheidsakkoord in gevaar te brengen. Het deed hem denken aan het klassieke raadsel van een ontdekkingsreiziger die door een gebied reist waar twee stammen wonen. De leden van de ene stam vertellen altijd de waarheid, de leden van de andere stam liegen altijd. De stam die altijd liegt, zijn koppensnellers en kannibalen. De ontdekkingsreiziger komt een groep jagers tegen, die hem omringen. Maar hij weet niet van welke stam ze zijn en ineens begrijpt hij in wat voor penibele situatie hij zit. Hij moet twee vragen stellen. De eerste: van welke stam zijn jullie? De tweede: gaan jullie me opeten? Maar ongeacht van welke stam de mannen zijn, ze zullen altijd hetzelfde antwoord geven: wij zijn van de stam die nooit liegt, en nee, we gaan je niet opeten. Toch zou het resultaat precies het tegengestelde kunnen zijn; of de ontdekkingsreiziger is veilig of hij zal een verschrikkelijke dood sterven.

Paull zat nu in eenzelfde situatie, in politieke zin dodelijk; hij mocht geen fout maken. Waren Thomson en Benson leden van de stam die de waarheid vertelde of van de stam die loog? Als hij actie ondernam op basis van hun informatie en ze bleken te liegen, dan bracht hij niet alleen het presidentschap van Edward in gevaar, maar ook de toekomstige veiligheid van Amerika. Als ze echter de waarheid spraken en hij ondernam géén actie, omdat hij dacht dat ze logen, dan zou hetzelfde afgrijselijke scenario volgen.

'Waarom heeft generaal Brandt een bevel tot liquidatie van Jack McClure gegeven?' vroeg hij.

'Dat weten we niet,' zei Thomson, 'misschien heeft Brandt het gevoel dat McClures aanwezigheid een direct gevaar is voor zijn privédeal met Joekin.'

Nu wist Paull dat hij het de president moest vertellen en dat het liquidatiebevel herroepen moest worden voordat Jack werd vermoord. Hij wenste met elke vezel in zijn lichaam dat Jack hier bij hem was. Jack zou deze op het eerste gezicht niet te winnen situatie kunnen ontrafelen. Maar Jack was hier niet en Paull wist dat hij zelf de cruciale beslissing moest nemen over wat hij Carson zou vertellen. Hij pijnigde zijn hersenen om een oplossing te vinden of om in elk geval de kansen van fifty-fifty naar een gunstiger percentage voor de president en zichzelf te krijgen.

Wat in elk geval duidelijk was, waar hij harde bewijzen voor had, was dat generaal Brandt ernstig – dodelijk – zijn boekje te buiten was gegaan. Dit feit – het enige wat Paull had – pleitte ervoor dat Thomson en Benson de waarheid vertelden. Die conclusie was niet zeker, maar wat was er zeker in dit leven? Hij moest deze twee mannen vertrouwen, maar alleen voor zover hij ze in de hand kon houden.

'Oké,' zei hij, en hij maakte zo een eind aan een lange stilte, 'ik zal de president bellen.'

26

Oriel Batsjoek zat in de helverlichte, snoepkleurige ijszaak van Baskin-Robbins in het winkelcentrum Globus op Maidan Nezalezjnosti, dat aan het Onafhankelijkheidsplein in Kiev stond. Om hem heen zaten kauwgom kauwende Oekraïeners, gekleed in Tommy Hilfiger of Pierre Cardin, die om het hardst probeerden Amerikaans te zijn.

Hij dacht aan het verleden, aan zijn confrontatie met Djadja Goerdjiev, iets wat hij gehoopt had nooit te hoeven doen, maar wat – zoals hij inzag, nu hij erop terugkeek – onvermijdelijk was. Hun relatie was voorbestemd om, zoals de Engelsen zeiden, in tranen te eindigen, omdat die door hen kunstig en angstvallig precies geconstrueerd was uit leugens, verzinsels, ontkenningen en geheimen. De waarheid was dat ze allebei compromissen hadden gesloten en, ja, zich opofferingen hadden getroost – niet heel moeilijk voor mannen die geen moreel kompas hadden – om met elkaar in deze wereld te kunnen leven. De ruzies tussen hen, die hen vasthielden in een privéarena, waren tegelijkertijd lavaheet en ijskoud. Hoe kon dat ook anders, gezien het afschuwelijke noodlot dat hen had getroffen?

Maar nu hij met nietsziende ogen de technicolorwinkel door keek, realiseerde hij zich dat hij niet toevallig hier had afgesproken, want het was op deze plek, nog lang voordat Globus zelfs maar in het hoofd van zijn bedenker was opgekomen, dat hij Nikki voor het eerst had gezien. Ze was met Goerdjiev en hij herinnerde zich het moment alsof het op zijn netvlies gebrand stond, een beeld dat nooit zou vervagen of vervormen. Die eerste keer Nikki zien oversteeg de tijd, stond buiten de tijd, alsof hij een onmenselijk wezen zag. Voor Batsjoek, die zichzelf nog nooit eerder had toegestaan om een emotionele band met een ander mens te hebben, was zijn reactie op Nikki een elektrische schok. Hij moest zelfs gaan zitten, hoewel het nog geen tijd was voor zijn afspraak met Goerdjiev. Gebiologeerd keek hij toe hoe Nikki gearmd liep met Goerdjiev. Zag hoe ze zich van hem losmaakte, langs een paar winkels rende en in de armen vloog van een slanke, voornaam uitziende man met zwart haar en bruine ogen. Lachend tilde die man haar op en draaide met haar in het rond, terwijl Goerdjiev met een wezenloze glimlach op zijn gezicht toekeek.

Toen Nikki de man op zijn lippen zoende, maakte Batsjoek tot zijn eigen ontzetting een geluidje. Het voelde alsof hij met een ijspriem in zijn buik werd gestoken. Hij voelde zich misselijk en duizelig, waardoor hij voorover in zijn stoel zat toen Goerdjiev het gelukkige stel alleen liet en naar Batsjoek liep.

'Voel je je niet goed?' vroeg hij terwijl hij op de stoel tegenover Batsjoek ging zitten. 'Je zweet als een otter.'

'Beetje veel wodka gisteren,' improviseerde Batsjoek, 'of eigenlijk vanochtend.'

Goerdjiev lachte onbezorgd. 'Dat gefeest van jou wordt nog eens je dood, Oriel Jovovitsj.'

Dat was in de tijd voordat Batsjoek vicepremier was en voordat Joekin zijn zelfgebouwde troon beklom, maar ze hadden al wel een goed contact, hun sterren rezen als een tandem in het hachelijke uitspansel van het Russische politieke slachthuis. Het was Batsjoek geweest die Joekin had voorgesteld aan Goerdjiev, die toen al de éminence grise in de machtspolitiek van Oekraïne was, eigenlijk van heel Oost-Europa. In die tijd was het absoluut noodzakelijk om Goerdjievs steun en invloed te hebben om hoger op de ladder te komen. Batsjoek, die gek was op de Romeinse geschiedenis, vond zijn vriend een echte Claudius: een man die had besloten om uit de bloederige drukte van de Oost-Europese politiek te stappen, maar geen afstand te doen van zijn macht, zodat hij vanaf de zijlijn, in de schaduw, mensen en gebeurtenissen kon blijven manipuleren. Net als Claudius was hij een onbevooroordeeld mens, een man die de nadagen van zijn leven had bereikt en die, net als de generaals in de oudheid, tevreden was als hij al mijmerend over het glorierijke verleden over de Palatijn kon uitkijken naar de prachtige eeuwenoude cipressen. Tot je te maken kreeg, of misschien was ruzie kreeg een betere omschrijving, met zijn verbijsterende intellect.

Jarenlang had Batsjoek in de schaduw gestaan van Goerdjiev en ging op dezelfde manier als de oudere man om met mensen als Joekin en anderen: discreet, scherp en duivels vooruitziend. Maar hij merkte dat hij altijd zes of zeven stappen op Goerdjiev achterliep, ontkende dat het aan hemzelf lag en werd zo jaloers op Goerdjiev dat het uiteindelijk hun vriendschap verpestte.

'Wie is die man bij Nikki?' vroeg hij bijna meteen zodra Goerdjiev zat. Dat had hij niet willen vragen, maar tot zijn eigen schrik – of eigenlijk afschuw – was het zomaar gebeurd.

'Aleksej Mandanovitsj Dementiev.'

Batsjoek vond het verschrikkelijk dat hij zijn ogen niet van haar af kon houden. Hij had natuurlijk van haar gehoord, maar tot dan toe had Goerdjiev haar bij hem weggehouden. Hij vroeg zich nu af of dat opzettelijk was. Hij keek naar Nikki en Aleksej, was idioot jaloers dat ze bij elkaar leken te passen als twee stukjes van een legpuzzel, alsof ze vanaf hun geboorte al voor elkaar bestemd waren. Ze pasten zo goed bij elkaar, waren zo zichtbaar gelukkig, dat alleen een aardverschuiving hen kon scheiden. Hij zei heel naïef en stom 'Hebben ze wat?', en had meteen een hekel aan zichzelf.

'Dat kun je wel zeggen.' Goerdjiev moest erom lachen. 'Nikki en hij gaan volgende maand trouwen.'

Abrupt was Batsjoek weer in het vervelende heden. Hij verafschuwde de snoepkleurige wereld van Baskin-Robbins met de jengelende kinderen en afgepeigerde ouders. Doodziek stond hij op en liep naar buiten.

'Ik zal de president bellen,' zei Jack, 'en hem vertellen wat er allemaal gaande is. Hij zal dan gepaste actie ondernemen wat betreft generaal Brandt.'

'Misschien zal hij dat doen,' antwoordde Magnussen, 'maar denkt u echt dat hij op grond van uw verhaal dit historische akkoord niet zal ondertekenen?' Hij schudde zijn hoofd. 'We hebben harde bewijzen nodig van de persoonlijke betrokkenheid van Brandt.'

'Maar ik weet dat hij een liquidatiebevel tegen Annika heeft uitgevaardigd,' zei Jack. 'Dat is duidelijk een overschrijding van zijn autoriteit.'

'Misschien wel, misschien niet. Dat weten we niet,' zei Charkisjvili. 'Maar het is veel lastiger; het grote raadsel dat we niet kunnen oplossen, is of er iemand achter generaal Brandt staat en als dat zo is, wie dat is. Daarom hebben we u nodig. Omdat het opzijschuiven van Brandt, mogelijk zelfs het tegenhouden van de ondertekening van het akkoord, misschien niet genoeg is om te voorkomen dat Joekin en Batsjoek hun troepen de grens over sturen. U hebt geen idee hoe wanhopig Rusland op zoek is naar nieuwe energiebronnen en hoe ver Joekin bereid is te gaan om die te bemachtigen.'

'In elk geval ga ik de president op de hoogte brengen.'

Magnussen knikte. 'Dat begrijpen we, maar voordat u dat doet, willen we u op de hoogte brengen van de enorme gevolgen die het kan hebben. Als Rusland Oekraïne binnenvalt zonder dat het akkoord is onderte-kend, zal dat leiden tot een regionale oorlog die snel kan escaleren, waardoor uw land erbij betrokken kan raken.'

Jack keek van Magnussen naar Charkisjvili. 'Met andere woorden, we zijn allemaal de klos als dat akkoord is ondertekend en we zijn dubbel de klos als het niet is ondertekend.'

Charkisjvili knikte. 'Tenzij u een oplossing kunt bedenken. Annika had van het begin af aan gelijk: ik denk dat u de enige bent die dat kan.'

'En als er geen antwoord is?' vroeg Jack.

'In dat geval ben ik bang dat we allemaal de klos zijn.' Charkisjvili keek naar de gezichten in de kamer, die allemaal grimmig stonden. 'Dan zal aan alles een eind komen door de hebzucht naar rijkdom en macht. En op dat moment zal alles en iedereen instorten, ook de leiders van keizer-rijken.'

President Edward Carson was net terug uit het Kremlin met Joekins volledige instemming met het akkoord. Tot zijn verbazing was de Rus-sische president ook akkoord gegaan met het tijdstip van de onderteke-ning, de volgende avond om acht uur plaatselijke tijd, tussen de middag thuis – dan hadden de belangrijke nieuwsmedia meer dan genoeg tijd om, nadat internetsites en bloggers hun zegje hadden gedaan, door-dachte programma's samen te stellen die in de nieuwsuitzendingen van zes en zeven uur konden worden uitgezonden.

Hij was bezig met zijn eerste normale maaltijd sinds dagen, toen zijn mobiel overging. Zijn volledige entourage, ook zijn persvoorlichter, schoot omhoog omdat hij tegenover de belangrijkste politiek corres-pondent van *Time* zat, die hem een groot interview zou afnemen dat volgende week de coverstory van het tijdschrift zou worden.

De president nam op omdat het Jack was. Hij excuseerde zich, stond op, fluisterde iets in het oor van de persvoorlichter en liep snel de eetzaal van het hotel uit, zoals altijd met zijn Praetoriaanse garde, die deze keer uitgerust was met materiaal om elektronische afluisterpogingen te voor-komen.

'Jack, hoe vorder je? En is alles goed met Alli?'

'Het gaat prima met Alli, zelfs beter dan prima.'

'Mooi! Blijkbaar is jouw nabijheid het beste medicijn voor haar.' Carson was hem enorm dankbaar. Voelde hij al wat jaloezie, dan verdween dat door wat Jack hem verder vertelde. Zijn stem dreunde door Carsons hoofd als een krachtige boor.

'Begrijp ik het goed?' zei Carson terwijl hij door een hotelraam naar de vallende sneeuw op het Rode Plein keek. 'Vertel je me nu dat generaal Brandt een of andere privédeal met Joekin heeft gesloten over een uraniumvondst in Noordoost-Oekraïne?'

'Klopt.'

'Maar hoe zit het dan met Alizarin Global?'

Het bleef even stil voor Jacks stem in zijn oor zei: 'Ik heb nog nooit van Alizarin Global gehoord.'

'Ik ook niet, tot tien minuten geleden, toen Dennis Paull me belde.'

Een jonge vrouw liep moeizaam, voorovergebogen in de wind over het Rode Plein. Carson was blij dat hij niet buiten was, maar dat was dan ook het enige waar hij blij om was. 'Het is een of ander veelarmig conglomeraat waar ook Benson en Thomson voor hebben gewerkt. Die hebben destijds Brandt ingehuurd om een deal met Gazprom te sluiten. Volgens wat Dennis heeft gehoord, heeft Brandt het toen op een akkoordje gegooid met Joekin. Zodra ze daarachter kwamen, hebben ze hem ontslagen, maar hij negeerde hun mededelingen. Hij werkt nu voor zichzelf, niet voor hen. Ze zijn ervan overtuigd dat hij waanzinnig is.'

'Edward, ik hoef je er toch niet op te wijzen dat we het nu hebben over je politieke vijanden, hè! Waarom denkt Paull dat hij die kan vertrouwen?'

'Dat doet hij niet, niet helemaal, tenminste. Maar omdat hij zich bezorgd maakte over het lekken van inlichtingen is hij begonnen aan een vertrouwelijk onderzoek naar iedereen uit mijn naaste omgeving. In de loop daarvan heeft hij bewijzen gevonden dat Alizarin Brandts wintertrips naar Moskou betaalde. Nu is Brandt zo ontspoord dat hij een liquidatiebevel op jou heeft verordonneerd. Natuurlijk heb ik die herroepen zodra ik het gesprek met Dennis had beëindigd.'

'Is er nog iemand in het veld?'

'Nee. Alle agenten zijn met succes teruggeroepen.'

Er viel een korte stilte. Carson nam aan dat Jack het schokkende nieuws aan het verwerken was. Uiteindelijk zei hij: 'Ik begrijp dat ik een bedreiging voor hem kan vormen, maar wat ik niet begrijp, is hoe hij dat kon weten. Hoe wist Brandt waar je me naartoe stuurde en wat ik moest doen?'

'Een goede vraag,' zei Carson. 'Volgens mij kun je maar beter het antwoord gaan zoeken.'

'Dat ga ik doen,' verzekerde Jack hem. 'En hoe zit het met het akkoord?'

'Uit wat je me net hebt verteld, blijkt dat er geen makkelijke weg is om onder het ondertekenen uit te komen, Jack. Als ik weiger te tekenen, of de ceremonie wil verplaatsen nadat Joekin zich in allerlei bochten heeft gewrongen om aan onze eisen te voldoen, kom ik niet alleen over als een idioot, maar vernietig ik ook al het politieke krediet dat ik tijdens de aanloop naar de ondertekening heb opgebouwd. Nee, tenzij jij een andere oplossing hebt, wordt er morgenavond om acht uur getekend.'

Terwijl Jack zijn mobiel wegstopte, liep hij de vele vectoren met informatie na die de president hem had gegeven. Veel informatie leek elkaar tegen te spreken of een uitgesproken leugen. Hij twijfelde er niet aan dat Benson en Thomson alleen aan hun eigen belangen dachten, niet aan die van anderen. Volgens de president wilden ze niet dat het akkoord met Joekin werd ondertekend. Het was hun mening dat zowel het akkoord als de belangrijkste architect ervan, generaal Brandt, een gevaar voor het land vormde, maar was dat de waarheid? Vanuit de bezwarende bewijzen die Paull had ontdekt, leek het erop dat ze over Brandt de waarheid vertelden. Maar logen ze over het gevaar van het akkoord? Charkisjvili had hem al de mogelijke gevolgen geschetst als er morgen werd getekend. Als hij een uitweg wilde bedenken uit dit de-klos-zijn-als-je-het-doet, de-klos-zijn-als-je-het-niet-doet-raadsel, dan had hij daar minder dan vierentwintig uur voor.

Hij werd gestoord door Charkisjvili, die doelbewust naar hem toe liep. 'Meneer McClure, ik ben blij dat ik u zie. Ik heb alarmerend nieuws gekregen.'

Meteen moest Jack denken aan de assistent die Charkisjvili voorovergebogen iets in zijn oor had gefluisterd en die vreemde blik waarmee Charkisjvili vervolgens naar Annika had gekeken.

'Annika's opa, Goerdjiev, heeft een AURA-lid doodgeschoten. Een dissidente oligarch en een vriend van mij: Riet Medanovitsj Boronjov.'

'Dat kan ik amper geloven. Waarom zou hij in vredesnaam een van uw mensen vermoorden?'

'Ik heb geen idee,' moest Charkisjvili toegeven. 'Toch heeft hij Boronjov voor de ogen van twee van Batsjoeks mannen doodgeschoten en hun het lijk gegeven. Dit heeft een ooggetuige bevestigd.' Charkisjvili zag er oprecht verbijsterd uit. 'Dit is een ramp, want Boronjov was een van de dissidenten van wie Batsjoek en Trinadtsat overtuigd waren dat ze dood waren. Daar hebben we voor gezorgd. Maar nu weet Batsjoek beter en zal hij de anderen van wie hij aannam dat ze dood waren, gaan natrekken. Ook mij.'

Jack zag een ander puzzelstukje: net als Annika was Djadja Goerdjiev lid van AURA, maar als dat zo was, waarom had hij dan een man vermoord van wie hun vijanden dachten dat hij al dood was?

'Misschien was Boronjov een dubbelagent,' opperde hij, 'werkte hij in het geheim voor Batsjoek.'

Charkisjvili schudde zijn hoofd. 'Onmogelijk. We kennen elkaar al van kinds af aan. Ik ging 's zondags bij hem thuis eten, we doen samen zaken.'

'Wat helemaal niets bewijst,' zei Jack, 'behalve dan dat hij een perfecte kandidaat was voor een dubbel.' Meteen wist hij al een reden waarom dat niet waar was, maar voordat hij iets kon zeggen, schudde Charkisjvili nog heftiger zijn hoofd.

'Nee, ik vrees dat Goerdjiev de verrader is. Batsjoek en hij hebben samen al een hele geschiedenis, veel langer en hechter dan ik met Boronjov had. Jarenlang heeft hij gedaan alsof hij Batsjoeks vriend was, maar stel dat het een list was, stel dat ze echt bondgenoten waren, dat ze samenwerkten?'

'Er is en er was geen dubbel in AURA,' zei Jack op gezaghebbende toon. 'Als Batsjoek wist dat jullie nog leefden, dan waren jullie allang dood geweest en was er geen AURA om Joekin en hem tegen te werken.'

'En toch moet Goerdjiev nu samenwerken met Batsjoek,' zei Charkisjvili. 'Er is geen andere verklaring voor zijn actie.'

'U mag Djadja Goerdjiev niet, hè?'

'Hoezo?'

Jack zag dat Charkisjvili's ergernis zijn schrik en verslagenheid maskeerde en wist dat hij iets wezenlijks had geraakt. 'U mag Goerdjiev niet en ik wil graag weten waarom.'

'Dat zou ik ook wel willen weten.'

De twee mannen draaiden zich om naar Annika, die stilletjes achter hen was komen staan en nu met haar voeten uit elkaar en haar armen over elkaar geslagen tussen Charkisjvili en de betrekkelijke vrijhaven van de eetkamer stond.

Generaal Brandt zat in een kroeg aan het Rode Plein die een goed uitzicht bood op de dreigende muren en torens van het Kremlin en vroeg
zich af hoe het zou zijn om een en al energie te zijn. Hij zag hoe de
sneeuw als een eindeloos gordijn naar beneden dwarrelde en probeerde
de wereld vanuit een sneeuwvlok te zien: de pure kou, het schone, sym-
metrische ontwerp, de absolute stilte. Wie wilde dat nou niet: ongestoord
denken, niet gestoord worden door angsten van beschavingen, door span-
ningen en door onhandige manipulaties? De wereld van een sneeuwvlok
kende de drang om te overheersen niet en was daardoor veel beter af.
Elk uur van elke dag gleed tussen zijn vingers door; hij had er geen controle meer over. Hij kon niet meer twee keer zijn gewicht drukken; door
de artrose in zijn linkerknie kon hij geen anderhalve kilometer per dag
meer rennen, iets wat hij vanaf zijn dertiende had gedaan; zijn haar
werd dun en viel uit; hij kon geen chilidogs meer eten of tabasco gebruiken zonder vervelende gevolgen; en er waren avonden dat hij naar jonge
meisjes keek met de onverschillige weemoed van een oude vent. Hij kon
er niet meer omheen: zijn lichaam was met een alarmerende snelheid
aan het aftakelen, viel op de naden uit elkaar en steeds vaker merkte hij
dat hij er niet meer bij wilde horen, of beter gezegd: in wilde zitten. Het
zou veel makkelijker zijn als hij alleen maar energie was, om zich geen
zorgen te hoeven maken over zijn rottende vlees, dat hem steeds vaker
in de steek liet.
Hij was geschrokken van dit nihilistische wereldbeeld, maar misschien
had het zaad altijd al diep in zijn pragmatische, keurig ingedeelde geest
gezeten. Met de listigheid van een paranoïde geest vermoedde hij dat
het zaad was gaan ontkiemen nadat hij met pensioen had moeten gaan
en het leger dus had moeten verlaten. Het leger, dat meer dan veertig
jaar zijn strenge vader en liefhebbende moeder was geweest. De wereld
buiten het leger was een vervelende en enge plek voor hem, totdat hij
leerde om zich er zo ver uit terug te trekken dat het maar tot de grens
van zijn eigen werkelijkheid kwam en verder niet. Een gewild hoofd zijn
op de tv was een perfecte manier om zichzelf te isoleren, om onbenader-
baar te mogen zijn, op zichzelf, verborgen. Hoe vaker hij op tv te zien
was, hoe vaker die idiote presentatoren hun domme vragen stelden, hoe
meer hij zich in zichzelf terugtrok. Alle roem is vergankelijk, om George
Patton, een van Brandts patroonheiligen, te parafraseren, maar dat gaf
niet, want door de tv was hij de roem spuugzat of wat er in deze post-
moderne tijd voor roem doorging. Wat hij nu nog wilde was veiligheid,

wat zijn pensioen hem niet gaf, vooral niet omdat zijn zoon met het syndroom van Down verzorging nodig had die veel meer inhield en kostte dan zijn ziektekostenverzekering wilde betalen. Het leek raar, zelfs oneerlijk, dat hij – na zijn hele volwassen leven zijn land te hebben gediend – geobsedeerd was door geld. Iets waar hij zich vroeger nooit druk om had gemaakt, omdat al zijn woonkosten, eten en reiskosten door het leger van de Verenigde Staten werden betaald.

Hij keek op zijn horloge, terwijl de ober hem een dubbele espresso met een scheut wodka bracht, die hij snel achteroversloeg, zoals hij dat een oude, grijze Italiaanse visser had zien doen in Key West. Hij hield van de Keys, het was een oude, gekoesterde wens van hem om ooit naar Marathon of Islamorada te verhuizen, te gaan vissen, in de zon te bakken en 's ochtends om tien uur strontlazarus te worden als hij daar zin in had.

Toen hij zijn opkikkertje ophad, keek hij weer op zijn horloge en fronste zijn wenkbrauwen. Joekin had hem allang moeten bellen via zijn beveiligde telefoon. Hij gebaarde de ober hem nog een dubbele te brengen en keek zwartgallig, met zijn hoofd tussen zijn brede schouders getrokken, naar de verlichte voorkant van het Kremlin, alsof hij zo Joekin kon dwingen hem te bellen. De stilte was oorverdovend en mysterieus, vroeg om alcohol en cafeïne. Hij leegde zijn tweede kop net zo snel als de eerste, zo snel dat de ober nog bij zijn tafeltje stond.

'Nog een,' zei Brandt in perfect Russisch. 'En neem de fles mee.'

De ober knikte en liep zonder commentaar weg.

En dan, dacht Brandt somber, was Moskou ook nog zo verschrikkelijk koud, veel te koud, zelfs eind april. Ik bedoel, sneeuw, godsamme! Dit latente voorjaar had net zo goed januari kunnen zijn! Onbewust wreef hij met zijn handen over zijn bovenbenen om de bloedcirculatie weer op gang te brengen. Gelukkig had de drank zijn maag verwarmd.

Toen de ober terugkwam, ging zijn mobiel over. Met bonzend hart liet hij hem overgaan tot de ober de koffie en wodkafles op tafel had gezet en was weggelopen.

'Ja,' zei hij, en hij drukte de mobiel tegen zijn oor.

'Alles is in kannen en kruiken, het is alleen nog maar wachten op de ondertekening,' zei Joekins bekende stem. 'Hij vond het prachtig dat ik al die bepalingen accepteerde die ik eerst niet wilde. Je had helemaal gelijk: ervoor zorgen dat hij zich op de details van het akkoord concentreerde was de manier om het erdoor te krijgen.'

De generaal nam een grote slok koffie, draaide de dop van de fles en schonk een onbeschoft grote hoeveelheid wodka bij de rest van de espresso. En op dat moment, op die plek, voelde hij weer die intense haat voor de Russen – niet alleen voor Joekin en Batsjoek – die hij altijd al had gehad, maar zoveel jaren had onderdrukt. Hij had er talloze koortsaanvallen en slapeloze nachten van gehad zodra hij het veld in werd gestuurd om direct met hen te werken. Hij had geleerd dat een vijand zonder gezicht de beste vijand was, omdat je die makkelijk kon haten, maar de Russen hadden die leugen met een groot, overduidelijk uitroepteken doorgeprikt. Het waren net kinderen, echt waar, kinderen die nooit hadden geleerd hoe ze zich in een beschaafde wereld moesten gedragen, maar handelden vanuit hun naakte, gênante grillen en wensen van hun onbewuste, zonder met eigendommen of consequenties rekening te houden.

'Het akkoord is precies waar we op hoopten,' vertelde Joekin, die steeds vrolijker klonk. 'Dankzij jou heb ik alles wat ik wilde, alles wat ik nodig heb, en dat zul jij ook krijgen, zodra we dit achter de rug hebben, daar hoef je niet aan te twijfelen. Ik zal je vertellen waarom. Ken je die man nog die je hier in december hebt ontmoet, Kamirov?'

Die kende de generaal: een behaarde aapmens met afhangende schouders en bijpassende manieren. Brandt kon zich nog goed een diner met de twee mannen herinneren, op een ijskoude avond waarop het hevig sneeuwde. Hoe Kamirov uitgebreid had verteld over manieren om tegenstanders te breken, hoe zijn gezicht glom van het vet, hoe er stukjes rood vlees tussen zijn tanden zaten. 'De man die jij hebt geïnstalleerd als president van Tsjetsjenië.'

'"Moordzuchtige maniak" is een betere omschrijving,' zei Joekin. 'Ik heb hem daar neergezet omdat hij bekendstond als een sterke man en omdat ik de terroristische oproerlingen daar onder controle moest krijgen. Sinds hij aan het bewind is, heeft hij ervoor gezorgd dat een tiental ex-militairen, politieke dissidenten en hun lijfwachten werd vermoord. Overal doken lijken op – in Budapest, Wenen, Dubai – het werd gewoon gênant. De lokale politiemachten waren heel begrijpelijk woedend dat ze onze troep van hun straten moesten schrapen. Kamirov doet echter zo ontzettend goed zijn werk – het neutraliseren van de dissidenten – dat ik niet anders kan doen dan hem daar laten zitten. En wat dan nog? Dit soort mensen lijkt van vernietiging te houden. Het enige wat ik doe, is ze daarin tegemoetkomen.

Ik begin erover omdat Oost-Oekraïne in een ernstige economische depressie is beland; er zijn al rellen geweest, net als in Moldavië en Duitsland. Deze toenemende burgerlijke onrust is precies het excuus dat we nodig hebben om met onze troepen Noordoost-Oekraïne binnen te trekken en ze daar te houden. En na de ondertekening van het akkoord met de Verenigde Staten zal geen enkel land het in zijn hoofd halen om daar wat tegen te doen. Dankzij jou, generaal. Zoals de perschef van president Carson heeft verzocht, heb ik geregeld dat de formele ondertekening morgenavond om acht uur zal plaatsvinden, zodat het uitgebreid op de Amerikaanse televisie gebracht kan worden. Zodra we het akkoord voor duizend nieuwscamera's hebben getekend, zal je rol in ons kleine spel zijn uitgespeeld en zal je rekening in Liechtenstein vollopen. Vertel me eens, generaal Brandt, hoe voelt het om rijk te zijn?'

'Oriel Jovovitsj.'
Limonevs raspende stem bracht Batsjoek terug naar het heden, naar het interieur van de ijszaak, dat zeer deed aan zijn ogen.
'Wat een rare plek om af te spreken.'
'We gaan ook weg.' Batsjoek stond op. 'Ik heb een klusje voor je.' Zoals altijd werd hij somber van zijn herinneringen en had hij geen zin om te babbelen.
'Dat had je me op de gebruikelijke manier kunnen laten weten,' zei Limonev toen ze op de roltrap naar de ondergrondse garage stonden. 'Ik heb je het nummer van mijn nieuwe mobiel gegeven zodra die werkte.'
'Dit is iets anders,' zei Batsjoek zonder hem aan te kijken. 'Dit vereist een hoge beveiliging.'
Limonev zei niets meer tot ze tussen de rijen geparkeerde auto's door waren gelopen en comfortabel zaten in de luxe Mercedes-sedan van de vicepremier.
'Gaan we samen?'
'Het is een klus voor twee man.' Batsjoek stuurde de Mercedes het talud op en reed de drukke straat in. Twintig minuten op het verkeersslagveld, waar ze de ene keer als een slak vooruitkwamen en de andere keer op hoge snelheid door konden rijden, en ze waren eindelijk op de ringweg, die Batsjoek volgde tot hij naar het noordwesten kon afslaan, naar de achterbuurten en het Skol'nikipark. Hij parkeerde de auto aan het begin van het park en ze liepen naar binnen, naar een lage glooiing bij het meer dat bekendstond als het Poelaevskijemeertje. Het was veel te koud

en het sneeuwde veel te hard voor de gewelddadige benden en de ver-slaafden. Dit gedeelte van het park was dan ook totaal verlaten. De sneeuw viel met bakken uit de porseleinen lucht en werd door vochtige windstoten opgeblazen, waardoor het leek of de sneeuwvlokken groter en zwaarder werden, alsof ze van bevroren water veranderden in zilveren of glazen tegeltjes.

Bij de rand van het meertje keek Batsjoek op zijn horloge. 'Hij zal zo wel komen. Hij had ook nog een afspraak aan de andere kant van het park.'

Limonev keek naar de sneeuw. 'Misschien komt hij niet in dit slechte weer.'

'Het weer interesseert hem geen bal.'

'Ik moet het doel kunnen herkennen.' Limonev keek even rond om er zeker van te zijn dat ze alleen waren. 'Zoals gebruikelijk is een foto van hem het beste.'

'Natuurlijk.' Batsjoek haalde een foto uit het borstzakje van zijn zwart-leren trenchcoat. 'Ik wil dat je deze man vermoord.'

Limonev keek naar de foto van Riet Medanovitsj Boronjov. Hij stond er met dichte ogen op en zijn gezicht was wasachtig grijs. Er zaten bloed-vlekken op zijn oogleden en op een wang.

Batsjoek had zijn MSP-pistool met korte loop en ingebouwde geluids-demper al getrokken, drukte het tegen Limonevs borst en schoot een paar keer.

Limonev verloor zijn evenwicht en viel voor Batsjoek op zijn knieën. Met een trillende hand zocht hij naar zijn eigen pistool, maar met een nonchalant gebaar sloeg Batsjoek dat weg.

'Helaas heb ik je die opdracht ook al veertien maanden geleden gege-ven.' Batsjoek pakte de kin van de moordenaar vast. 'Hoeveel?' vroeg hij. 'Hoeveel van die oligarchen leven er nog?' Hij trok Limonevs hoofd omhoog en keek in diens bloeddoorlopen ogen. 'Charkisjvili, Malenko, Konarev, Glazkov, Andrejev… je zei dat je ze allemaal had vermoord. Heb je dat ook gedaan, of zijn ze net zo levend als Boronjov nog een paar uur geleden was?'

Limonev likte over zijn lippen, deed zijn mond open en spuugde Batsjoek in zijn gezicht. Met een kreet van afschuw duwde Batsjoek Limonevs hoofd opzij en schoot met de MSP keurig tussen zijn ogen.

'Ik geef nooit hetzelfde bevel twee keer,' ging hij verder, alsof de ander nog steeds leefde. Hij stopte de MSP weer in zijn zak, gooide het pistool van de andere man in het meertje, trok de foto tussen Limonevs vingers uit, sleepte hem naar het water en liet hem daar liggen.

'Als het waar is dat Goerdjiev en ik elkaar niet mogen,' zei Charkisjvili, 'dan is het ook waar dat we alleen maar respect voor elkaar hebben.'
'Vertel me eens,' zei Jack, 'wie de leider van AURA is; u, Magnussen, wie?'
'Er is geen leider. We nemen besluiten op basis van consensus.'
'Dat klinkt heel omslachtig en onpraktisch,' zei Annika sceptisch. 'Kijk maar naar de Verenigde Naties, die vreten ontzettend veel tijd en geld op, zonder veel voor elkaar te krijgen.'
Charkisjvili wreef met zijn vingertoppen over zijn voorhoofd. Een teken van ongeduld of van boosheid. 'We zijn de Verenigde Naties niet, en ik verzeker jullie dat ik niet van plan ben om karaktermoord te plegen. AURA zou zonder jouw Djadja nooit hebben bestaan, zonder hem zouden de andere oligarchen en ik nooit hier zijn en we zouden waarschijnlijk allang niet meer leven als hij niet de gevaarlijke taak op zich had genomen om ons van tevoren te vertellen dat de FSB ons zocht.' Zijn ogen lagen nog dieper in hun kassen dan gewoonlijk en stonden behoedzaam en verdrietig. 'Ik weet dat Batsjoek hem over die FSB-actie had verteld en ik wil ook heel duidelijk maken dat ik me totaal niet kan voorstellen hoe hij zo succesvol dubbelspel heeft kunnen spelen.'
'Dat is nog maar een deel van zijn talenten,' zei Annika trots. 'Maar ik vind het raar en niet productief werken dat jullie moeilijk doen over iemand die jullie dergelijke essentiële informatie heeft doorgespeeld.'
'Vergeef me dat ik het zeg,' zei Charkisjvili, 'maar het is de andere relatie die me dwarszit.'
'Ik vergeef u. Maar u had er geen probleem mee toen de informatie die hij van Batsjoek kreeg uw leven en dat van de andere oligarchen redde. Hij zou ter plaatse zijn geëxecuteerd als Batsjoek erachter was gekomen.' Ze ging dichter bij Charkisjvili staan en zei boos: 'Trouwens, ik vraag me af wat AURA zou hebben gedaan als hij Magnussen en zijn internationale staf van ingenieurs en experts er niet bij had gehaald om te onderzoeken of exploitatie van de uraniummijn haalbaar was.'
Jacks ogen werden wazig toen zijn hersenen begonnen aan een andere kijk op de puzzel, die zichzelf leek op te lossen vanaf het moment dat Edward hem had verteld van Lloyd Berns' dood op Capri, terwijl die geacht werd hier in Oekraïne te zitten. Voor het eerst begreep hij dat er een mogelijkheid was, dat het zelfs waarschijnlijk was, dat er binnen

AURA een dubbelagent werkzaam was, en als dat zo was, dan had hij een vermoeden wie dat was, hoewel er iets nog niet klopte. Hij wist dat hij meer informatie nodig had voordat hij iemand van dingen kon beschuldigen die gevolgen konden hebben voor Alli en hem.

'Denk je dat hij het geloofde?' vroeg Miles Benson, die een hand op de trillende flank van de labrador had gelegd.

Morgan Thomson blies in zijn koude handen. 'Ik ken Dennis Paull. Hij houdt van Edward Carson. Hij zou zichzelf voor een bus werpen om te voorkomen dat die man iets zou overkomen.' Hij verplaatste het geweer van zijn ene naar zijn andere schouder. 'Of hij ons wel of niet gelooft, weet ik echt niet. Maar dat is niet belangrijk, belangrijk is dat hij Carson heeft gebeld.'

De twee mannen zaten gebukt onder een door hen zelf gemaakt rieten afdak aan de oostelijke kant van het domein van Alizarin Global en wachtten geduldig op het aanbreken van de dag en op de eenden die dan zouden komen. Voor hen was de eendenjacht meer dan een plezierig tijdverdrijf. Het was een manier om stoom af te blazen, een manier om zich los te maken van hun drukke werkzaamheden. Andere mannen hadden wellicht een duur bordeel opgezocht of misschien iets nog exotischers, maar deze twee hadden uitgebreide ervaring met mogelijke valkuilen. Hoeveel beeldende, zelfs obscene, incriminerende bewijzen deze twee door de jaren heen over hun vijanden hadden verzameld, was iets voor statistici.

'De generaal is over zijn houdbaarheidsdatum.' Benson keek naar een rozerode streep in het oosten.

'Niet helemaal. Hij was vanaf het begin het spoor.' Ondertussen legde Thomson zijn geweer op zijn schouder en richtte. 'En nu wordt hij onze zondebok.' Hij haalde de trekker over, de vogel viel als een baksteen uit de lucht en de labrador schoot er als een speer op af. 'Ons slachtoffer.'

'Ik zou me een stuk beter voelen,' zei Benson, turend à la Clint Eastwood, 'als we eindelijk wat hoorden van onze man ter plaatse.'

'Die heeft instructie om communicatiestilte in acht te nemen zodra hij op zijn plek is aangekomen.'

'Ja, maar ik wil dat deze laatste obstakels worden geregeld.'

Thomson zag met plezier de hond met de eend in zijn bek terugkomen. Er zat bloed om zijn bek en in zijn ogen brandde het vuur, omdat hij iets deed waarvoor hij was geboren, waarvoor hij was getraind. Toen het beest de eend voorzichtig aan Thomsons voeten legde, zei die: 'Jij maakt je veel te druk.'

'Ik word betaald om me te druk te maken,' zei Benson zuur.

Terwijl Annika met Magnussen en Charkisjvili praatte, liepen Jack en Alli door het landhuis. Een paar uur geleden was de AURA-bijeenkomst afgelopen. Sinds zijn gesprek met Edward Carson was Jack aan het proberen alle losse stukjes tot een coherent geheel te maken; hij wist dat het eraan kwam, hij voelde het groeien. Het probleem was dat het voorlopig nog steeds van vorm en omvang veranderde.

Door de jaren heen had hij gemerkt dat zijn hersenen het best werkten als hij wandelde of at, automatische handelingen waardoor zijn hersenen de schijnbaar losse stukjes informatie die hij had opgepikt, konden systematiseren en herschikken. Zowel Edward als AURA oefende veel druk op hem uit om een oplossing te vinden voor de escalerende crisis, maar hij had Magnussen en Charkisjvili laten beloven hem met rust te laten tot hij hen nodig had.

'Jack,' zei Alli. 'Ik heb honger.'

Hij knikte. 'Ik ook. Kom, we gaan de keuken zoeken.'

Verbeeldde hij het zich of was ze inderdaad de laatste paar dagen gegroeid, zag ze er beter uit en waren haar laatste kinderlijke trekken verdwenen door de heftige gebeurtenissen in de korte tijd dat ze samen waren? Het leek wel of ze een onzichtbare deur had ontsloten en het heldere daglicht – of in dit geval het heldere lamplicht in het landhuis – in was gestapt, waardoor ze zichzelf liet zien in plaats van zich terug te trekken in de schaduwen van haar ellende en angst.

Net als alles in het landhuis was de keuken groot. Rond de maaltijden was het er een drukte van belang; nu liepen er slechts een souschef en twee bedienden, die ook in de keuken hielpen. Ze bespraken de recepten van de volgende dag en schonken amper aandacht aan Jack en Alli, maar toen ze naar de enorme dubbele koelkast liepen, kwam de souschef naar hen toe en vroeg wat ze wilden eten. Er was nog genoeg over van het diner. Geen van beiden wilden ze het vettige voedsel, dat ze ook aan tafel amper hadden aangeraakt, en ze vroegen allebei een groenteomelet.

Er stond een houten tafel, waaraan – zo vermoedde Jack – de keukenstaf op rare tijden at. Alli en hij gingen eraan zitten. De souschef brak eieren in een roestvrijstalen kom en begon die te kloppen met wat water en dikke room.

'Wat vond jij van de bespreking?' vroeg Jack aan Alli.

'Die slonzige Rus naast wie ik zat, die Andrejev, wilde dat ik vanavond naar zijn kamer kwam, omdat ik nog leefde dankzij Ivan Goerov,' vertelde ze.

Vasily Andrejev, met de huidskleur van stopverf of niervet en de zwarte kraalogen van een enge pop die voor nieuw speelgoed aan de kant was geschoven, was blijkbaar op wraak uit.

'Je hoeft me niet zo aan te kijken, hoor. Ik kan heel goed op mezelf passen.' Ze wierp haar hoofd in haar nek. 'Ik sloot hem buiten door te denken aan wat jij eerder had gezegd en ik weet nu dat je gelijk had. Ik had het zo druk met over mijn schouder kijken of de dood achter me stond, dat ik al half dood was. Toen ik gevangenzat... die week had net zo goed een maand of een jaar kunnen zijn; ik had geen idee meer van tijd, maakte me los van het heden, of misschien van de tijd zelf. Niets voelde goed. Er waren momenten dat de tijd in een ijzig langzaam tempo voorbijging en op andere momenten was het net alsof de uren seconden waren.'

Jack zette zijn ellebogen op tafel en luisterde geconcentreerd naar wat ze zei. Verder kon niemand hen horen, boven het gespetter van de eieren in de pan uit.

'Toen ik naar Milla Tamirova's appartement ging, naar die kerker, en in die stoel met boeien zat, realiseerde ik me dat ik dat gevoel van buiten de tijd te staan, van tijdloosheid, was blijven houden in de maanden nadat je me had gered. Ik denk nu dat het voorbij is, ik wil nu vooruitkijken, wil het nieuwe beleven. Ook het oude, trouwens, wat nieuw voor me zal lijken. Net zoals ik doe sinds we hier zijn.'

De eieren werden gebracht op dikke plakken Oekraïens roggebrood. De souschef zette de borden voor hen neer, legde er bestek bij en ging thee voor hen halen uit een grote, rijkbewerkte samowaar die in een hoek van de keuken stond.

Alli pakte haar vork en viel op de eieren aan. 'In dat gesprek over mijn bleke huid drong het ineens tot me door dat ik me sinds Emma's dood alleen maar gelukkig voel – echt gelukkig – als ik bij jou en Annika ben. De adrenaline die nu door mijn bloed raast, doet het verleden verbleken, in elk geval voor korte tijd, en brengt ook mijn gevoel voor tijd en plaats terug.'

Jack kauwde op het brood, dat zeer smaakvol was, een beetje zurig, met wat zoute boter erop. 'Je voelt je nu meer jezelf.'

'Dat weet ik niet, want ik begon er pas net achter te komen wie ik was, toen Emma doodging.' En ze ging nadenkend verder: 'Ik voel me anders, alsof ik alle zandzakken in de luchtballon eruit heb gegooid en nu omhoogga naar...'

'Ja, waarnaartoe?'

'Dat weet ik niet precies, maar ik denk dat ik een soort gave heb. Als ik luister naar hoe jij met andere mensen praat, of als ik ze met elkaar hoor praten en als het gesprek lang genoeg duurt, dan begrijp ik wat ze bedoelen. Niet wat ze zeggen, maar wat ze proberen te zeggen of – en dat gebeurt veel vaker – wat ze proberen te verbergen. En volgens mij werkt het zo dat hoe langer het gesprek duurt, hoe duidelijker hun echte bedoelingen worden, of misschien bedoel ik hoe belangrijk hun leugens voor hen zijn. Snap je wat ik bedoel?'

'Ik denk het wel.' Jack verslond de omelet. 'Maar geef me toch maar een voorbeeld.'

'Oké. Even denken...' In gedachten verzonken wreef ze over haar gezicht. 'Oké, over die Rus die naast me zat...'

'Andrejev, de wellustige.'

Ze lachte. 'Klopt. Nou, toen ik tegen hem zei dat we Djadja Goerdjiev hadden ontmoet, begon hij over hem te vertellen, en hoewel hij niets negatiefs vertelde – integendeel – begon ik te voelen dat hij loog, dat hij hem helemaal niet mocht, en toen hij Charkisjvili noemde – heel terloops – wist ik gewoon dat die met hem op één lijn zat.'

Jack dacht aan zijn laatste gesprek met Charkisjvili, toen de man had ontkend dat er wat voor rivaliteit dan ook tussen hem en Goerdjiev bestond. Als Alli gelijk had, dan had Charkisjvili opzettelijk tegen hem gelogen en lag het binnen AURA veel gecompliceerder dan ze hem wilden laten geloven, wat waarschijnlijk zou leiden tot problemen met deze mensen als hij met een oplossing zou komen om Joekins plan te dwarsbomen. Hij besloot haar gave zo snel mogelijk te testen.

Op dat moment kwam Charkisjvili de keuken binnen en pakte een flesje bier uit de koelkast. Hij knikte stijf, bijna formeel, naar Jack.

'Ik wil die man een paar vragen stellen,' zei Jack, en hij stond op. 'Ik ben zo terug.'

Hij was ongeveer halverwege op weg naar Charkisjvili, die met een opener de dop van het bierflesje verwijderde, toen de vloer onder zijn voeten begon te bewegen. Hij zette snel een stap om zich te corrigeren, maar voelde zijn knieën knikken. Hij begon te vallen, en nog voor hij de vloer raakte, hoorde hij Alli gillen. Daarna dook hij de vergetelheid in.

27

Het gebeurde niet vaak dat Djadja Goerdjiev aan Nikki dacht, in feite gingen er soms maanden voorbij dat hij niet aan haar dacht. Toch was ze altijd bij hem in de buurt. Hij dacht nu aan haar, nu hij uit het vliegtuig stapte op Simferopol. Hij had geen geheim gemaakt van zijn plannen, had de stoel en de reis onder zijn eigen naam geboekt. Hij hoopte dat Oriel Batsjoek hem zo makkelijker zou kunnen volgen; hij wilde niets doen om de acties van zijn vijand te belemmeren.

Goerdjiev nam rustig de tijd om zijn weekendtas van de bagagecarrousel te pakken, naar de langetermijnparkeerplaats te lopen en in de auto te stappen die hij daar altijd liet staan als hij terug naar Kiev moest, of af en toe naar Moskou. Het was een oude Zil, die elke keer als hij op de rem trapte akelig piepte, maar hij hield van de auto. Die rook naar thuis.

Hij kon Nikki niet uit zijn hoofd krijgen, maar misschien wilde hij dat ook niet, omdat het denken aan haar hem ook aan Batsjoek deed denken. Hij herinnerde zich nog akelig goed de keer dat Batsjoek Nikki voor het eerst had gezien, want dat was het moment dat de dood zich aan hem had vastgeklampt. Vanaf dat moment volgde een donkere schaduw Batsjoeks kielzog. Andere mensen zouden het intimiderend hebben gevonden, maar Goerdjiev was niet zo makkelijk voor de gek te houden en als hij in Batsjoeks ogen keek, zag hij alleen maar rampen en dood.

Van tijd tot tijd had hij Nikki's naam genoemd tegenover Batsjoek – er waren tenslotte gelegenheden waarbij dat onontkoombaar was – maar hij had zich in allerlei bochten gewrongen om te voorkomen dat ze elkaar ontmoetten. Hij had alleen met Batsjoek afgesproken om bij hem thuis te komen dineren op de dagen dat hij zeker wist dat Nikki bij haar vriendinnen zou zijn, of later bij Aleksej Mandanovitsj Dementiev, die hij op een galabal in de Staatsopera aan haar had voorgesteld. Destijds had hij er geen idee van of ze elkaar aardig zouden vinden, maar hij was intens opgelucht geweest toen dat wel het geval bleek te zijn, en pas toen Aleksej om haar hand had gevraagd, had Goerdjiev toegestaan dat Batsjoek een glimp van haar opving.

Feitelijk had hij hun ontmoeting volledig georkestreerd. Hij had ervoor gezorgd dat Batsjoek Nikki en Aleksej samen zou zien, zou zien hoe verliefd ze waren en zou begrijpen dat – ongeacht wat hij van Nikki vond – die weg voor hem gesloten was.

Nu, rijdend van het vliegveld naar de Krim, kon Goerdjiev amper nog geloven hoeveel moeite hij had gedaan om Nikki en Batsjoek uit elkaar te houden. Was het een droom geweest, een voorgevoel of intuïtie? Hij wist het niet meer. Maar volgens hem was hij een keer midden in de nacht wakker geworden met het beeld van Nikki en Batsjoek op zijn netvlies. Nikki, die ontroostbaar en verbitterd huilde. Het was alsof hij een glimp van een tragische toekomst had mogen zien zodat hij kon voorkomen dat die zou plaatsvinden. Hij kende Batsjoeks voorliefde voor vrouwen, wist precies waar hij graag naar keek en wat hij wilde voelen, en Goerdjiev wist absoluut zeker dat Nikki bij hem in de smaak zou vallen. Wat zij van hem vond, wist hij niet, maar hij had telkens en telkens weer gezien dat Batsjoek dat wat hij wilde volgde, vasthoudend achtervolgde, onverbiddelijk achtervolgde tot hij het had. Misschien was het wat overdreven, maar Goerdjiev was tot de overtuiging gekomen dat er eigenlijk geen vrouw bestond die Batsjoek had willen hebben en niet had gekregen. Lange ervaring had hem geleerd dat hij Batsjoek het beste met cynische ogen kon bekijken, omdat Batsjoek op zijn allergevaarlijkst en het meest onoprecht was als hij heel oprecht deed.

Zonder dat het volledig tot hem doordrong, draaide hij de snelweg op. Zijn gedachten waren nog steeds bij die ontmoeting, toen hij die vreselijke uitdrukking op Batsjoeks gezicht zag verschijnen terwijl hij toekeek hoe Aleksej voor die juwelierswinkel in het winkelcentrum Nikki rondzwierde. Jezus christus, dat was bijna het allerergste moment uit mijn leven, dacht Goerdjiev. Hij wenste bij wat voor god er ook mocht bestaan dat alles anders was gelopen.

Terwijl hij naar Nikki keek, had Batsjoek een engelachtige blik in zijn ogen gekregen, alsof hij van binnenuit werd verlicht door een etherische gloed. Goerdjiev wist dat die blik hoe dan ook moeilijkheden betekende, maar hij drukte die gedachte weg, net zoals mensen met nachtmerries of slechte verwachtingen doen: hun hersenen staan die gewoon niet toe. Het was te vergelijken met nadenken over je eigen dood, het onbegrijpelijke eind van alle bekende en prettige dingen: het was simpelweg veel te eng om aan te denken. Een of andere heilzame circuitonderbreker in de hersenen sloot die mogelijkheid af of schoof die zo diep weg in het rijk der fabelen dat ze uit het bewustzijn verdween. En dat was precies wat er met Goerdjiev gebeurde toen hij zag hoe Batsjoek naar Nikki keek. Een deel van zijn hersenen zette de knop om en zei: *Nee, nee, nee. We gaan verder met het heden, met het tastbare, met het nu.* En de twintig minuten daarna hadden de twee mannen het over hun plannen alsof er niets vervelends was gebeurd.

Toch was dat wel gebeurd, dacht Goerdjiev terwijl hij snel naar de kust reed, met daarachter de razende en troebele Zwarte Zee. Het boosaardige zaad was gezaaid, ondanks al zijn moeite om dat te voorkomen, en was meteen ontkiemd, opengesprongen en tot leven gekomen in de vruchtbare aarde van Batsjoeks geest.

Goerdjiev naderde de kust met daarboven de hoog hangende, donkere, paarsige wolken, die trilden van bliksem en regen. Hij hoefde niet in zijn achteruitkijkspiegeltje te kijken om te weten dat hij werd gevolgd. Dat had hij al gevoeld vanaf het moment dat hij op het vliegveld aankwam. Het bekende gevoel dat elke beweging van hem in de gaten werd gehouden. Ergens achter hem reed nog een auto, daar was hij zeker van. Hij werd gevolgd. Of door Batsjoek of door iemand die Batsjoek in zijn zak had zitten.

Een blik in het spiegeltje zou hem genoeg vertellen. Hij kende Batsjoek zo goed dat hij hem zelfs zou herkennen tussen de regendruppels op de voorruit door. Maar hij hield zijn ogen op de weg voor zich, die door het hellende landschap slingerde naar de opdoemende kliffen. De waarheid was dat hij liever niet keek, liever niet wist wie er achter hem aan reed, liever één ding niet wist. Want de rest lag voor hem alsof het al gebeurd was, alsof hij vastzat in een baan die naar een tragische eindbestemming leidde, ongeacht hoe hij ook zou proberen zich eruit te draaien of ertegen te vechten.

Een kwartier nadat Dennis Paull met Claire naast zich en Aaron knikkebollend op de achterbank van het terrein van Alizarin Global was weggereden, zag hij een plek naast de weg waarvan hij zeker wist dat op dit tijdstip, zo laat in de avond of vroeg in de ochtend, niemand hen in de gaten kon houden. Hij stapte uit, liep naar de achterkant van de auto en maakte de kofferbak open. Hij startte de laptop op en ontdekte binnen een paar minuten dat die gehackt was. Dankzij de voorzorgsmaatregelen die hij had geïnstalleerd, waren de elektronische vingerafdrukken van de hacker overal zichtbaar. Paull wist dat hij alle informatie op de harde schijf had gekopieerd.

Dat vond hij niet erg, hij had niet anders verwacht. In tegenstelling tot wat hij tegen de president had gezegd, had hij onveilige servers gebruikt om informatie te verzamelen. Hij had keiharde bewijzen nodig over de identiteit van de man in Carsons vriendenkring die geheime informatie doorspeelde naar Benson en Thomson, en als hij zelf geen tijd had om die boven water te krijgen, dan moest de boosdoener het maar doen. Toen hij die ochtend uit het Residence Inn vertrok, wist hij al dat vroeg of laat iemand hem zou volgen. Daarom had hij al dagen eerder deze dummylaptop in zijn kofferbak gelegd. Zijn echte laptop, die met alle gehackte informatie erop, lag in een geheime bergplek achter het reservewiel, die hij nu openmaakte in het licht van het kleine, zwakke lampje aan de binnenkant van het kofferdeksel.

Hij startte deze ook op en deed er een 3G WiFi-kaart in. Praktisch meteen werd zijn afgeschermde privénetwerk geactiveerd. Hij ontving zelfs hier een duidelijk signaal. Hij voegde informatie toe en stelde de parameters van meerdere internetzoekopdrachten in waar zijn automatische software mee moest werken, klapte de kofferbak dicht en ging weer achter het stuur zitten.

'Ik beloof dat we morgen iets gaan doen om het te vieren.' Hij zei het tegen de knikkebollende Aaron, maar wist dat Claire begreep dat het voor hen beiden was bedoeld. 'Lijkt je dat wat, *kiddo*?' Toen Claire zo oud was als Aaron noemde hij haar kiddo.

'Zeker weten, opa.' Zijn kleinzoon keek gapend om zich heen. 'En waar gaan we het vieren?'

Paull grinnikte naar Aaron in zijn achteruitkijkspiegeltje terwijl hij de auto in de versnelling zette. 'Dat blijft nog even een verrassing.'

'Voordat ik jou en Aaron vanmiddag zag,' vertelde Paull, 'dacht ik dat het allemaal tussen mijn vingers door glipte. Alles wat ik ooit van het leven had gewild. Dat er voor mijn dood niets meer over was, niets om voor te leven. Iedereen had me al verlaten: je moeder, jij, en Aaron, die ik nog nooit had gezien.'

Ze zaten met z'n drieën in de grote kamer in het Mandarin Oriental hotel op Maryland Avenue, waar hij Claire en Aaron had ondergebracht en waar ze zo lang mochten blijven als ze wilden na de begrafenis. Zijn eerste reactie was geweest om hen uit te nodigen bij hem thuis te komen, maar zijn tweede gedachte was dat dit veel te aanmatigend was. Het huis waar Louise en hij – vooral Louise – Claire hadden grootgebracht, bevatte veel te veel herinneringen, goede en slechte. Hij voelde dat hij rustig aan moest doen.

'Maar je had je werk,' zei Claire zonder rancune nadat ze de deur van de slaapkamer, waarachter Aaron nu lag te slapen, had dichtgedaan, 'en volgens ons – mam en mij – was dat het enige wat je belangrijk vond en nodig had.'

Paull ging zwaar gebukt onder schuldgevoel. 'Tja, ik snap dat ik vaak die indruk moet hebben gewekt.' Hij pakte haar hand. 'Het spijt me verschrikkelijk, Claire.'

'Het hoeft je niet te spijten, opa.' Aaron stond in de deuropening en sprak op de ernstige toon van een achtjarige. Hij had een Buzz Lightyear-pyjama aan. 'Mama en ik zullen voor je zorgen.'

Claire barstte in lachen uit. 'O, Aaron.' Ze liep naar hem toe en gaf hem een zoen op zijn wang. 'Maar nu echt naar bed, lieverd.'

Paull beet op zijn tong om te voorkomen dat hij hardop zou zeggen wat hij dacht – nee, ik zal voor jou en je moeder zorgen – omdat hij wist dat Claire dat verschrikkelijk zou vinden. Hij moest eraan wennen dat ze volwassen was, dat ze een volwassene was die voor zichzelf kon zorgen. 'Zullen we de begrafenis van je moeder doorpraten? Ik wil een vroege dienst, want ik heb Aaron een feest beloofd.'

'Je bent veranderd.' Er klonk iets verwonderds in Claires stem door. 'Verbaasd?'

'Eerlijk gezegd wel, pa. Ik had niet gedacht dat je dat kon, of dat je dat wilde.' Ze zat in een met pluche beklede stoel. 'Wat is er gebeurd?'

'Ik ben ouder en wijzer geworden.' Hij zat op de hoek van de koffietafel, alsof hij haar wilde laten zien dat het haar kamer was, haar ruimte. 'Dat mag misschien makkelijk klinken, of als een cliché, maar in mijn geval is het waar. Ik denk dat ik eerst een bepaalde leeftijd bereikt moest hebben om te kunnen begrijpen wat ik miste, om te begrijpen wat ik verkeerd had gedaan, maar tot vandaag wist ik niet wat ik eraan kon doen.'

'Je bedoelt dat de president je niet zeven dagen per week vierentwintig uur per dag nodig heeft?'

'Klopt. Daar heeft hij Jack McClure voor.' Paull keek vluchtig naar de

slaapkamerdeur, die op een kier stond. 'En trouwens, als hij me nu nodig had, ben ik bij mijn familie.'

Hoewel dit zeker waar was, had hij helaas op dit moment niet alleen het
goedmaken met Claire en zijn kleinzoon aan zijn hoofd.

'Ik denk dat het tijd wordt dat je gaat slapen.'

'Ik ben niet moe.'

'Oké,' zei hij. 'Vertel me dan maar wat over je leven van de afgelopen
acht jaar.'

Zuchtend legde ze haar hoofd tegen de rugleuning van de stoel. 'We
wonen in Baltimore, wat ik niet echt prettig vind.'

'Waarom wonen jullie daar dan?'

'Ik heb daar een goede baan – echt een heel goede – en ik verdien goed.
Ik maak felicitatiekaarten die op internet worden verkocht.'

'Dat kun je toch overal doen. Waarom komen jullie niet hier wonen?'

Op het moment dat de woorden uit zijn mond kwamen, had hij er al
spijt van. Claires gezicht betrok en ze keek naar de dichtgetrokken gordijnen, waar nu elk moment het eerste daglicht tussendoor kon piepen.
'Ik weet niet of dat nou zo'n goed idee is, pa.'

'Natuurlijk. Stom van me. Aaron en jij hebben jullie eigen leven.'

'Maar we hebben niet veel familie, hè?'

Vader en dochter keken naar het kleine wondertje Aaron. Hij stond
weer in de deuropening, in zijn pyjama waarop TO INFINITY AND BE-
YOND! stond, en was blijkbaar veel te opgewonden van de lange dag en
alle gebeurtenissen om te kunnen slapen of in bed te kunnen blijven
liggen. Ondertussen bedacht Paull dat Claires zelfopgelegde ballingschap naar een stad die ze onprettig vond wellicht een soort straf was.
Niet alleen voor hem, maar ook voor haarzelf.

Hij dacht dat ze op het punt stond antwoord te geven, hij wilde dat ze
antwoord gaf, en op dat moment trilde zijn mobiel. Hij wilde het negeren, deed zelfs zijn best om het te negeren, maar nadat het was gestopt,
trilde de mobiel opnieuw, deze keer in een ander ritme, en hij wist dat
hij geen keus had. Hij excuseerde zich en liep naar de badkamer, maar
al voor hij daar was, had hij zijn mobiel gepakt en het sms'je gelezen.

Het was een van de drie berichten die hij had voorgeprogrammeerd
voor het geval er nieuwe informatie was gevonden door een van de drie
programma's die hij op zijn laptop liet draaien. Deze was van het zoekprogramma dat bezittingen controleerde en dat hij had helpen ontwikkelen. In tegenstelling tot de zoekprogramma's die gewone mensen ge-

bruikten, kon dit bedrijfsgegevens en andere verschijnselen doorspitten om achter de antwoorden te komen op vragen zoals Paull die avond als opdracht had opgegeven: wie is de eigenaar van de Alizarin Groep?

Het leek erop dat het programma in een duivels tempo door bergen documenten was geracet: dossiers, lege bv's die het spoor dood deden lopen, nepbankrekeningen enzovoort. Toch had het alles doorgeploegd, precies zoals hij het had opgegeven, en nu wist hij dat het privébedrijf het eigendom was van zeven partners. Hij had geen idee wat hij daarvan moest denken en hij kende maar één man die dat wel wist.

Oriel Batsjoek reed op een hem onbekende snelweg in de Krim en zou geschokt zijn als Goerdjiev niet zou hebben geweten dat hij gevolgd werd. Maar hij leek het niet erg te vinden en daar schrok Batsjoek wel van. Hij had geen idee waar zijn oude vriend en vijand naar op weg was, net zoals hij geen idee had waarom Goerdjiev Boronjov had doodgeschoten, een man die allang dood was, zo had Limonev hem verzekerd. Goerdjiev had tegen Batsjoeks mannen gezegd dat het opsporen van de voortvluchtige oligarch de reden was dat Annika in Oekraïne was, maar Batsjoek had dat fabeltje geen seconde geloofd. Goerdjiev had een plan, dat was zeker, en hij maakte zich er bezorgd over dat hij niet wist wat dat plan was.

Goerdjiev, altijd zo mysterieus, zo omzichtig, was nu helemaal niet zo. En wanneer mensen anders doen dan hun karakter is, beginnen de echte problemen pas goed. Dat had Batsjoek vaak genoeg ervaren, en de eerste keer dat het gebeurde, was met Nikki. Tijdens het twintig minuten durende gesprek met Goerdjiev was hij eerst razend geweest omdat Goerdjiev bewust een ontmoeting met haar had voorkomen, en daarna, toen het er toch van was gekomen, omdat hij hem met die aanstaande bruiloft om de oren sloeg. De wreedheid van Goerdjievs actie ontging hem niet en echo's van die belediging waren tot op de dag van vandaag te horen.

Die dag had Goerdjiev vanuit zijn karakter gereageerd, had hij meer via daden dan woorden laten merken dat Nikki onbereikbaar was, dat ze beter was dan Batsjoek en dus ook beter verdiende dan hij, namelijk ene Aleksej Dementiev.

Voor hem draaide de smerige Zil van de snelweg een B-weg op die naar de kust leidde. Batsjoek zorgde ervoor dat hij de auto niet uit het oog verloor; hij verwachtte een snelle ruil met een tweede auto, die met chauffeur ergens aan de kant van de weg zou staan te wachten, om zo zijn achtervolging in het honderd te sturen. Maar zo'n auto was nergens te zien.

Batsjoek keerde terug naar zijn overpeinzingen over het verleden. Destijds was hij al machtig genoeg om een onderzoek naar Dementievs leven te gelasten en indien nodig bewijzen te fabriceren die hem in diskrediet of achter de tralies zouden brengen. Maar Batsjoek was al snel tot de conclusie gekomen dat geen van die oplossingen voldeed, omdat Goerdjiev dan zou weten wat hij had gedaan en vervolgens niet alleen hem te na zou komen, maar ook Nikki voor altijd buiten zijn bereik zou brengen. Dat mocht hij niet laten gebeuren. In zijn verwarde toestand wist hij niet wat hij voor Nikki voelde, behalve dan een grote erotische aantrekkingskracht, maar hij wist wel dat hij haar wilde hebben, dat hij haar wilde neuken tot ze niet meer kon lopen. Dát wilde hij, hij kon aan niets anders denken. Hij had er geen idee van hoe groot de component wraak daarin was.

Doordat een windvlaag de regen wegzwiepte, kon hij de Zwarte Zee zien en dikke wolken die laag boven de horizon hingen. Niet voor het eerst overwoog hij de mogelijkheid dat Goerdjiev hem in een val lokte, dat het doodschieten van Boronjov en Goerdjievs opmerking tegen zijn mannen lokaas waren. Hierdoor moest hij aan hun laatste confrontatie denken, toen hij uit de schaduw van het gebouw waar Goerdjiev woonde was gestapt, ervan overtuigd dat hij in het voordeel was, en hun escalerende woede hem het ultimatum had ontlokt: '*Ik kwam om je te waarschuwen, of om preciezer te zijn; ik geef je de kans om Annika te waarschuwen. Ik ga haar opsporen, ik, ikzelf, niet iemand die ik heb ingehuurd of bevolen heb een klusje op te knappen. Ik ga dit persoonlijk doen, met mijn eigen handen.*'

En nu bedacht hij voor het eerst dat de val misschien al was dichtgeslagen, dat die wellicht zijn tanden al in hem had gezet op het moment dat hij naar Goerdjiev was gegaan om hem te vertellen dat zijn – hoe had hij het genoemd? – zijn verzoeningsoffer Annika deze keer niet zou redden. Was het mogelijk, zo vroeg hij zich nu af, dat het hele verhitte gesprek geregisseerd was door Goerdjiev? Hij was zeer zeker in staat tot een dergelijke machiavellistische strategie.

Het was een strategie die hij zelf jaren geleden had gebruikt bij Nikki en Aleksej Dementiev, in een andere, eenvoudiger wereld, alleen aangestuurd door emoties, zuiver of niet. Hij was uitgenodigd voor de bruiloft en hij was gegaan. Hij had een van zijn vele vrouwen meegenomen, welke wist hij nu niet meer. Hij kwam niet in de buurt van het huwelijkspaar. Het was niet verrassend dat Goerdjiev hem de hele avond in de gaten hield, maar al zou hij niet in de gaten worden gehouden, dan nog had hij die afstand bewaard als eerste stap van zijn strategie. Geduld was zijn bondgenoot als het om Nikki ging, dat voelde hij tot diep in zijn botten, hoewel zijn vlees elke keer dat hij haar zag in brand vloog. En toen ze midden op de dansvloer ging dansen, stond zijn hart bijna stil.

In de weken hierna deed hij absoluut niets anders dan zijn werk in Joekins schaduw en verzamelde, net als zijn mentor, meer en meer macht, terwijl hij steeds invloedrijker en belangrijker werd. Het duurde iets langer dan twee maanden na de bruiloft voordat hij erin slaagde op een zeer natuurlijke manier Aleksej Dementiev tegen te komen, zodat Goerdjiev geen verdenking zou gaan koesteren. Het was niet zo moeilijk geweest. Dementiev was staatsaanklager en zijn doen en laten was bekend bij een aantal ministeries waar Batsjoek op hoog niveau contacten had. Batsjoek had ervoor gezorgd dat Dementiev hem een verklaring afnam voor een belangrijke zaak die hij voerde voor Joekin. Daarna lunchten ze samen. Batsjoek had elk feit in Dementievs overheidsdossier van buiten geleerd en nodigde hem uit om eens te komen tennissen, een sport waar de jongeman gek op was, in een indoorcomplex dat door zijn club werd beheerd. Dementiev accepteerde de uitnodiging direct en op deze manier, en een paar andere die Batsjoek slim gebruikte, werden de twee mannen vrienden. En zo gebeurde het dat Aleksej Dementiev zelf Batsjoek aan Nikki voorstelde, toen hij hem een keer meenam voor het avondeten, de eerste van vele avonden die ze doorbrachten met z'n drieen – en soms met z'n vieren, want Batsjoek zorgde ervoor af en toe een vrouw mee te nemen – al etend, pratend en drinkend van de uitstekende wodka die Batsjoek altijd meenam.

Al vroeg in hun relatie, toen ze weleens wat waren gaan drinken na een partijtje tennis, had Batsjoek gemerkt dat de aanklager veel minder goed tegen alcohol kon dan hijzelf. Op een avond, acht maanden later, toen ze met z'n drieën waren, dronken ze zoveel dat Dementiev tegen middernacht bewusteloos raakte en Batsjoek Nikki moest helpen hem naar bed te brengen. Toen ze weer in de woonkamer terugkwamen, stonden er stapels vuile borden en glaswerk op hen te wachten. Batsjoek hielp met opruimen. Er was amper ruimte in de keuken en hun lichamen botsten regelmatig tegen elkaar.

Nikki was niet het soort vrouw dat met een vriend ging neuken terwijl haar echtgenoot uitgeteld in de kamer ernaast lag, dus Batsjoek probeerde het niet eens, hoewel hij al zijn wilskracht nodig had om haar niet te overweldigen en toe te geven aan het brandende verlangen dat jeukte als een allergie of een vergiftigingsreactie. Als het over het effect ging dat Nikki op hem had, was vergif geen overdreven woord. Als hij in haar buurt was – en later ook als hij niet in haar buurt was – voelde hij zich ziek, gedesoriënteerd en duizelig, alsof hij niet meer wist wie en waar hij was. Slechts als hij alleen met haar was en zo dronken dat hij zijn hart in zijn keel voelde kloppen, was hij prettig verdoofd. Maar daarna kwam de grijze ochtend en kromp zijn geest ineen bij de gedachte aan wat Aleksej Dementiev had en aan wat hij niet had, en dan kon hij zich er amper van weerhouden om zich de haren uit het hoofd te trekken.

Geduld! adviseerde hij zijn woedende deel. Geduld.

En toen, op een dag, werd zijn geduld beloond.

Batsjoek kwam met een schok in het heden terug toen hij Goerdjievs Zil een grindpad op zag draaien dat leidde naar een hoge muur waar een elektronisch hek in zat, dat voor de auto openging en onmiddellijk dichtging toen die erdoor gereden was.

Achter de muur, op een rotsachtig uitsteeksel, zag hij een groot, imposant landhuis staan, en hij wist dat hij daar naar binnen moest. Hij parkeerde zijn auto, deed de lampen uit en ging een plan bedenken.

28

Over de toiletpot gebogen kokhalsde Jack met tranende ogen. Zijn maag verkrampte nog steeds.

'Oké,' zei een stem achter hem, 'hij heeft nu alles eruit gegooid.'

Twee sterke handen trokken hem overeind en namen hem mee naar de wasbak, waar hij zijn mond spoelde en zijn hoofd onder het koude, stromende water stak. Vervolgens werd hij met een handdoek afgedroogd. Hij hoorde dat de wc werd doorgetrokken en kreeg de indruk dat het geluid heel lang doorging. Hij had een afgrijselijke smaak in zijn mond, deels mierzoet, deels zoutig. Hij moest ervan beven. Hij hoorde dat de wc-bril naar beneden werd gedaan en de handen brachten hem ernaartoe, zetten hem erop, sloegen een natte handdoek over zijn hoofd en legden een andere, opgerolde, ijskoude handdoek in zijn nek. Heerlijk.

'Zeg hun dat het goed met hem gaat,' zei de stem. 'Ik zal hem zo meenemen, een beetje geduld graag.'

Hij voelde zich ziek en was bekaf, alsof hij een bokswedstrijd van vijftien ronden achter de rug had waarin zijn middenrif systematisch blauw was gebeukt door Lennox Lewis. Hij trok de handdoek van zijn hoofd, keek op en zag Charkisjvili grinnikend op hem neerkijken en hem een glas water aanreiken.

'Drink, mijn vriend. Als je zo'n twintig minuten lang je maag hebt leeggekotst, moet je wel uitgedroogd zijn.'

Jack dronk het water op en voelde zich met elke slok beter. Maar zijn hoofd bonkte en zijn keel deed zeer. Hij gaf het glas terug, dat Charkisjvili uit een bijna volle kruik weer vulde.

'Wat is er gebeurd?' Zijn stem was een ijle, lelijke rasp, alsof zijn keel en stembanden verschroeid waren.

'Vergif. Je bent vergiftigd.' Weer vulde hij het glas, en hij gaf het aan Jack terug. 'Gelukkig was ik in de keuken toen het gebeurde. Ik heb wat verstand van vergif.' Hij grinnikte sinister. 'Je snapt wel, in mijn werk – waarvan het overigens voor ons allebei beter is dat je er zo min mogelijk van weet – moet je meerdere manieren kennen om de zaken aan te pakken.' Hij zwaaide met een vlezige hand. 'Het belangrijkste is dat ik je veel water met zout en suiker heb laten drinken, waardoor je alles uit je lijf hebt gegooid.'

'Ik kan me er niets meer van herinneren.'

'Dat kan ook niet, je was aan het ijlen, maar gelukkig niet bewusteloos.' Charkisjvili knikte. 'Drink dat nou maar op en betreed het land der levenden weer.'

Ineens verdreef angst de mist in zijn hoofd. 'Alli heeft hetzelfde gegeten als ik. Hoe is het met haar?'

'Prima. Ze is buiten. We hebben iedereen eruit gezet toen we het keukenpersoneel gingen ondervragen. Blijf alsjeblieft drinken.' Hij vulde Jacks glas weer. 'Het eten was niet vergiftigd. Het was je vork.'

'Hoe?'

'Arsenicum. Een oude, maar betrouwbare manier.'

'Wie? De souschef?'

Charkisjvili schudde zijn hoofd. 'Nee. Een van de assistenten. We hebben hem opgesloten.'

Jack dronk ook dit glas leeg. Hij voelde zich met de seconde beter. 'Hoe lang geleden werd hij aangenomen?'

'Dat heb ik aan Magnussen gevraagd. Zes dagen geleden.'

Charkisjvili bewees een goede man te zijn. Jacks hersenen, die hadden aangevoeld alsof ze in gelatine zaten, functioneerden weer. In elk geval goed genoeg om zich het gesprek met de president te herinneren, die hem had verzekerd dat het liquidatiebevel was herroepen en dat er geen overheidsagenten meer in het veld waren.

'Ik wil hem spreken,' zei hij. Hij stond op, zette twee wankele passen en ging gauw weer zitten.

Charkisjvili keek met gefronste wenkbrauwen naar hem, waardoor hij op de reus uit *Jack en de Bonenstaak* leek, en zei: 'Gezien jouw toestand vind ik dat niet zo'n goed idee.'

'Wil je alsjeblieft Ivan Goerov laten komen en dan de gevangene brengen?' zei Jack iets vastbeslotener. 'Er is geen tijd om ons bezorgd te maken over mijn toestand.'

Charkisjvili knikte en liep de kamer uit.

Toen vlak daarna Goerov zijn hoofd om de deur stak en vroeg hoe Jack zich voelde, zei Jack: 'Ivan, die moordenaar die ons hiernaartoe volgde, die jou bijna van de weg af reed, weet je iets over hem?'

'Ik heb het bij de paspoortcontrole op Simferopol nagevraagd. Hij heette Ferry Lovejoy.'

'Een voor de regering werkende legende.'

'O, zeker,' beaamde Goerov knikkend. 'Een valse naam die hoorde bij valse papieren die de Amerikaanse regering haar agenten overzee geeft. Maar nee, ik heb het bij de FSB in Moskou gecontroleerd. Geen meneer Lovejoy en niemand anders in hun database leek op de observatiefoto die ik van hem gemaakt heb.'

Jacks hersenen werkten op volle snelheid, zo hard dat hij er duizelig van werd. 'Dan is het ontzettend belangrijk dat ik met mijn beoogde moordenaar praat.'

'Meneer Charkisjvili heeft hem hier op de gang staan.'

'Mooi. Maar wil je eerst alsjeblieft Alli vragen of ze even komt.'

Terwijl Goerov Alli ging halen, legde Jack een hand op de porseleinen wasbak en duwde zichzelf omhoog. Even bleef hij wat wiebelig staan. Hij nam de tijd om zijn ademhaling onder controle te krijgen, zodat zijn hartritme weer normaal kon worden. Ondertussen bleven zijn hersenen op topsnelheid werken. Hij had nu bijna alle puzzelstukjes, maar hij moest nog belangrijke gaten vullen. Hopelijk lukte hem dat voor de deadline van morgenavond, of was het al de volgende dag? Hij keek op zijn horloge, maar zijn val had het glas versplinterd en het klokje liep niet meer.

Hij pakte zijn mobiel en zag dat hij een voicemailbericht had. Het icoontje erbij gaf aan dat het dringend was.

Alli omarmde hem. 'Is alles goed?' Ze was er al voordat hij de boodschap had kunnen lezen.

'Het gaat prima met me.'

'En waarom zit je dan nog steeds in de badkamer?'

Glimlachend zei hij: 'Dit is een perfecte verhoorkamer.' Hij trok haar dicht tegen zich aan. 'Nu moet je even goed luisteren. Zo meteen brengt Charkisjvili de man binnen die heeft geprobeerd me te vergiftigen en ik wil met hem praten. Jij kijkt en luistert goed, aangenomen dat hij praat, wat ik betwijfel. Maar dat geeft niet. Jij moet op zijn gezichtsuitdrukking en lichaamstaal letten, daar heb ik veel aan. Oké? Denk je dat je dat kunt?'

'Natuurlijk kan ik dat.' Haar ogen waren groot en omfloerst. 'Alleen… ik kan niet geloven dat je me dat toevertrouwt.'

Jack veegde haar pony van haar voorhoofd. 'Het is niet mijn vertrouwen dat je niet kunt geloven, het is het vertrouwen in jezelf.'

Even later kwam Charkisjvili binnen met een slungelige, donkerharige jongeman, die Jack herkende als een van de keukenhulpen.

'Dit is de klootzak,' meldde Charkisjvili, en hij duwde hem naar binnen. 'Hij zegt dat hij Vlad heet.' Hij keek even naar Vlad. 'Hij is in elk geval zeker een Oekraïner, zijn accent is overduidelijk.'

'Ga zitten.'

Toen Vlad geen aanstalten maakte, duwde Charkisjvili hem hardhandig op de toiletbril.

'Jullie mogen met me doen wat jullie willen, maar ik zeg geen woord,' zei de jongeman.

Jack negeerde dat. 'Vlad, ik ga je een verhaal vertellen. Het is lang geleden gebeurd, in de zeventiende eeuw in Italië. Een Napolitaanse vrouw, Toffana, maakte destijds een schoonheidsmiddel: Acqua Toffana. Het was een gezichtsverf die, zoals in die tijd de mode was, vrouwengezichten zeer bleek, bijna wit maakte. Dit Acqua Toffana bleek zeer populair onder de getrouwde vrouwen in die streek, die van Toffana de raad kregen om ervoor te zorgen dat hun mannen hen op beide wangen zoenden als ze die make-up op hadden. Nadat zeshonderd ongelukkige mannen waren gestorven en zo van hun vrouwen rijke weduwen hadden gemaakt, kwamen de autoriteiten er eindelijk achter dat arsenicum het voornaamste bestanddeel van Acqua Toffana was. Arsenicum gaf de witte kleur.' Hij haalde zijn schouders op. 'Maar aangezien je een expert op het gebied van vergiften bent, neem ik aan dat je de geschiedenis van arsenicum kent. Toch ben je niet deskundig genoeg, want ik leef nog.'

Hangend op zijn ongemakkelijke plastic zitplaats keek Vlad hem aan en probeerde ongeïnteresseerd over te komen. Zoals zijn beroep vereiste, had hij een onopvallend gezicht. Alleen zijn ogen sprongen eruit, zag Jack toen hij goed keek, die waren gelig en glommen als olie. Ze keken quasistoïcijns de wereld in, alsof ze wachtten op de vijand.

'Voor wie werk je?' vroeg Jack. Hij wachtte op een antwoord, maar Vlad zei niets. Uiterlijk was hij onverstoorbaar, rustig en vreemd genoeg totaal niet geschokt door zijn gevangenneming. 'Ik weet dat je niet voor de Amerikaanse regering werkt, Vlad, dus werk je voor de FSB?' Jack wachtte weer, zodat Alli een inschatting kon maken. 'Of is het de Veiligheidsdienst van Oekraïne?'

Weer wachtte hij. De stilte van Vlad was oorverdovend.

Ineens boog Jack naar voren, maar hij zorgde ervoor niet in Alli's beeld te gaan staan. 'Ik weet dat jij en Ferry Lovejoy voor dezelfde Dienst werkten.' Dat wist hij helemaal niet, maar hij wilde Vlads reactie zien en wilde dat Alli die reactie zag.

Vlad fronste overtuigend zijn wenkbrauwen. 'Ferry…? Ik ken niemand met die naam.'

Glimlachend liet Jack zijn tanden zien. 'Jij werkt voor Alizarin Global, net als Lovejoy, maar die is nu dood. Ivan Goerov blies hem van de weg toen hij hiernaartoe onderweg was, hè?'

Charkisjvili grinnikte onheilspellend. 'Absoluut.'

'Moet ik hier bang van worden? Want…'

'Oké. Dit waren genoeg formaliteiten.' Jack stond op. 'Ik heb geen tijd en geen zin meer om je verder te ondervragen, dus ik geef je over aan de Russen, Vlad. Die mogen je hebben. En geloof me, wat voor informatie je ook hebt, ze weten het uit je te krijgen.'

Jack knikte en Charkisjvili trok Vlad omhoog.

De angst flitste over Vlads gezicht. 'Jij gaat me niet aan de Russen geven, dat mag je helemaal niet.'

'Mag ik dat niet?' zei Jack, en hij benadrukte elk woord. 'Van wie niet? Van degene voor wie je werkt, hier, binnen AURA?'

'Het is Andrejev, hè?' Alli was naast Jack gaan staan. 'Jij krijgt je orders van Vasily Andrejev.'

Vlad spuugde op de grond. 'Vasily Andrejev is een oude gek.'

Charkisjvili sloeg hem hard tegen zijn achterhoofd.

'Hé, rustig aan,' zei Jack, maar Vlad had hem genoeg verteld. 'Neem hem maar mee,' zei hij tegen Charkisjvili.

Toen Alli en hij alleen waren, vroeg hij: 'En, wat zijn je observaties?'

Alli dacht even na. Jack zag geen spoor meer van de verwende, narcistische jonge vrouw die aan het eind van het jaar ervoor was ontvoerd.

'Ik zou zeggen dat hij voor een privébedrijf werkt.'

'En waar leek hij bang voor? Alles wat in je opkomt, graag.'

Alli keek geconcentreerd. 'Alleen al door dat "ik geef je over aan de Russen".'

Jack knikte. 'Dat was ook mijn indruk. Wat me vertelt dat het bedrijf waarvoor hij werkt niet Amerikaans is, in elk geval niet voornamelijk Amerikaans.' Hij glimlachte bemoedigend naar haar. 'Oké, wat nog meer?'

'Ik heb het idee dat hij Ferry Lovejoy echt niet kent, wie dat ook moge zijn.'

'De moordenaar die door Ivan Goerov is vermoord.' Jack was tot dezelfde conclusie gekomen. En wat of wie zou Jack tegenhouden om Vlad aan de Russen over te dragen?

'En hoe zit het met dat mysterieuze bedrijf dat ze gestuurd heeft?'

'Dat weet ik nog niet, maar daar kom ik wel achter.'

Djadja Goerdjiev parkeerde zijn gebutste Zil pal voor de voordeur van het landhuis op het moment dat het eerste vage ochtendlicht door de zwartblauwe nachtelijke donkerte brak. Hij stapte uit, rilde in de koude lucht en bereidde zich voor op wat hem te wachten stond.

Magnussen, Glazkov en Malenko waren naar buiten gekomen om hem te verwelkomen, maar – heel voorspelbaar – Chardisjvili niet. Ze waren duidelijk verbaasd over zijn onverwachte bezoek, maar begroetten hem hartelijk.

Terwijl hij naar de voordeur liep, leek het alsof hij het verleden binnenliep, terug naar het moment dat hij merkte dat Oriel Batsjoek absurd veel tijd bij Nikki thuis doorbracht. Dat was trouwens de reden geweest waarom hij die avond onaangekondigd was langsgekomen. Hij had gehoopt Batsjoek te verrassen en hem in het bijzijn van Nikki ronduit te vertellen dat hij weg moest blijven bij Aleksej en haar. Batsjoek had Aleksej heel makkelijk kunnen verleiden met zijn macht, privileges en lucratieve zaken, die goed waren voor zijn carrière. Dankzij Batsjoeks grootmoedige hulp had het echtpaar kunnen verhuizen van Aleksejs kleine slaapkamertje naar een grote, lichte tweeënhalve kamer in een luxegebouw op loopafstand van het Rode Plein. Goerdjiev had ook, een beetje tot zijn schrik, gemerkt dat Aleksej Engelse maatpakken was gaan dragen en dat Nikki zich kleedde naar de laatste westerse mode.

Die avond was Batsjoek echter nergens te bekennen en belandde hij in een gillende ruzie tussen Aleksej en Nikki. Eerst deed niemand open, maar toen hij bleef kloppen, trok een woedende Nikki de deur open.

Hij schrok ervan hoe ze eruitzag: een bleek gezicht met koortsige, felle bruine ogen. Door haar naar beneden getrokken mond wist hij dat ze haar woede niet kon verbergen of afzwakken. Ze had hem niet binnen willen laten, was de deur alweer aan het dichtdoen terwijl hij zijn voet op de drempel zette. Vervolgens leunde hij zwaar tegen de deur en toen die openzwaaide, stapte hij naar binnen.

Direct kwam Aleksej uit de slaapkamer rennen, waar hun ruzie blijkbaar was geëscaleerd in een keiharde woordenstrijd met scheldwoorden, beledigingen en beschuldigingen.

'Hij is het, hè!' gilde Aleksej. 'Hoe haal je het in je hoofd om hem binnen te laten?' Toen hij zag dat het Goerdjiev was die in de deuropening stond, draaide hij zich om, maar kalmeerde amper. 'Nou heb je je vader gebeld om jouw kant te kiezen.'

'Ik heb niemand gebeld, Aleksej.'

'Leugenaarster! Je belt Oriel constant!' gilde hij, en hij draaide zich weer om.

'Hij belt mij,' zei ze. 'Dat is niet hetzelfde.'

'Wel als je opneemt.' Aleksesj lippen lieten zijn tanden vrij.

'Jij maakt iets van niets.'

'Ontken je soms dat je hem elke dag ziet?' sneerde hij. 'Toe maar, ontken het maar, dat zou echt iets voor jou zijn. Ontken het maar, dan weet ik zeker wat voor vrouw je bent, want ik heb jullie samen gezien.'

'Heb je me bespioneerd?'

'Ik heb jullie samen zien lunchen, gezellig over de tafel gebogen, jullie hoofden raakten elkaar praktisch, dat heb ik zelf gezien en er waren nog meer aanklagers.'

'Aleksej, denk nou eens even na. Als ik een verhouding met Oriel zou hebben, zou een van ons dan stom genoeg zijn om elkaar in het openbaar te willen ontmoeten, laat staan in een restaurant waar jouw collega's altijd zitten?'

'Ik ken hem. Hij wil met jullie verhouding pronken, wil me vernederen, hij wil iedereen laten weten dat hij jou van me heeft afgenomen.'

'Je praat over me alsof ik een paard ben of een zak meel.'

Dat was het moment waarop Goerdjiev zich had omgedraaid en was weggelopen. Er zou niets goeds uit voortkomen als hij zich ermee ging bemoeien, tussen hen in ging staan, zeker niet nu de emoties zo hoog waren opgelopen. En toen hij uit het gebouw kwam en de verlichte koepels van het Kremlin zag, wist hij dat hij maar één ding kon doen.

'Is alles oké?' vroeg Magnussen, en hij bracht Goerdjiev met die vraag terug naar het heden. Ze stonden bij de voordeur. 'We verwachtten je niet.'

'Dat weet ik. Maar ik kon nergens anders naartoe.'

Batsjoek was al vlak bij het landgoed, toen hij een bewaker zag. De stenen muur om het landgoed heen was wel hoog, maar niet heel moeilijk om overheen te klimmen. Het was wel moeilijk om zijn silhouet onzichtbaar te houden. Er stonden geen bomen op de heuvel, er was geen struikgewas om zich achter te verbergen, maar het geluk was met hem, omdat er een lichte nevel vanaf het water over het land zweefde.

Toen hij zich van de muur liet vallen, hoorde hij in de verte honden blaffen, en zo roerloos als een rots bleef hij ineengedoken staan. Als er honden op het landgoed waren, zeker als het bloedhonden waren, dan was dat een probleem. Door de aanlandige wind hadden ze hem dan al geroken of zouden ze hem snel ruiken. Vlak bij het huis zag hij de Zil staan. Terwijl hij keek, zag hij een bewaker het huis uit lopen en de Zil naar een plek rijden waar al andere auto's stonden geparkeerd.

Zodra die bewaker weer binnen was, rende Batsjoek zo snel als hij kon zigzaggend, en nog steeds gebukt, naar de linkerkant van het landhuis. Die bereikte hij probleemloos, maar nu hoorde hij een heel koor van hondengeblaf, zo dichtbij dat hij het herkende als geblaf van Russische wolfshonden. Op zich zijn wolfshonden niet gevaarlijk, ze houden zelfs van mensen, maar ze zouden wel de mensen binnen alarmeren. Elk moment konden er nu bewakers naar buiten komen en met de honden het spoor volgen dat ze hadden opgepikt.

Hij kende het gevoel, hij had ook een hond achter zich aan gehad op de avond dat Nikki hem had verteld dat ze hem niet meer kon zien, dat Aleksej erachter was gekomen en een ontzettende ruzie had gemaakt. Ze vertelde hem onverbloemd dat hij weg moest blijven toen hij zei dat hij zou komen om ervoor te zorgen dat ze veilig was.

'Ik heb jou niet nodig om me veilig te voelen,' had ze tegen hem gezegd. 'Ik heb jou helemaal niet nodig.'

'Je hebt me wel nodig,' had hij keer op keer als een idioot herhaald, alsof hij zeventien was. 'Dat weet ik, Nikki, en wat je ook zegt, verandert daar niets aan.'

'Jij bent zo'n bedrieger,' gaf ze hem terug. 'Ik was gek, zwak en verdrietig, en op dat moment pakte jij je kans, je maakte misbruik van mijn situatie en hebt me overweldigd.'

'Ach, hou op, elke minuut ervan vond je prettig. Jij hebt mij overweldigd. Als ik het me goed herinner, lustte je er wel pap van.'

'Hou je mond, hou je mond, hou je mond,' had ze gegild, duidelijk geschrokken.

'Ik deed wat jij wilde dat ik deed, niets meer of minder.'

'Leugenaar! Het was wat jíj wilde!'

'Je kunt er niet tegen vechten, Nikki, ik snap niet dat je het nog probeert.'

'Idioot, omdat ik getrouwd ben.'

'Ga dan scheiden. Ik zal het makkelijk voor je maken.'

Ineens klonk ze wanhopig. 'Ik heb mijn leven, mijn hele hart aan Aleksej verpand. Snap je dat niet? Ach, ik denk van niet, waarom zou je? Jij hebt geen geweten, geen menselijkheid, je hebt geen hart, kent geen medelijden. Jij wilt hebben wat je hebben wilt, daar komt het op neer.'

'Waarom ben je dan voor me gezwicht? Waarom kreunde je van wellust, elke keer weer?' Hij had het laatste woord amper uitgesproken, toen ze ophing.

Een uur later stond Goerdjiev voor zijn deur en hij moest hem wel binnenlaten, omdat Goerdjiev wist dat hij thuis was en omdat hij als hij het geklop op zijn deur zou negeren, een gevangene in zijn eigen huis zou worden. Hij was heel machtig, dat was waar, maar dat was Goerdjiev ook. Hij had geen zin in een complete oorlog, die aan hun beider politieke carrière een einde zou maken. Daarvoor stond er veel te veel op het spel. Dus deed hij de deur open en onderging gelaten zijn straf, de regelrechte vernedering, de beledigende woede, het huilen van een beest dat voelt dat zijn nageslacht wordt bedreigd.

Zichtbaar aangeslagen, maakte hij geen ruzie, hij berustte. Wat Goerdjiev van hem wilde, deed hij zonder geruzie en zonder protest. Hij liet hem zijn veldslag winnen, schortte de oorlog even op, liet alle spelers bevriezen op hun plek tot het moment dat hij zou aangeven dat de volgende slag kon beginnen.

De honden wachtten echter niet. De wolfshonden drongen tussen de zorgvuldig bijgehouden struiken – gebeeldhouwde buxusboompjes en dwergmispel, zo kort geknipt als het haar van een generaal – tot waar Batsjoek gebukt had staan luisteren, maar daar stond hij al niet meer. Dus renden ze verward rond, blaften en jankten; hun neus zat vol van zijn geur en toch wisten ze niet waar ze naartoe moesten gaan.

'Vast weer die das,' zei een van de bewakers nadat hij en zijn makkers het struikgewas grondig hadden doorzocht, 'of misschien deze keer een stinkdier.'

Jack beëindigde net zijn gesprek met Dennis Paull, had eindelijk tijd gevonden om zijn dringende voicemail te beantwoorden, toen hij Annika zag. Ze stond bij de voordeur te praten met nota bene Djadja Goerdjiev, die blijkbaar net binnen was gekomen, want hij had zijn

waterdichte overjas nog aan. Op dit tijdstip, terwijl het nevelige ochtendlicht langzaam naar het landhuis kroop, had iedereen al uren in zijn
of haar bed moeten liggen, in deze kleine uurtjes moeten slapen, nu het
platteland nog rustig en traag was, moeten dromen van gisteren of overmorgen, als de verdrietige hartenkloppen eindelijk tot rust kwamen, als
er hoop kwam. Maar Vlads aanslag op Jack had het hele leven in het
landhuis op zijn kop gezet. Op aandringen van Charkisjvili hadden de
bewakers de bewoners naar buiten gebracht, terwijl Ivan Goerov en zijn
mensen het keukenpersoneel ondervroegen en Vlads verraad ontdek-
ten. Daarna was iedereen rillend, koud en geschrokken weer naar binnen gegaan, naar de bibliotheek, waar ze glazen slivovitsj achterover-
sloegen en elkaar in de gaten hielden.

Jack vertelde Paull waar hij was en zei voordat hij een einde aan het
gesprek maakte: 'Nu kunnen mijn would-be-NSA-moordenaars hun
kwaliteiten voor iets goeds inzetten.'

Djadja Goerdjiev zag Jack, en Annika draaide zich om, rende naar hem
toe, sloeg haar armen om hem heen en hield hem dicht tegen zich aan.
'Ik was zo bang,' fluisterde ze in zijn oor. 'Zo verschrikkelijk bang dat
het ze gelukt was.'

'Ze?' Hij hield haar op armlengte van zich af. 'Wie bedoel je?'

'De Amerikanen, natuurlijk.' Haar groene ogen keken hem oprecht
aan. 'De macht van de Izmajlovskaja reikt niet tot aan de Krim. Voor
hen ben je hier veilig, maar blijkbaar niet voor je eigen verachtelijke
landgenoten.'

Ze had hem in gevaar gebracht toen ze hem in dat steegje achter de
nachtclub in Moskou had gelokt, maar toen dreigde er niet echt gevaar
voor Izmajlovskaja-wraak, ze was bij hem en de zogenaamd dode Ivan
Goerov, loyaal, dapperder en slimmer dan hij, had over hen beiden ge-
waakt. Het spel was onverwacht begonnen toen generaal Brandt NSA-
agenten achter hen aan had gestuurd en nu, nadat die agenten uit het
veld teruggeroepen waren, was er een andere agent – Vlad de Gifmenger – op pad gestuurd door Alizarin Global. Maar waarom? Waarom
wilde Alizarin hem vermoorden? Het werd tijd om daarachter te komen.

'Annika, luister goed. Ik moet met Vasily Andrejev praten, maar ik wil
jou en Djadja Goerdjiev er als getuigen bij hebben. Ik weet dat Goerdjiev net aangekomen is en doodmoe moet zijn, maar denk je dat je
hem kunt overhalen om dat nu te doen?'

313

'Oké.' Ze knikte en liep naar de voordeur, waar Goerdjiev zo te zien in een verhitte discussie of ruzie was verwikkeld met Charkisjvili.

Ze raakte even zijn arm aan en hoewel hij duidelijk liever niet de discussie of ruzie wilde onderbreken, kon hij geen nee tegen haar zeggen. Ze fluisterde even iets in zijn oor en hij keek naar Jack, die rustig stond te wachten. Vervolgens knikte hij en zei iets tegen Charkisjvili dat volgens Jack klonk als: 'Vergeet niet wat ik tegen je heb gezegd, we hebben het er nog wel over.'

Charkisjvili liep hierna weg en Annika en Djadja Goerdjiev liepen naar Jack toe.

Toen hij met Alli door de benedenverdieping van het huis was gelopen, hadden Jacks hersenen er automatisch een driedimensionale plattegrond van gemaakt. Daardoor wist hij dat de beste plek voor een beetje privacy de ouderwetse salon was. Die lag aan de westkant van het huis, had glas-in-loodramen en de enige toegang was een dubbele deur, die leidde naar een kort gangetje, dat eindigde bij de keuken, bijkeuken en achterdeur.

Jack vond Andrejev, met verwarde haren en zijn zwarte kraalogen die stiekem naar Alli afdwaalden als ze de kans kregen, in de bibliotheek. Met een glas slivovitsj in de ene en een sigaar in de andere hand stond hij tegen de schoorsteenmantel geleund. De andere oligarchen waren nergens te bekennen. Andrejev vertelde dat Magnussen had voorgesteld dat ze een eindje zouden gaan wandelen om hun hoofden voor het ontbijt helder te maken, maar dat hij er geen zin in had gehad. Dus dat was Charkisjvili gaan doen. Twee bewakers en natuurlijk de twee Russische wolfshonden waren met hen meegegaan. Volgens Jacks snelle berekening bleven dan nog twee bewakers en Alli op het landgoed over, want Goerov bracht Vlad de Gifmenger terug naar de luchthaven Simferopol om hem aan de FSB over te dragen. Het kwam Jack uitstekend uit dat het landhuis zo leeg was.

Andrejev liep met Alli en Jack de bibliotheek uit, het korte gangetje door naar de meer afgezonderde salon, waar Annika en Djadja Goerdjiev al waren. Jack zag dat Annika heel verwachtingsvol keek, alsof er een raadsel opgelost ging worden. Goerdjiev keek even sfinxachtig als altijd, rustig en onverstoorbaar, ondanks de spanning die in de lucht hing.

'U had me moeten vertellen dat u lid van AURA was,' zei Jack terwijl hij de oude man een hand gaf. Het was een stevige, vertrouwenwekkende handdruk.

'Het had geen enkele zin u met iets lastig te vallen dat u destijds niet hoefde te weten.' Hij keek Jack met een opaglimlach aan. 'Annika vertelde me dat u het dilemma van de uraniumvondst zult oplossen, van Joekins landroof, het schrikbeeld van een uitslaande brand.'

Jack keek haar even aan. 'Annika stelt veel vertrouwen in me.'

'Dat klopt,' erkende Goerdjiev. 'Dat doet ze al vanaf het begin; ze kan uitstekend karakters beoordelen en ook, even belangrijk, potentie.' Afwachtend viel hij even stil.

'Mag ik u vragen,' zei Andrejev op zijn bekende, directe manier, 'waarom u me hiernaartoe hebt gebracht, meneer McClure?'

'Natuurlijk.' Jack keek hem recht in zijn ogen. 'Ik heb me ontzettend geërgerd aan de ongewenste en onbehoorlijke avances die u naar mijn dochter hebt gemaakt.'

'U vergist…'

Het begin van Andrejevs overduidelijke ontkenning werd afgebroken door twee korte salvo's uit een semi-automatisch geweer. Jack rende naar de dubbele deur en wilde die opengooien toen hij van buitenaf al werd opengemaakt. Oriel Batsjoek stond op de drempel met een OTS-33 Pernach-machinegeweer in zijn hand. Onmiddellijk sloeg Jack op zijn pols, waardoor de Pernach op de grond viel, maar Batsjoek schoof hem aan de kant en strekte zijn rechterarm uit naar Andrejev alsof hij hem ervan beschuldigde nog te leven. Het dodelijke pijltje raakte de oligarch in zijn nek. Hij greep ernaar, viel op zijn knieën, er kwam dat afschuwelijke klikkende geluid van opeengehoopte insecten uit zijn keel, hij viel voorover en was dood.

'Achteruit.' Batsjoek zwaaide met een arm. 'Achteruit, of Annika is de volgende die sterft.'

Jack deed wat hij zei en Batsjoek hurkte neer en pakte de Pernach op. 'Oké,' zei hij, en hij stond op en richtte het machinegeweer op hen. 'Tijd om jezelf te ontwapenen.'

'Tijd om jezelf te ontwapenen.'

'Ik vermoord je nu.' Aleksej Dementievs silhouet stond in de deuropening van zijn appartement, waar Batsjoek al stond, met een Makarovpistool in zijn hand.

Tijdens een van de allereerste avonden hier, ver voor zijn verhouding met Nikki begon, had Batsjoek al een wasafdruk van haar sleutel gemaakt en een kopie laten maken, zodat hij naar binnen kon wanneer hij dat wilde. Hoewel hij er niet diep over had nagedacht, begreep hij heel goed dat de volledige beheersing van haar privacy essentieel was voor zijn overwinning. Op het werk, in de rechtszaal, in het Kremlin, of waar dan ook in Moskou, hij vond het heerlijk te weten dat hij altijd op de een of andere manier intiem met haar was.

'Ik maak geen grapje en bluf ook niet,' zei Aleksej.

Zijn gezicht was vertrokken van spanning en verdriet en zat vol diepe groeven. Batsjoek vond dat hij er tien jaar ouder uitzag dan toen ze elkaar voor het eerst hadden ontmoet in de rechtszaal, achttien maanden geleden.

'Ik ben ervan overtuigd dat het zo is en ik verzeker je dat ik die bedreiging heel serieus neem.'

Maar door de manier waarop Aleksej het pistool vasthield, wist Batsjoek dat hij geen wapenkenner was. Hij betwijfelde zelfs of Aleksej ooit met een Makarov of een ander pistool had geschoten.

'Jij verdient het om te sterven.' Aleksej werd steeds gespannener, steeds bozer. 'Wat je mijn vrouw hebt aangedaan, zal ik rechttrekken door jou bij de rest van het afval neer te zetten.'

'Vertel me eens, Aleksej, heb jij ooit weleens een mens gedood?' Hij schudde met zijn hoofd. 'Nee? Laat ik je dan, als een man die vele mensen heeft gedood, vertellen dat het helemaal niet meevalt. Echt niet. Je vergeet nooit meer het gezicht van de eerste mens die je vermoordt, de blik in zijn ogen vlak voor ze breken.'

'Ik zou dat graag in jouw ogen zien.'

'Die blik achtervolgt je, Aleksej, achtervolgt je tot in je dromen, tot in de diepste hoeken van je geest, blijft er zitten als een tumor of een beschadiging die niet behandeld kan worden, die op geen enkele manier verholpen kan worden.'

Er flikkerde iets in Aleksejs ogen. Iets in de woorden van Batsjoek irriteerde hem of bracht hem aan het twijfelen. In die seconde van twijfel of aarzeling sprong Batsjoek op hem af en sloeg hem zo hard in zijn gezicht dat Aleksej, die daar helemaal niet op had gerekend, achteruit tegen de deurpost viel.

Batsjoek sloeg het pistool uit zijn hand. 'Je bent een idioot, Aleksej, een watje. Ik heb je gebruikt om bij Nikki te komen. Dacht je nou echt dat ik iemand als jij als vriend wilde hebben? Iemand die zich zijn vrouw laat afpakken?'

Aleksej, razend op zijn rivaal en op zichzelf, kwam grommend als een beer op Batsjoek af. Heel kalm, bijna nonchalant, sloeg Batsjoek met de loop van de Makarov in Aleksejs gezicht. 'Ja, want zo zit het: ze wilde jouw arme, pathetische leventje niet meer. Ze wilde mij.'

Aleksej wist van geen ophouden, hij bleef Batsjoek vastgrijpen, net zo lang tot Batsjoek geen andere keus had dan met een hand diens hoofd vast te pakken en met de andere hand diens nek, en met een krachtige beweging die nek om te draaien.

Djadja Goerdjiev keek tersluiks naar de handwapens die hij, Annika en Jack op het tapijt in de salon hadden gelegd en hoorde Batsjoek zeggen: 'En nu allemaal zitten, dan zal ik de situatie duidelijk maken.' En terwijl ze gingen zitten, vervolgde Batsjoek: 'Die twee bewakers zijn dood, de andere zijn weg met de honden, dus wij zijn de enigen hier. En veel tijd heb ik niet, maar moorden hoeft niet veel tijd te kosten.'

'Wat je ook wilt doen, laat het meisje erbuiten,' zei Jack, en hij knikte naar Alli. 'Zij heeft er niets mee te maken.'

'Nou, ze is hier en ze heeft mijn gezicht gezien.' Batsjoek schudde zijn hoofd. 'Geen uitzonderingen.'

'Oriel, jouw oorlog is de mijne, laat de anderen gaan,' zei Goerdjiev op scherpe toon.

'Ik heb je verteld dat ik Annika zocht, ik heb je verteld dat zelfs jouw bescherming nu niet genoeg was, dacht je soms dat ik dat niet meende?'

'Hij komt achter me aan, dat weet ik gewoon,' zei Nikki toen ze in de ziekenhuiskamer lag.

'Maak je daar maar geen zorgen om,' zei Goerdjiev sussend, 'ik bescherm je tegen alles wat er komt.'

'En het kind?'

Goerdjiev pakte haar hand. 'Natuurlijk ook het kind, zij is het product van de liefde tussen Aleksej en jou.'

Nikki deed haar ogen dicht. 'Hij komt heel gauw, papa, als ik nog zwak en hulpeloos ben.' Haar ogen schoten open. 'Oriel weet instinctief waar mensen het meest kwetsbaar zijn. Beloof me dat je haar in veiligheid brengt.'

'Ik zweer het, Nikki, rustig nou maar.'

'Ze heet Annika, ik wil haar Annika noemen.'

Ze was de perfecte baby. Goerdjiev kon zich nog herinneren dat hij haar in zijn armen had, zo klein, zo roze, zo Annika, en de hele wereld goed leek. Maar vijf jaar later leek dat voorbij. Nikki had zelfmoord gepleegd, Annika was verdwenen en Goerdjiev wist dat hij tegenover zijn dochter en kleindochter tekort was geschoten.

'Ik weet instinctief waar mensen het meest kwetsbaar zijn,' zei Batsjoek, 'en nu ik je te pakken heb, is het tijd om ons decennialange raadselspelletje te beëindigen.'

'Ik noem het liever een kat-en-muispel,' zei Goerdjiev.

'Het maakt me niet uit hoe je het noemt.' Batsjoek bracht het machinegeweer omhoog. 'Het is voorbij.'

Op dat moment bewoog Alli zich.

'Niet bewegen, meid!' Batsjoek riep het zo hard dat Alli opsprong van schrik, en hij schoot haar bijna neer.

Jack deed een stap naar voren, Batsjoek zwaaide het machinegeweer zijn kant op en Annika rende naar hem toe. Ze plantte haar vuist in zijn maag, terwijl Jack de Pernach uit zijn hand trok.

'Zijn linkerarm!' schreeuwde Goerdjiev terwijl hij opsprong. 'Daar heeft hij een dartpijl.'

Inderdaad probeerde Batsjoek, die tranen in zijn ogen had staan, om zijn linkerarm naar Goerdjiev op te steken. Vlak voor de pijl werd afgeschoten, lukte het Jack die arm weg te slaan, waardoor de pijl zonder enige schade toe te brengen in de bewerkte rand belandde die muur en plafond verbond.

'Laat me los,' zei Batsjoek. Hoewel hij door Jack werd vastgehouden, praatte hij tegen Annika, alsof ze alleen in de kamer waren.

'Waarom? Je bent een monster.'

'Jouw opa is een monster. Ik heb gezworen dat ik er nooit over zou praten, dat ik het je nooit zou vertellen, maar wat betekent een eed nu nog. Uiteindelijk komt er een einde aan alle beloften die we hebben gedaan, die worden verbroken.'

'Jij bent zó slecht,' zei Annika. 'Jij bent een en al boosaardigheid en niemand weet dat beter dan ik.'

Er verscheen een eigenaardig licht in Batsjoeks ogen. 'Jij denkt dat je weet wat slecht is, maar dat weet je niet, Annika, want het is je grootvader die echt slecht is.'

Goerdjiev liep hun richting op. 'Geloof geen woord van wat hij zegt, Annika.'

'Ja, hoor, geen enkel woord, maar dit is de waarheid: Nikki en ik waren verliefd, zij is de enige vrouw van wie ik heb gehouden, dat is tot op de dag van vandaag de waarheid.'

'Jij zou de waarheid nog niet herkennen als die je in het gezicht sloeg,' zei Goerdjiev.

Batsjoek bleef Annika strak aankijken. 'Het was je grootvader die ons uit elkaar hield. Van hem mocht ik nooit je moeder ontmoeten tot het te laat was, tot ze met Aleksej verloofd was.'

'Nee,' zei Annika, 'mijn vader en moeder waren verliefd op elkaar.'

'Aleksej was verliefd op haar, daar bestaat geen twijfel over.' Batsjoek schudde zijn hoofd. 'Maar Nikki, nee, ze dacht dat ze van Aleksej hield tot wij elkaar hadden ontmoet, toen wist ze wat liefde was. Hoewel ze getrouwd was, konden we er geen van beiden iets tegen doen, we verloren onszelf in elkaar; verder bestond er niets en niemand.'

'Wat hij zegt, is nonsens,' zei Goerdjiev. 'Hij probeert alleen maar zijn daden goed te praten.'

'Annika,' zei Batsjoek, 'het was onze liefde, je moeders liefde voor mij en de mijne voor haar, waar Aleksej zich zo door bedreigd voelde. Als we een snelle wip hadden gemaakt, als onze band puur fysiek was geweest, denk je dat hij dan zo waanzinnig had gedaan? Nee, hij wist, net zoals zij het wist, dat haar liefde voor mij betekende dat hun huwelijk voorbij was.'

'Jij hebt hem vermoord,' zei Goerdjiev. 'Je hebt Aleksejs nek gebroken.'

'Ik had geen keus. Hij was waanzinnig. Hij wilde me stukje voor stukje uit elkaar scheuren en niets kon hem ervan weerhouden.'

'Dus je beweert dat de moord zelfverdediging was?' vroeg Annika.

'Ja.' Batsjoek knikte. 'Absoluut.'

Goerdjiev liep weer dichter naar hem toe en eindelijk liet hij zijn vijandige houding zien. 'En was het diezelfde nacht ook zelfverdediging toen je mijn dochter verkrachtte op het moment dat ze thuiskwam en haar arme, dode echtgenoot in een kast was gepropt?'

Batsjoek werd vuurrood. 'Zoiets heb ik nooit gedaan!'

Annika keek zowel geschokt als woedend. 'Heb je dat gedaan? Heb jij mijn moeder verkracht in dezelfde nacht dat je mijn vader vermoordde?'

'Ik heb haar nooit verkracht. Ik heb haar nooit aangeraakt als ze het niet wilde, als ze niet smeekte om de verlossing die alleen ik haar kon geven.'

Annika sloeg hem in zijn gezicht, heel hard, de energie bereikte vanuit haar onderbuik via haar armen haar vingertoppen, waarvan de afdrukken op zijn wang stonden. Eerst wit op rood, later rood op roze.

Goerdjiev bleef dichterbij komen, alsof hij wilde gaan moorden. 'En hoe noemde je het toen je Annika bij haar moeder wegroofde? Was dat soms ook zelfverdediging?'

'Je bedoelt: van jou wegroofde. Annika is nooit Nikki's kind geweest, ze was het jouwe, jij probeerde daar uit alle macht voor te zorgen,' zei Batsjoek. 'Maar toch was het inderdaad zelfverdediging. Ik haalde haar bij jou weg, uit jouw klauwen, omdat ze van mij is.' En tegen Annika ging hij verder: 'Jij werd verwekt die nacht dat ik Aleksej Dementiev uit zelfverdediging doodde, je werd verwekt na zijn dood, in de waanzinnige passie die je moeder en ik deelden.'

29

'Is dat waar?' vroeg Annika aan Goerdjiev, de verbijsterde stilte doorbre-kend. 'Wist jij het?'
'Niet meteen, natuurlijk niet.'
Jack zag dat de oude man in het defensief was, precies waar Batsjoek hem wilde hebben. Hij keek even snel naar Alli, die was opgestaan en dicht bij Goerdjiev was gaan staan, alsof ze wilde voorkomen dat hij hem naar de keel zou vliegen. Hij zag dat ze volledig opging in dit psy-chologische steekspel.
'Maar langzamerhand, toen de mentale gezondheid van je moeder slechter werd, kreeg ik een vermoeden. Eerst dacht ik dat haar depressie het gevolg was van Aleksejs dood, maar later, toen de maanden jaren waren geworden, raakte ik ervan overtuigd dat iets anders haar levend opvrat. Uiteindelijk kreeg ik het vijf jaar na de dood van Aleksej uit haar: hoe ze die avond was thuisgekomen en ontdekte dat niet Aleksej daar op haar wachtte, maar hij, Oriel Batsjoek. Ik was zo ontzettend woedend en bang, ik kon alleen maar denken aan hoe ik wraak op hem zou nemen. Daardoor dacht ik niet meer aan haar, ik realiseerde me niet hoe diep ze in haar depressie was gezonken. Die nacht bleef ik bij haar en bij jou, en diezelfde nacht sneed ze haar polsen door, heel stilletjes, in de badkamer, terwijl jij sliep en ik aan wraak dacht.'
'Daar is het dan,' zei Batsjoek met triomfantelijke stem, 'de belichaming van het echte kwaad.'
Annika zette het machinegeweer tegen de zijkant van zijn hoofd. 'Aan de kant, Jack,' zei ze.
'Annika.' Alli was van Goerdjiev naar Annika gelopen. 'Niet doen, hij is je vader.'
'Je weet niet wat hij me heeft aangedaan, al die jaren dat ik bij hem was.'
'Ik deed wat jij wilde dat ik deed, verder niets.'
'Leugenaar! Je deed wat jíj wilde.'
'Dat is niet waar. Bij mij was je veilig, veilig voor hem.' Batsjoek keek naar Goerdjiev.

'Jij hoefde me helemaal niet te beschermen.'

'Annika, ongeacht wat hij in het verleden heeft gedaan, ongeacht wat hij nu is, hij heeft je de wereld in geholpen,' zei Alli. 'Zonder hem zou je niet bestaan.'

'Op dit moment wil ik helemaal niet bestaan.'

'Dat meen je niet,' zei Alli.

Er blonken tranen in Annika's ogen. 'Ik wil zijn hufterige schedel van z'n romp schieten.'

'Doe het niet, Annika, doe het niet. Je zult nooit meer vrede met jezelf hebben.'

'Dat geeft niet. Ik wil toch dood. Maar voordat ik ga, wil ik eerst zijn bloed door de hele kamer heen zien spetteren.'

'Ik haat mijn vader ook.' Alli smeekte nu. 'Maar ik kon de gedachte dat hij dood zou zijn niet verdragen.'

'Wat hij ook heeft gedaan, het kan nooit zo erg zijn als wat deze man…'

'Je vader.'

'… mij heeft aangedaan.'

'Misdaden zijn misdaden,' zei Alli. 'Of ze nou zijn begaan uit wreedheid of uit nalatigheid, waar het om gaat is dat ze ons hebben veranderd en dat ze niet ongedaan kunnen worden gemaakt, of vergeven of vergeten kunnen worden. Toch moet de cyclus ergens beëindigd worden, dus waarom dan niet hier, waarom niet nu, met jou?'

'Je hebt gelijk,' zei Annika met haar langzame, verdrietige, berouwvolle glimlach. 'Er moet een einde aan komen.' En ze haalde de trekker over. Batsjoeks hersenen, bloed en stukjes bot vlogen naar buiten in een rode en roze stortbui, een explosie die zo krachtig was dat de menselijke munitie hen allemaal raakte, het was zoveel dat het leek alsof hij van binnenuit geëxplodeerd was.

Onder een heiige, vage lucht stond Dennis Paull met zijn dochter en kleinzoon aan het graf van Louise, net voorbij Chesapeake in Virginia. Claire en hij hadden net allebei een schep aarde op de kist gegooid.

'Mam, waarom hebben opa en jij aarde in dat gat bij oma gegooid?'

Er glinsterden tranen in Claires ogen. 'Dan blijft een deel van ons bij haar en houdt altijd van haar.'

Tot Paulls verrassing en immense vreugde stapte Aaron naar voren, boog zich om een handje aarde op te pakken en liet het op hun aarde vallen.

Hoewel ze hier waren om zijn vrouw te begraven, dacht hij niet aan haar dood en zijn verlies, maar aan de terugkeer van zijn gezin. Hij vroeg zich af waaraan hij dat wonder had verdiend. Was hij een goed mens geweest, rechtvaardig, sterk in zijn overtuigingen en berouwvol over zijn zonden? En wat deed het antwoord ertoe, het universum vond het niet belangrijk, alle gebeurtenissen waren toeval, chaos heerste, er bestonden geen antwoorden op welke vraag dan ook, groot of klein, alleen compromissen en misschien, als iemand net zoveel geluk had als hij, offers.

Hij had een arm om Claire geslagen en keek naar Aaron, die misschien al droomde over het beloofde feest, later die middag. Maar voor Dennis Paull was het feest al begonnen.

Nu werden ze in een oorverdovende stilte ondergedompeld. Ze kregen er stijve benen, bonkende harten en verdoofde hoofden van. Wat er nog van Oriel Jovovitsj Batsjoek over was, lag half in en half uit de salon. Zijn bloed was overal, maar er was geen enkel druppeltje bloed van Vasily Andrejev.

'Zo, nu is het eindelijk voorbij,' zei Goerdjiev, en hij verbrak de vervelende stilte. 'Annika, het spijt me zo ontzettend dat je dit hebt moeten aanhoren.' Hij liep naar haar toe en wilde een arm om haar heen slaan, maar ze weerde hem af.

'Niet doen,' zei ze, en ze liep bij hem vandaan.

Behoedzaam maakte Jack Annika's vingers van het machinegeweer los. Toen hij het van haar afpakte, protesteerde ze niet, maar pakte Alli's hand stevig vast.

'Ik weet dat je gelijk had, ik wilde het ook wel… maar ik kon het niet.'

'Het geeft niet,' verzekerde Alli haar, 'het geeft niet.'

Annika keek neer op haar opa's nemesis – haar vader – met een geschrokken, ongelovig gezicht. Ze hield Alli's hand zo stevig vast dat haar vingers wit waren. Jack vond het voor geen van beiden een gezond idee om veel langer in dit abattoir te blijven.

'We moeten ons gaan wassen,' zei hij.

Annika knikte, maar bewoog zich niet. Er zaten botsplinters op haar wangen en neus en bloedspetters op haar borst en gezicht. Zelfs op haar lippen. Goerdjiev stapte vlug over het lichaam en bleef in de gang op hen wachten. Hij was stil, verzonken in zijn eigen raadselachtige gedachten. Hij keek niet naar zijn handen, die onder het bloed zaten.

'Hoe gaat het met je?' vroeg Jack aan Annika.

Haar groene ogen waren bleek en flets, alsof alle kleur verdwenen was. 'Ik heb geen flauw idee, ik voel me helemaal verdoofd, verdwaasd en alleen.'

'Je bent niet alleen. Kom op, Alli en jij moeten je gaan wassen.'

Hij knikte naar Alli en die nam Annika mee de salon uit, langs Goerdjiev, die grijs en met gebogen schouders nog steeds in de gang stond, naar de badkamer. Jack ging naar de keuken, waar Goerdjiev en hij zich wasten bij de gootsteen, zo goed en zo kwaad als het ging.

Jack keek naar het warme water dat de vuiligheid van zijn handen spoelde en vroeg: 'Het is waar, hè, wat Batsjoek net allemaal zei?'

Goerdjiev keek naar het raam boven de gootsteen. 'Het meeste.'

'Dus u wist al jaren dat hij haar vader was.'

'Ja.'

'En zij niet.'

'Tot een paar minuten geleden, toen jullie het ook hoorden.'

'Geen wonder dat ze hem heeft vermoord.'

'Dat je door je eigen kind wordt doodgeschoten.' Goerdjiev draaide zich om en waste langzaam zijn handen, alsof hij met tegenzin het tastbare bewijs van Batsjoeks dood wegspoelde. 'Ik zou willen dat ik kon zeggen dat ik tevreden ben, maar ik ben bang dat wraak toch niet alles is. Ik vind het namelijk behoorlijk zinloos. Zijn dood brengt mijn Nikki niet terug, verzacht haar pijn niet, en nu ben ik bang dat het heel goed mogelijk is dat ik Annika ook verloren heb. Als dat gebeurt, heb ik helemaal niets meer.'

Jack zag dat Annika en Alli de keuken waren binnengekomen en dat hun handen en gezichten schoon waren, maar hun kleren niet. Hij zei: 'Maak u niet bezorgd, u hebt nog altijd de Alizarin Groep.'

'Wat zei u? Ik verstond u niet.'

'U hebt me heel goed verstaan. Ik weet dat u de eigenaar van de Alizarin Groep bent. Er zijn nog zes andere partners, maar u bent de leider van de Alizarin Groep.'

'Ik ben bang dat u het helemaal mis hebt, meneer.'

Jack bracht Batsjoeks machinegeweer omhoog. 'De enige voor wie u nog bang moet zijn, ben ik.'

'Ik begrijp u niet.'

Tijdens dit gesprek was Goerdjiev langzaamaan veranderd van een oude, terneergeslagen opa in een harde bullebak, een zakenman met de scherpe, wetende ogen van een professionele pokerspeler. Geen wonder dat hij Batsjoek te slim af was geweest, bedacht Jack. En hij wist dat hij moest uitkijken dat hij niet in dezelfde valkuil zou vallen.

'De man die me vergiftigde werkte voor de Alizarin Groep, uw bedrijf.' Annika keek hem aan. 'Djadja, is dat waar?'

'Wat een nonsens, natuurlijk is het niet waar.'

'Hij liegt,' zei Alli. 'Ik was erbij toen Jack Vlad ondervroeg. Hij werkt voor de Alizarin Groep.' Annika en zij stonden vlak bij elkaar, alsof ze zussen waren die het tegen hun ouders opnamen. 'Maar goed, als Ivan Goerov hem aan de FSB heeft overgedragen, zal de waarheid wel boven water komen.'

'Dat zal niet gebeuren.' Goerdjiev zuchtte. 'Ivan Goerovs auto werd op de snelweg naar het vliegveld afgesneden, maar Vlad werd gered. Helaas besloot Goerov te vechten en hij werd gedood.'

'Wat bedoel je precies?' Annika keek alsof ze elk moment kon instorten. 'Hebben jouw mensen Ivan vermoord?'

'Hij gaf hun geen keus, Annika. Hij wilde Vlad niet laten gaan.'

Ze keek hem verbijsterd aan. 'Ben jij dan ook degene die bevel gaf Jack te vermoorden?'

'Niet om hem te vermoorden,' corrigeerde Goerdjiev haar, 'om hem te laten vergiftigen met arsenicum, om hem te verzwakken, misschien zou hij naar het ziekenhuis moeten, maar niet dood. Nooit dood.'

'Maar waarom?'

Djadja Goerdjiev vroeg aan Jack, alsof hij vroeg hoe laat het was: 'Wilt u het haar vertellen? U zult er inmiddels wel achter zijn.'

Jack aarzelde. Niet omdat hij het antwoord niet wist, maar omdat hij zich afvroeg of hij het spelletje van Goerdjiev wilde meespelen. Uiteindelijk haalde hij in gedachten zijn schouders op. 'Het was Alli, zij gooide uw plan in duigen. Het is grappig, misschien zelfs komisch, maar zo is het leven, Goerdjiev, een spontaan besluit, iets uit het linkerachterveld, wat je met geen mogelijkheid had kunnen voorzien. Gezien haar ware identiteit, kon u zich geen onderzoek van de Amerikaanse regering veroorloven, dat onvermijdelijk zou komen omdat ik haar had meegebracht. Dus bedacht u een manier om de schijnwerper van haar weg te houden: u richtte hem op mij. Mijn regering zou zo druk zijn met uitzoeken wie me had willen vergiftigen, dat ze Alli en alles wat er met haar was gebeurd zouden vergeten. Dat was de reden dat u het risico nam om Vlad te redden en waarom uw mensen Ivan vermoordden. Hij herkende ze, hè, of in elk geval een van hen? U kon het u niet permitteren dat Goerov of Vlad zouden gaan praten en nu kunnen ze dat allebei niet meer.'

Djadja Goerdjiev knikte alsof hij intens trots was op een goede leerling. 'En natuurlijk kwam u achter mijn plan.'

'Blijkbaar hebt u beide partijen tegen elkaar uitgespeeld. U was nooit van plan om de astronomische winsten van de uraniumvondst te gaan delen, niet met Joekin en niet met AURA. U wilde die voor uzelf.'

'Eerst niet.' Goerdjiev hield met één oog de trekker van het machinegeweer in de gaten. 'Ik richtte AURA op voor die uraniumvondst, maar merkte al heel snel dat AURA zou gaan falen, voornamelijk omdat Charkisjvili zich tegen me keerde. Hij zaaide tweedracht onder de AURA-leden, het werkte inefficiënt.' Hij haalde zijn schouders op. 'Dus besloot ik er met Alizarin in te stappen.'

'Maar er was een probleem,' onderbrak Jack hem, 'een schijnbaar onoverkomelijk probleem, en nu kom ik in beeld.'

Nu lachte Goerdjiev. 'Het spijt me verschrikkelijk dat ik Vlad opdracht heb gegeven u te vergiftigen. U hebt opmerkelijke hersenen. Uniek.' Hij knikte bewonderend. 'Ik ken de president van Oekraïne, Ingan Oelisjenko, al jaren. Ik ging naar hem toe met ons voorstel, maar het enige wat hij zag, was een soevereine staat en een potentiële winst die van hem afgenomen zou worden. Hij weigerde te geloven dat Trinadtsat, Joekin en Batsjoek grote bedreigingen vormden en we mochten van hem het land niet kopen.'

Jack had het wapen niet verder omhooggebracht, had geen dreigende beweging naar Goerdjiev gemaakt. 'Wat u nodig had, was een bron van buiten die hem zou bevestigen wat u hem had verteld. Iemand van onberispelijk gedrag, iemand die Oelisjenko niet kon negeren of weigeren te spreken.'

'Een Amerikaan uit de regering, dicht bij de president, maar zelf apolitiek.'

'Iemand die Oelisjenko kon en zou vertrouwen.'

'Er kwam niemand anders in aanmerking, meneer McClure.'

'En daarom heeft jouw opa me nooit willen vermoorden,' zei Jack tegen Annika. 'Hij heeft me nodig, en toevallig heb ik hem ook nodig. Ik ga ervoor zorgen dat de Alizarin Groep het uraniumveld krijgt.'

Hij had de oplossing gezien terwijl hij Batsjoeks grijze restanten van zijn gezicht spoelde. Hij had nog geprobeerd een alternatief te vinden, maar dat was er niet. Zijn hersenen vertelden hem dat hij de enige oplossing had gevonden, hoewel die niet perfect was – volgens hem was hij niet eens goed – maar er was geen andere weg en nu vroeg hij zich af of Goerdjiev de oplossing eerder had gevonden dan hij.

'Het akkoord met Joekin moet ondertekend worden, dat heeft president Carson me overduidelijk gemaakt, maar als hij tekent, zal Joekin Oekraïne binnentrekken en het akkoord gebruiken om er te kunnen blijven. En dat is onacceptabel. Ik ga met Oelisjenko praten, ga hem vertellen wat Joekin van plan is. Hij heeft dan geen andere keus dan het uraniumveld aan de Alizarin Groep te verkopen. Alizarin is een multinational, die Joekin noch kan nationaliseren noch kan aanvallen. Dus zijn Joekins energieambities in Oekraïne verijdeld. En verder dient hij zich te houden aan het akkoord dat hij vanavond met de Verenigde Staten ondertekent.' Jack richtte zich nu op Goerdjiev: 'Boven op de verkoopprijs zal de Alizarin Groep vijftig procent van alle winst uit het veld aan de regering van Oekraïne doen toekomen.'

'Tien procent,' zei Goerdjiev.

'Laat me niet lachen. Vijfenveertig procent, anders vertel ik mijn regering wat je hebt gedaan. Dan sluit die de Alizarin Groep alsof het een stortplaats van giftig afval is.'

'Vijfentwintig procent, anders doe ik het niet en kan Joekin zijn gang gaan.'

'Als ik Oelisjenko niet vertel wat voor ontzettende bedreiging Joekin voor zijn land vormt, hebben Alizarin en jij helemaal niets,' zei Jack.

'Vijfendertig, dat is mijn laatste bod.'

'Oké.'

Djadja Goerdjiev stak zijn hand uit.

'Jack, je gaat toch niet echt iets met hem afspreken, hè?' vroeg Alli.

'Ik heb geen keus.'

'Er is altijd een keus. Dat heb je me zelf geleerd.'

'Deze keer niet.' Jack pakte de hand van Goerdjiev en op dat moment hoorden ze allemaal het geratel van dalende rotorbladen.

'Wat is dat?' vroeg Goerdjiev.

'De cavalerie,' zei Jack. 'Precies zoals Dennis Paull me beloofd heeft.'

30

Achter in de gigantische, rijk geornamenteerde salon in het Kremlin stond Jack, Alli stond aan de ene kant van de First Lady, Lyn Carson, en mevrouw Joekin aan haar andere kant. Allemaal keken ze toe hoe president Edward Carson en president Joekin, met pennen die speciaal ontworpen waren voor de historische ondertekening van het Amerikaans-Russische veiligheidsakkoord, hun handtekening zetten. Alli droeg een lange, saffierblauwe jurk, waarin ze er zeer volwassen uitzag. Terwijl videocamera's en fototoestellen plichtmatig deze memorabele ceremonie vastlegden, keek Jack naar Joekin, wiens gezicht opgewekt stond, vermengd met een zo goed mogelijk verborgen triomfantelijke blik, waar alleen Carson, Alli en Jack de reden van kenden. Maar over een uur zouden op de Oekraïense nationale televisie Djadja Goerdjiev en president Oelisjenko gezamenlijk bekendmaken dat een stuk land in het economisch achtergebleven noordoosten van de staat verkocht was aan de Alizarin Groep, en dan zou Joekins gezicht wel anders staan. Alizarin zou vijfendertig procent van de winst aan Oekraïne geven en onmiddellijk beginnen met het inhuren van duizenden werkloze burgers om te gaan werken in de grootste uraniummijn in Azië.

Na de ondertekening begonnen de schijnbaar eindeloze fotosessies en interviews, waaraan Jack niet zou deelnemen, ondanks Carsons dringende verzoek. 'Ik kan het best voor je werken,' had hij tegen de president gezegd, 'als ik in de schaduw blijf.'

Tegen haar gewoonte in had Alli ermee ingestemd om naast haar ouders te staan gedurende dit vermoeiende en doodsaaie gedeelte, maar misschien, dacht Jack, was het een nieuwe karaktertrek. Eén die voortkwam uit haar recente avonturen, inzichten en zelfvertrouwen. Terwijl hij haar met de Carsons en de Joekins door de zaal zag lopen, was hij apetrots op wie ze was en op wie ze was geworden.

Hij was veel samen geweest met Annika, die met Alli en hem terug was gevlogen vanuit Kiev, waar de helikopter bemand met Paulls mannen hen naartoe had gebracht.

'Ik denk niet dat ik hem ooit nog wil zien.'

Jack wist dat ze het over Goerdjiev had, wiens naam ze niet meer uitsprak, laat staan dat ze hem nog Djadja noemde.

'Hij probeerde je te beschermen.'

'Denk je dat echt?' Ze keek hem sceptisch aan. 'Of hoop je dat ik me dan beter voel?' Ze stak een hand op om een antwoord tegen te houden dat ze niet wilde horen. 'De waarheid is dat hij zichzelf wilde beschermen. Zolang ik niet wist door wie ik verwekt was, hoefde hij geen vervelende of gênante vragen te beantwoorden.'

'Ik vind het raar dat Batsjoek je niet heeft verteld dat hij je vader was toen je bij hem woonde.'

Ze stonden bij een raam dat minstens anderhalve meter hoog was. Ze keek van hem weg, over het Rode Plein, waar het weer was begonnen te sneeuwen. Volgens de weersvoorspelling zou het de laatste sneeuw in de winter zijn.

'De waarheid is even simpel als afschuwelijk: hij wilde niet dat ik wist dat ik zijn dochter was. Toen niet, tenminste. Hij had het veel te druk met rouwen om mijn moeder en mij in de ogen te kijken. Mijn gezicht bekijken bracht haar bij hem terug; niets anders kon dat. En dan was er natuurlijk nog dat andere.' Tranen stroomden over haar wangen. 'Als hij me zou vertellen dat hij mijn vader was, dan zou hij de seksuele band kapotmaken die hij tussen ons probeerde op te bouwen.'

Jack voelde een rilling langs zijn ruggengraat lopen. 'Toen je vijf was?'

Ze bleef door het raam naar de sneeuw kijken, gaf geen antwoord en bewoog haar hoofd niet. Dat was ook niet nodig.

Ze veegde met haar wijsvinger de tranen weg, draaide zich om en keek hem met een dun lachje aan. 'Sorry, Jack, dat ik tegen je heb gelogen, je heb misleid en je door de mangel heb gehaald met die zogenaamde dood van Goerov, maar het was absoluut noodzakelijk.'

Hij vroeg zich af of dat echt zo was. Waarschijnlijk hing dat van je invalshoek af. Hij kon medelijden met haar hebben om de enorme teleurstelling, maar met welk doel? Hij had van dichtbij meegemaakt hoe Sharons woede op hem niet alleen hun huwelijk, maar ook haarzelf had verwoest. Zolang ze die woede had, zou ze niet in staat zijn om iemand te vertrouwen en zou ze de rest van haar leven gekweld en alleen zijn. Dat was een weg die hij al een tijdje geleden had verlaten.

'Er is nog iets wat ik niet begrijp,' ging hij verder. 'Hoe wist je dat ik die avond naar die steeg zou gaan?'

Ze legde haar hand plat op zijn borst. 'Je bent een goed mens, je zou me nooit in een hinderlaag laten lopen als je dacht dat ik er niet levend uit zou komen.'

Hij schudde zijn hoofd. 'Dat is niet het hele antwoord. Je had er nooit zeker van kunnen zijn dat ik zou gaan, zelfs niet nadat je me in de hotelbar had verteld dat de Moskouse politie nog erger dan erg was.'

Ze glimlachte schalks, waardoor ze een seksuele aantrekkingskracht kreeg die hij niet kon en wilde weerstaan. 'Ik heb je bestudeerd, Jack. Ik wist wat er met Emma is gebeurd. Ik wist dat jouw ex je er de schuld van gaf, ik wist dat je jezelf er de schuld van gaf, dat je dat probeerde te compenseren en probeerde goed te maken en dat je daarom iemand in nood nooit in de steek zou laten, zeker niet iemand in dodelijk gevaar.' Toen hij niet reageerde, ging ze verder: 'Of heb je soms niet aan Emma gedacht op het moment dat je besloot om me naar dat steegje te volgen?'

'Je hebt gelijk,' zei hij na een tijdje, 'ik kon die avond alleen maar aan Emma denken.'

'Nogmaals, het spijt me.'

'Dat hoeft niet.' Hij boog zich naar haar toe en gaf haar een zoen. 'Ik wil je niet meer horen zeggen dat het je spijt.'

'Maak je geen zorgen.' Ze legde een hand achter zijn hoofd en liefkoosde hem. 'Ik zal het niet meer doen.'

Jack zag de Carsons naderen en herinnerde zich dat Edward hem had uitgenodigd voor het diner na de ceremonie. 'Ik moet weg,' zei hij onwillig.

'Laten we afspreken voor morgen. In de lobby van het Bolsjoitheater, om kwart voor acht.'

En weg was ze, opgegaan in de drukke mensenmenigte.

'Hopelijk heb ik je vriendin niet weggejaagd,' zei Edward Carson. 'Ik kwam haar eigenlijk ook voor het diner uitnodigen.'

'Dat geeft niet. Volgens mij vindt ze het hier niet zo prettig.'

Carson keek om zich heen. 'Wie vindt dat wel, verdomme?' Hij sloeg een arm om Jacks schouder. 'En weer sta ik bij je in het krijt. Zo erg dat ik je waarschijnlijk nooit zal kunnen terugbetalen.'

'Dat hoeft ook niet.'

'Op zoveel niveaus,' ging de president verder, 'niet alleen ik, niet alleen Lyn en ik, maar het hele land. Verdomme, Jack, niemand anders had een manier kunnen bedenken om dit kloterige veiligheidsakkoord tot een succes te maken.'

'Ik waardeer het vertrouwen dat je in me hebt.' Jack wilde niet praten over een succes waarmee Djadja Goerdjiev alles had gekregen wat hij wilde. Hij keek om zich heen. 'Ik heb generaal Brandt nog niet gezien.' 'En die zul je ook niet zien. Hij zit incognito en in volledige isolatie vast aan boord van de Air Force One. Het ministerie van Justitie is op de hoogte gebracht en zal gepaste maatregelen nemen, net zoals voor alle andere heikele staatsproblemen, zodra we morgen zijn geland.' Hij glimlachte breed en voor één keer ontspannen. 'Vanavond eten en drinken we, vertellen we moppen en – het allerfijnste – luisteren we naar de Oekraïense avonturen van Alli en jou. Deze ene avond hebben we het allemaal verdiend om de moeilijkheden van gisteren te vergeten en niet te denken aan wat er vanaf morgen zou kunnen gebeuren.' Hij nam Lyns arm en knikte naar Alli. 'Oké, wat vind je ervan om Alli naar het hotel te begeleiden? In mijn suite staat alles klaar.'

De nieuwe dag begon zoals de vorige was geëindigd: met sneeuw. De presidentiële colonne was op weg naar Sjeremetjevo, waar de Air Force One volgetankt stond te wachten. Jack zat naast Alli in de limo direct achter de auto waarin de president en de First Lady zaten en verheugde zich op de ondervraging van de generaal. Carson had hem een uur met Brandt alleen beloofd, voordat er een ander op hem werd losgelaten. De president was in een bui dat hij Jack zo'n beetje alles toestond wat die wilde.
'Jammer dat je naar huis gaat?' vroeg hij half schertsend.
'Eerlijk gezegd, ja.'
Ze waren op de ring bij de afslag naar het vliegveld. Het was wat minder gaan sneeuwen en volgens de weersvoorspelling zou het over een uurtje helemaal ophouden. Maar de nacht was koud geweest en door de bewolking, die volgens diezelfde voorspelling nog een paar dagen zou blijven hangen, zouden de stoepen en straten nog wel even glad blijven. Jack dacht aan Annika en aan de afspraak in het Bolsjoitheater vanavond, waar hij niet naartoe kon. Hij had haar gebeld en een boodschap op haar voicemail achtergelaten dat zijn plannen waren gewijzigd. De verwachting was geweest dat Carson nog een dag zou blijven, maar het reisplan was abrupt aangepast vanwege gênante moeilijkheden die Ben Hearth, de nieuwe minderheidsleider in de Senaat, had om de conservatieve vleugel van hun partij op koers te houden.
'Ik mis Annika,' zei ze, 'jij niet?'

'Ik wilde dat we langer konden blijven.' Jack keek door het raampje naar Moskou in het bleke ochtendlicht. 'Ik had nog naar het Bolsjoitheater gewild.'

Glimlachend zei Alli: 'Maar niet met mij.'

Ook glimlachend zei hij: 'Inderdaad, niet met jou.'

Alli keek in stilte naar de motoragent die naast hun limo reed. 'Misschien komt zij naar Washington, misschien kom jij hier nog eens terug.'

'Misschien.' Hij legde zijn hoofd op de achterbank, hij was ineens doodmoe. Meteen toen hij zijn ogen sloot, zag hij Emma. Hij glimlachte naar haar, maar er was iets helemaal verkeerd.

Alli moest iets op zijn gezicht hebben gezien, want ze zei: 'Je moet niet zo verdrietig zijn, Jack.'

'Ik ben niet verdrietig, ik…'

Zijn gedachten werden door haar gil afgebroken. Zijn ogen schoten open en hij zag alles in een razend tempo gebeuren. De presidentiële limo was geslipt, waarschijnlijk door een stuk zwart ijs, en gleed nu van de weg af. Nog steeds slippend, gleed de wagen de middenberm op, waar hij iets raakte wat onder de sneeuw lag. De limo sloeg over de kop en kwam tegen een hoogspanningsmast tot stilstand. De hoogspanningskabels braken, zwiepten als zwarte kraaien uit de heldere lucht naar beneden, raakten de limo en zonden een hoogspanningsschok door de wagen.

Alli gilde nog toen Jack al uit hun limo was gesprongen en met Geheime Dienstagenten naar het wrak rende. Sirenes loeiden, mensen gilden, de gehele colonne was tot stilstand gekomen, de pers kwam eraan rennen met mobieltjes in de aanslag, riep, sms'te en twitterde, wat betekende dat het nieuws zich nu snel zou verspreiden naar alle hoeken van de wereld, nog voordat was vastgesteld hoe het met de president en de First Lady was.

Alli haalde Jack in toen hij op twee agenten wachtte die het dichtstbij stonden om de kabel van de limo te trekken. Op het moment dat het veilig was, begon hij aan een van de achterportieren te rukken. De limo lag nog op zijn dak en er was een chaos van veiligheidsmensen, Amerikanen en Russen, die door elkaar renden. Omdat de Russen teruggestuurd werden, besloot hun commandant dat zijn mannen een kordon zouden vormen om de jammerende pers op afstand te houden.

Tegen die tijd had Jack het portier open gekregen. Hij keek naar binnen en gaf Alli over aan een van de veiligheidsagenten.

'Wat is er aan de hand?' huilde ze. 'Jack, wat heb je gezien?'

Hij stak zijn hoofd weer naar binnen en zag hoe Lyn Carson het bloederige hoofd van haar man wiegde. Het personeel op de voorbank was verminkt, overduidelijk dood. Defibman, de presidentiële lijfarts, controleerde de president, schudde zijn hoofd en begon te huilen.

'Mevrouw Carson,' zei Jack, 'Lyn, je moet onmiddellijk de limo uit.'

Ze bewoog en reageerde niet, dus klom Jack naar binnen. Toen hij haar weg wilde trekken, begon Lyn te gillen. Haar ogen stonden wijd open en zagen niets, ze was in shock. Gelukkig kwamen andere handen hem helpen en langzaam werden de Carsons van elkaar gescheiden. Hij zag dat de voorkant van Lyns jas doorweekt was. Eerst dacht hij van Edwards bloed, en een gedeelte was dat ook zonder enige twijfel, maar toen ze flauwviel terwijl ze haar naar buiten trokken, wist hij dat er iets heel erg mis was.

Ze brachten de president en de First Lady – Edward en Lyn – direct naar de Air Force One, waar het presidentiële traumateam in de operatiekamer in het vliegtuig op Lyn Carson wachtte, die ernstige buikwonden had. Het Amerikaanse medische team was zes uur met haar bezig en zelfs toen durfde de teamleider geen definitieve prognose te geven. Wel was ze zo stabiel dat de Air Force One kon vertrekken. Tegen die tijd sneeuwde het niet meer en was er een zilveren zonnetje te zien in een opening in het dikke wolkendek.

Tijdens die zes uur had Jack Alli vastgehouden, die, nadat ze hem had gevraagd wat hij had gezien, geen woord meer had gezegd. Zonder uiterlijk iets te laten merken, keek ze op haar vader neer, haar gezicht asgrauw en glimmend als een gesmolten kaars. Dat deed ze zo lang, dat Jack zich zorgen begon te maken. Hij zei een paar keer wat tegen haar, halve zinnen; zijn tong leek enorm opgezwollen. Hijzelf had tijd nodig om over het verlies van Edward Carson te kunnen rouwen, het was nog niet echt voor hem, het was veel te immens, te ondenkbaar, zo snel als het was gebeurd. Hoe kon Edward Carson, president van de Verenigde Staten, overlijden door een auto-ongeluk, hoe kon hij dood zijn? Het kon niet waar zijn. Niemand geloofde het, alleen de Geheime Dienstagenten, omdat die op dit soort momenten getraind hebben, hopend dat het nooit zou voorkomen, maar er desalniettemin mentaal en fysiek op voorbereid. Dick Bridges, hun leider, had droge ogen en gedroeg zich stoïcijns, er was geen moment dat hij niet de leiding had, dat iemand zich afvroeg of hij wel op zijn taak berekend was. Nadat hij geregeld had dat de agenten die in de voorste limo hadden gezeten werden overgebracht naar het laadruim van het vliegtuig, ging hij bij het lichaam van de president staan als lid van de Praetoriaanse garde die zijn Caesar bijstaat, zelfs als hij dood is.

Jack had niets meer van Annika gehoord en verwachtte ook niets meer te horen. Hij vond het niet erg, hij zou toch niet weten wat hij tegen haar moest zeggen, hoe hij zich moest gedragen. Zijn hoofd was hier, bij zijn overleden vriend, zijn leider, en bij Alli.

Vlak voordat de deuren dichtgingen, liep hij bij Alli vandaan en ging op de verrijdbare trap staan. Om hem heen stonden Geheime Dienstagenten met grimmige gezichten, zwijgend in stil verdriet. Hun verdriet was zo tastbaar dat hij zich er lamgeslagen door voelde. Er was niets speciaals om naar te kijken, Sjeremetjevo leek op veel luchthavens in veel andere landen, maar toch vond hij het een unieke plek.

Aan alles komt een eind, dacht hij. Aan liefde, aan haat, zelfs aan verraad. Aan het vergaren van rijkdom, aan het intrigeren voor macht, aan de wreedheden, aan de gemeenheden, aan de eindeloze serie leugens die ons brengen wat we denken dat we willen hebben. Op het laatste moment valt iedereen, zelfs would-be koningen als Joekin, zelfs prinsen van het duister als Djadja Goerdjiev. In de stilte van het graf krijgen we wat we verdienen.

Terwijl hij dit bedacht, terwijl hij de laatste teugen koude Moskouse lucht inademde, trilde zijn mobiel. Bijna haalde hij hem niet uit zijn zak, bijna keek hij niet wie contact met hem zocht op dit hoogst ongelegen moment. Hij hoopte wel en hoopte niet dat het Annika was. Maar hij dwong zichzelf op het scherm te kijken en zag dat ze met een e-mail op zijn voicemailboodschap had gereageerd. Hij opende hem en las:

Lieve Jack,

Mijn opa zei dat ik het je niet moest vertellen, maar ik breek met het protocol, omdat er iets is wat je moet weten. Het is de reden dat ik niet ben gekomen, de reden waarom ik nooit zal komen, hoe lang je ook wacht, de reden waarom ik niet melodramatisch doe als ik zeg dat we elkaar nooit meer moeten zien. Ik heb Lloyd Berns vermoord. Ik heb hem opgespoord in Kiev en later op Capri, waar het, als hij geen officiële verplichtingen had, heel eenvoudig was om met hem te doen wat ik wilde; ik heb hem doodgereden. Hij had een deal

334

gesloten met Karl Rotsjev – twee koppige vogels van hetzelfde corrupte plui-
mage – die een bedreiging vormde voor de AURA-plannen. Mijn opa wist dat
de president een onderzoek zou gelasten naar Berns dood en vermoedde dat
hij jou de opdracht zou geven, omdat Carson jou vertrouwde, alleen jou, en jij
al bij hem in Moskou was.

Ik weet dat je me nu haat. Daar heb ik me op voorbereid vanaf het moment
dat ik dat dossier over je samenstelde. Het heeft niet veel zin te herhalen hoe
wanhopig mijn opa en ik jouw unieke expertise nodig hadden, niemand anders zou de Gordiaanse knoop hebben kunnen ontrafelen die ons tegenwerk-
te en misleidde. Dus nu haat je me, wat heel begrijpelijk en onvermijdelijk is,
maar je kent me: waar ik niet tegen kan, is onverschilligheid, en nu kun je nooit
meer onverschillig over me denken. In dat opzicht ben ik tevreden, hoewel
zeker niet gelukkig. Volgens mij ben ik niet voorbestemd om gelukkig te zijn,
of zelfs maar een beetje. Geluk is net zo'n mysterie voor me, of misschien is
'buitenaards' een beter woord, als een gebed.

Of je het nou wel of niet wilt geloven, we worden beheerst door krachten die
we niet kunnen zien, laat staan begrijpen. Dit is geen excuus voor of afzwak-
king van wat ik heb gedaan. Ik hoef geen vergiffenis, weet niet eens wat het
woord betekent, en dat wil ik ook niet weten. Het spijt me niet wat ik heb gedaan en ik ben er ook niet trots op. Vrede en oorlog eisen hun offers, soldaten
moeten sneuvelen om de strijd te winnen, zelfs – of misschien vooral – diegenen die sub rosa werken, in de schaduw van een licht dat alleen mensen zoals wij zien.

Djadja Goerdjiev en ik hebben onze oorlog tegen Oriel Batsjoek gewonnen en
Amerika heeft gekregen wat het wilde van Joekin en het Kremlin. Dat is het
enige wat ertoe doet, want jij, ik, alle stukken op het schaakbord, hebben
zonder dat geen betekenis.

Annika

'Meneer McClure.' Dick Bridges tikte hem op zijn schouder. 'Iedereen
wacht. Ik moet u vragen om nu naar binnen te gaan en te gaan zitten.
De piloot heeft toestemming gekregen om onmiddellijk op te stijgen.'
Jack keek nog een keer naar de e-mail, alsof een tweede keer de woorden lezen de betekenis zou veranderen, alsof hij deze keer niet zou
ontdekken hoe verschrikkelijk, hoe diep, hoe absoluut Annika hem
had verraden. Hoe haar grootvader en zij in concentrische cirkels
leugens en bedrog hadden geweven, laag op laag, de een in de ander,

335

die elkaar beschermden als een Russische matroesjka.

Hij keek naar de laatste sneeuw in april. Alli had gezegd: 'Misschien komt zij naar Washington, misschien kom jij hier nog eens terug.'

Het was mogelijk dat een van die twee toekomstmogelijkheden daadwerkelijk zou gaan gebeuren, maar vandaag, nu hij het verdrietige, eenzame en stille vliegtuig weer in stapte, betwijfelde hij dat ten zeerste.